#교재검토
#선생님들
#감사합니다

강원우(인천) 강희용(충남 천안) 고수환(서울) 김경미(강원 춘천) 김경화(부산) 김금화(서울) 김기영(경기 화성)
김미정(광주) 김민정(경기 화성) 김병철(경남 창원) 김봉조(울산) 김상윤(경기 광명) 김선경(서울) 김선미(경남 김해)
김영준(경기 성남) 김은희(강원 원주) 김인범(광주) 김정식(울산) 김제득(울산) 김주현(서울) 김준(인천)
김지윤(경기 수원) 김치욱(부산) 김현희(서울) 김희연(서울) 나원균(인천) 나종학(서울) 나혜림(경기 안양)
류미진(부산) 민동건(경기 광명) 박미영(경기 안양) 박미옥(전남 목포) 박산성(대구) 박연실(대전) 박영지(대구)
박은하(서울) 박종현(경기) 박지연(세종) 박해석(인천) 배재형(서울) 백은화(서울) 봉우리(경기 남양주)
서영호(경기 의정부) 성은수(서울) 소효진(경북 김천) 송경희(대전) 송언지(경북 김천) 안연수(경기 남양주) 안은옥(인천)
안현지(강원 강릉) 유미리(경기 김포) 윤상완(경기 용인) 윤석주(대전) 윤주성(경기 광명) 윤희(경기 성남) 이경미(세종)
이관우(경기 안산) 이근영(경남 창원) 이남희(대구) 이수동(경기 부천) 이신영(세종) 이아람(충남 홍성) 이애희(인천)
이은지(경기 고양) 이정희(서울) 이지은(대구) 이현희(경기 양주) 이화연(경기 의정부) 임성국(서울) 임송란(경기 양평)
전경진(경기 용인) 전성호(충남 아산) 전은술(인천) 전지영(대구) 정하윤(서울) 정황우(경기 파주) 조욱(경기 용인)
진현정(경기 용인) 차효순(광주) 최근혁(경기 부천) 최소영(충남 당진) 최수남(강원 강릉) 최재현(강원 원주) 최준옥(경기 양주)
하윤석(경남 거제) 한미정(경기 수원) 한수민(경기 의왕) 한웅희(서울) 허윤정(부산)

Chunjae
Maketh
Chunjae

▼

저자	최용준, 해법수학연구회
편집개발	박유영, 조영옥, 민지영, 정광혜, 원진희, 민경아, 김주리, 김근희, 서진원, 마영희
디자인총괄	김희정
표지디자인	윤순미, 장미
내지디자인	박희춘, 우혜림
제작	황성진, 조규영

발행일	2020년 12월 1일 초판 2020년 12월 1일 1쇄
발행인	(주)천재교육
주소	서울시 금천구 가산로9길 54
신고번호	제2001-000018호
고객센터	1577-0902
교재 내용문의	(02)3282-1721

※ 정답 분실 시에는 천재교육 교재 홈페이지에서 내려받으세요.

중2-1

시작은

하루 수학

하루 수학의 **구성과 특징**

시작하며

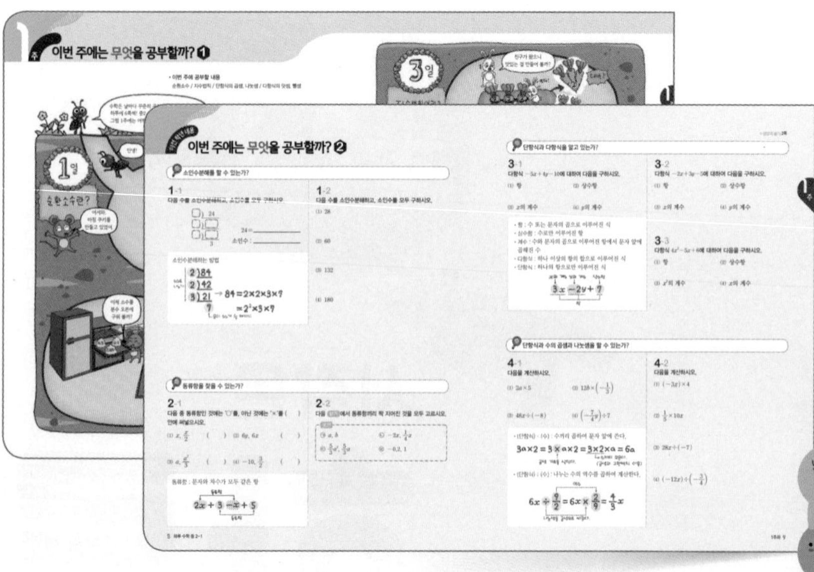

▌이번 주에는 무엇을 공부할까? ❶, ❷

- 한 주에 공부할 내용을 삽화로 재미있게 구성하였습니다.
- 한 주의 공부를 시작하기 전에 꼭 알아야 할 이전 학년 내용을 짚고 넘어갈 수 있도록 구성하였습니다.

1일 공부를 하기 전에 잠깐 시간을 내서 공부해봐.

한 주를 마무리 하며

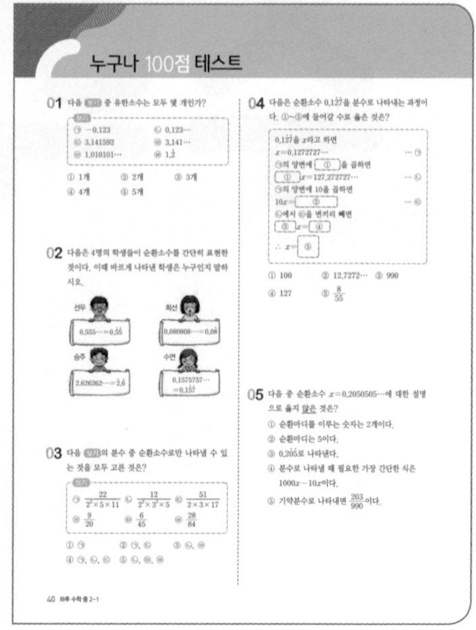

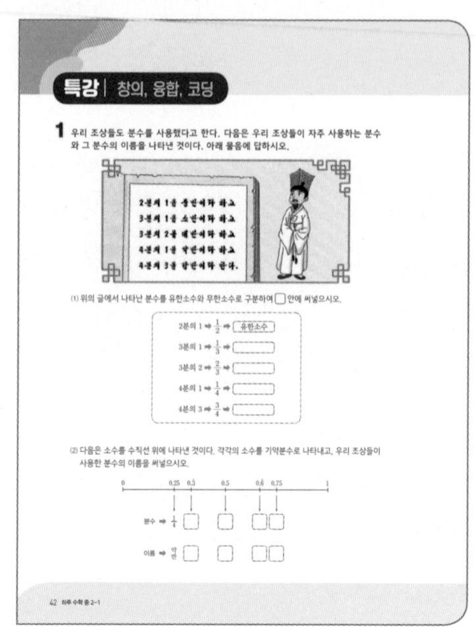

▌누구나 100점 테스트

한 주를 마무리하며 한 주 동안 공부한 개념을 얼마나 잘 이해했는지 테스트할 수 있도록 하였습니다.

▌특강 창의, 융합, 코딩

창의, 융합, 코딩 문제를 풀면서 한 주 동안 공부한 내용이 어떻게 이용되는지 알고 문제 해결력을 기를 수 있도록 하였습니다.

5일 동안

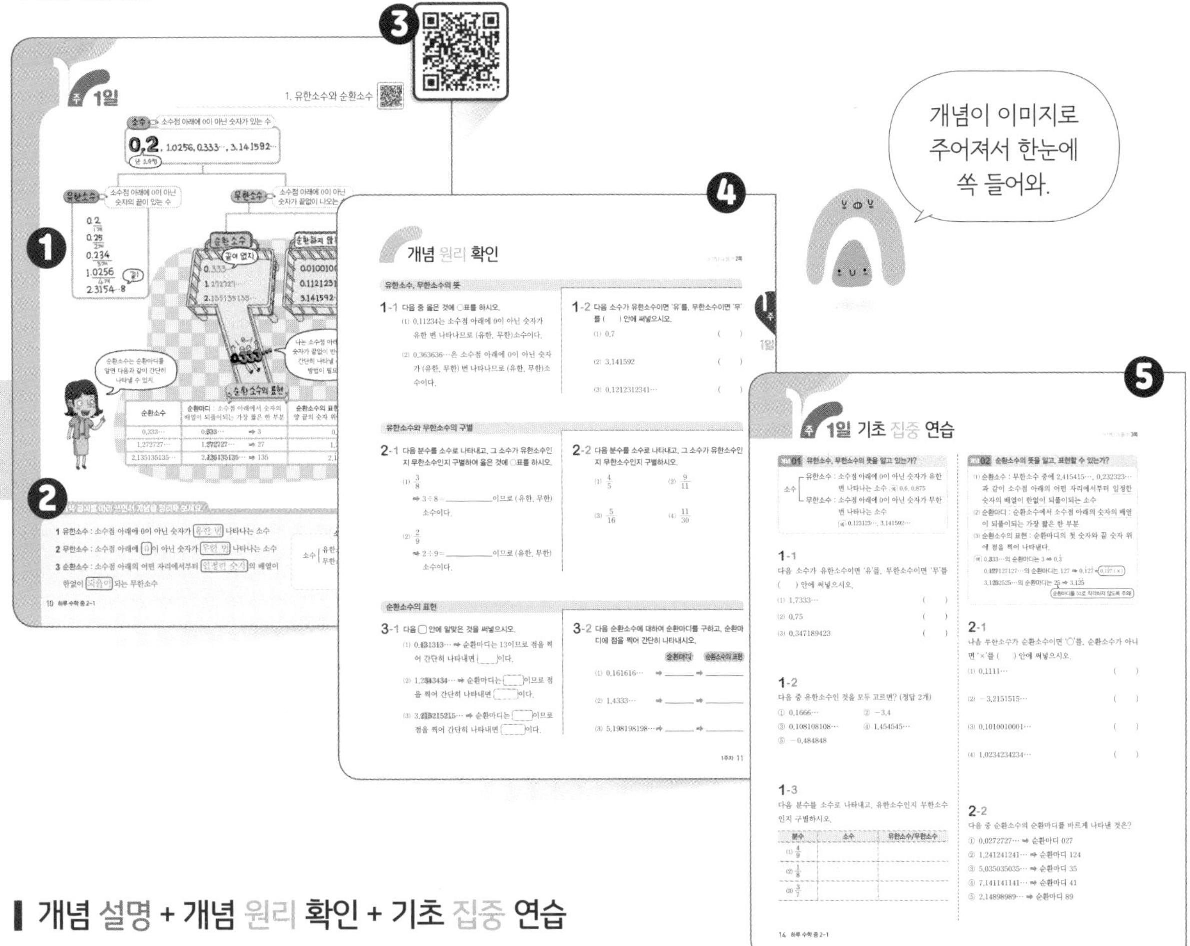

개념 설명 + 개념 원리 확인 + 기초 집중 연습

❶ 꼭 알아야 할 중요한 개념을 이미지, 삽화, 만화 등을 통해 이해하기 쉽게 구성하였습니다.

❷ 개념을 한번 더 따라쓰면서 개념을 정리할 수 있도록 하였습니다.

❸ 개념 페이지마다 개념 동영상을 볼 수 있는 QR 코드를 넣어 혼자 공부하기 힘들 때 QR 코드를 찍어 볼 수 있도록 하였습니다.

❹ 문제를 통해 개념을 확실하게 이해할 수 있도록 하였습니다.

❺ 매일 배운 개념을 문제를 통해 연습할 수 있도록 구성하였습니다.

하루 수학의 **차례 중 2-1**

1주

2주

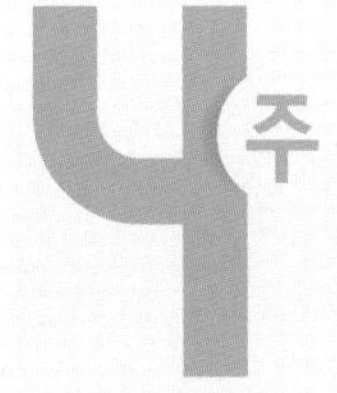

1주 이번 주에는 무엇을 공부할까? 1

• **이번 주에 공부할 내용**

순환소수 / 지수법칙 / 단항식의 곱셈, 나눗셈 / 다항식의 덧셈, 뺄셈

수학은 날마다 꾸준히 공부하는 게 가장 중요해.
하루에 6쪽씩! 중2 수학을 가볍게 시작해 보자.
그럼 1주에는 어떤 것을 공부하는지 알아볼까?

안녕!

1일

순환소수란?

어서와.
마침 쿠키를
만들고 있었어.

$\frac{1}{2}$ $\frac{1}{5}$ $\frac{1}{3}$

0.5 0.2 0.333⋯

난 유한소수야.
끝이 있는 소수란
뜻이지.

난 끝이 없는
무한소수야.
그중에서도 3이
반복되어 순환소수
라고 하지.

이제 소수를
분수 오븐에
구워 볼까?

짠~ 맛있는 분수
쿠키 완성! 어!
그런데 0.333⋯은
무엇으로 바뀐 거지?

0.5 0.2 0.333⋯

$\frac{1}{2}$ $\frac{1}{5}$???

2일

순환소수를 분수로
나타내는 방법

나도 먹고 싶어.
같이 먹자.

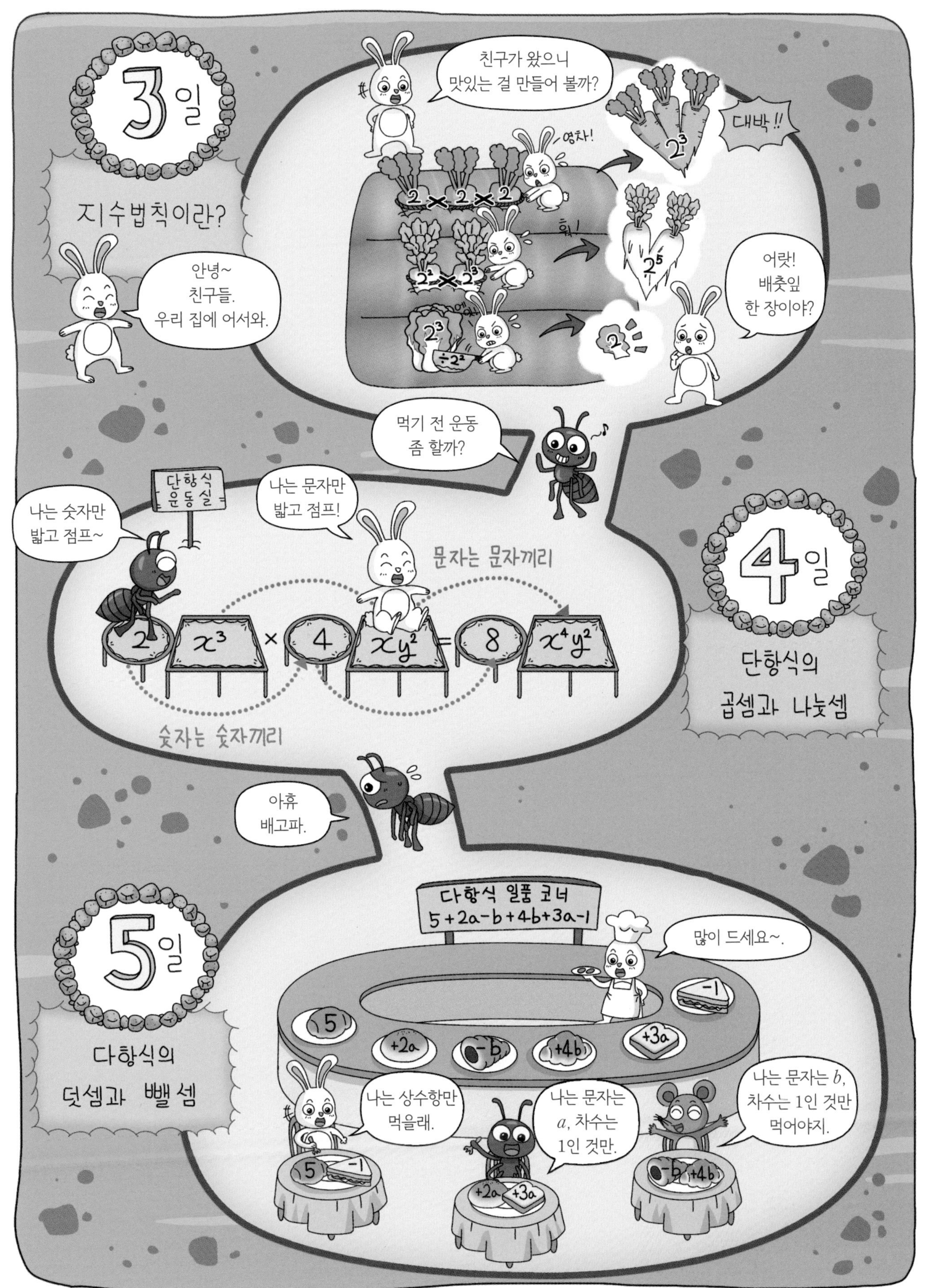

3일
지수법칙이란?
안녕~ 친구들. 우리 집에 어서와.
친구가 왔으니 맛있는 걸 만들어 볼까?
영차!
대박!!
어랏! 배춧잎 한 장이야?
먹기 전 운동 좀 할까?
4일
단항식의 곱셈과 나눗셈
단항식 운동실
나는 숫자만 밟고 점프~
나는 문자만 밟고 점프!
문자는 문자끼리
숫자는 숫자끼리
아휴 배고파.
5일
다항식의 덧셈과 뺄셈
다항식 일품 코너
5+2a-b+4b+3a-1
많이 드세요~.
나는 상수항만 먹을래.
나는 문자는 a, 차수는 1인 것만.
나는 문자는 b, 차수는 1인 것만 먹어야지.

1주

이전 학년 내용

이번 주에는 무엇을 공부할까? ②

소인수분해를 할 수 있는가?

1-1

다음 수를 소인수분해하고, 소인수를 모두 구하시오.

$$\begin{array}{r|l} \square & 24 \\ \hline \square & \square \\ \hline \square & \square \\ \hline & 3 \end{array}$$

24= ______________

소인수 : ______________

소인수분해하는 방법

소수로 나누기

$$\begin{array}{r|l} 2 & 84 \\ \hline 2 & 42 \\ \hline 3 & 21 \\ \hline & 7 \end{array}$$

→ $84=2\times2\times3\times7$

$=2^2\times3\times7$

몫이 소수가 될 때까지

1-2

다음 수를 소인수분해하고, 소인수를 모두 구하시오.

(1) 28

(2) 60

(3) 132

(4) 180

동류항을 찾을 수 있는가?

2-1

다음 중 동류항인 것에는 '○'를, 아닌 것에는 '×'를 (　　) 안에 써넣으시오.

(1) x, $\frac{x}{2}$ (　　) (2) $6y$, $6x$ (　　)

(3) a, $\frac{a^2}{3}$ (　　) (4) -10, $\frac{3}{2}$ (　　)

동류항 : 문자와 차수가 모두 같은 항

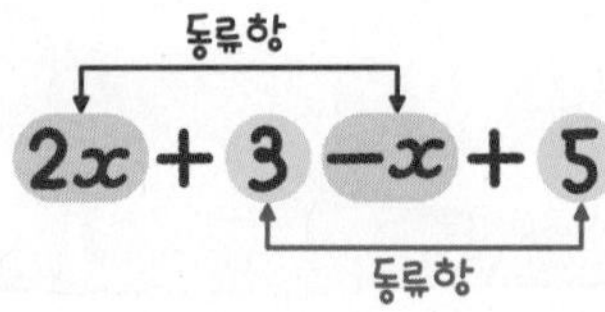

2-2

다음 보기 에서 동류항끼리 짝 지어진 것을 모두 고르시오.

보기

ㄱ. a, b

ㄴ. $-2x$, $\frac{1}{4}x$

ㄷ. $\frac{5}{3}a^2$, $\frac{5}{3}a$

ㄹ. -0.2, 1

단항식과 다항식을 알고 있는가?

3-1

다항식 $-5x+4y-10$에 대하여 다음을 구하시오.

(1) 항 (2) 상수항

(3) x의 계수 (4) y의 계수

- 항 : 수 또는 문자의 곱으로 이루어진 식
- 상수항 : 수로만 이루어진 항
- 계수 : 수와 문자의 곱으로 이루어진 항에서 문자 앞에 곱해진 수
- 다항식 : 하나 이상의 항의 합으로 이루어진 식
- 단항식 : 하나의 항으로만 이루어진 식

3-2

다항식 $-2x+3y-5$에 대하여 다음을 구하시오.

(1) 항 (2) 상수항

(3) x의 계수 (4) y의 계수

3-3

다항식 $4x^2-5x+6$에 대하여 다음을 구하시오.

(1) 항 (2) 상수항

(3) x^2의 계수 (4) x의 계수

단항식과 수의 곱셈과 나눗셈을 할 수 있는가?

4-1

다음을 계산하시오.

(1) $2a\times5$ (2) $12b\times\left(-\frac{1}{3}\right)$

(3) $48x\div(-8)$ (4) $\left(-\frac{7}{4}y\right)\div7$

- (단항식)×(수) : 수끼리 곱하여 문자 앞에 쓴다.

- (단항식)÷(수) : 나누는 수의 역수를 곱하여 계산한다.

4-2

다음을 계산하시오.

(1) $(-3x)\times4$

(2) $\frac{1}{5}\times10x$

(3) $28x\div(-7)$

(4) $(-12x)\div\left(-\frac{3}{4}\right)$

소수 : 소수점 아래에 0이 아닌 숫자가 있는 수

0.2, 1.0256, 0.333…, 3.141592…

(난 소수점)

유한소수 : 소수점 아래에 0이 아닌 숫자의 끝이 있는 수

0.2 (1개)
0.25 (2개)
0.234 (3개)
1.0256 (4개)
2.3154…8 (끝!)

무한소수 : 소수점 아래에 0이 아닌 숫자가 끝없이 나오는 수

순환소수 (끝이 없지.)

0.333…
1.272727…
2.135135135…

순환하지 않는 소수

0.010010001…
0.11212312341…
3.141592…

(와~) 0.333…

나는 소수점 아래 똑같은 숫자가 끝없이 반복되는데, 간단히 나타낼 수 있는 방법이 필요해.

순환소수는 순환마디를 알면 다음과 같이 간단히 나타낼 수 있지.

순환소수의 표현

순환소수	**순환마디** : 소수점 아래에서 숫자의 배열이 되풀이되는 가장 짧은 한 부분	**순환소수의 표현** : 순환마디의 양 끝의 숫자 위에 점을 찍는다.
0.333…	0.333… ➡ 3	$0.\dot{3}$
1.272727…	1.272727… ➡ 27	$1.\dot{2}\dot{7}$
2.135135135…	2.135135135… ➡ 135	$2.\dot{1}3\dot{5}$

회색 글씨를 따라 쓰면서 개념을 정리해 보세요.

1 유한소수 : 소수점 아래에 0이 아닌 숫자가 유한 번 나타나는 소수

2 무한소수 : 소수점 아래에 0이 아닌 숫자가 무한 번 나타나는 소수

3 순환소수 : 소수점 아래의 어떤 자리에서부터 일정한 숫자의 배열이 한없이 되풀이 되는 무한소수

소수의 분류

소수 { 유한소수
무한소수 { 순환소수
순환하지 않는 무한소수

개념 원리 확인

ㅇ정답과 풀이 2쪽

유한소수, 무한소수의 뜻

1-1 다음 중 옳은 것에 ○표를 하시오.

(1) 0.11234는 소수점 아래에 0이 아닌 숫자가 유한 번 나타나므로 (유한, 무한)소수이다.

(2) 0.363636…은 소수점 아래에 0이 아닌 숫자가 (유한, 무한) 번 나타나므로 (유한, 무한)소수이다.

1-2 다음 소수가 유한소수이면 '유'를, 무한소수이면 '무'를 (   ) 안에 써넣으시오.

(1) 0.7 (   )

(2) 3.141592 (   )

(3) 0.1212312341… (   )

유한소수와 무한소수의 구별

2-1 다음 분수를 소수로 나타내고, 그 소수가 유한소수인지 무한소수인지 구별하여 옳은 것에 ○표를 하시오.

(1) $\frac{3}{8}$

➡ $3 \div 8 =$ ________이므로 (유한, 무한)소수이다.

(2) $\frac{2}{9}$

➡ $2 \div 9 =$ ________이므로 (유한, 무한)소수이다.

2-2 다음 분수를 소수로 나타내고, 그 소수가 유한소수인지 무한소수인지 구별하시오.

(1) $\frac{4}{5}$ (2) $\frac{9}{11}$

(3) $\frac{5}{16}$ (4) $\frac{11}{30}$

순환소수의 표현

3-1 다음 ☐ 안에 알맞은 것을 써넣으시오.

(1) 0.131313… ➡ 순환마디는 13이므로 점을 찍어 간단히 나타내면 ☐이다.

(2) 1.2343434… ➡ 순환마디는 ☐이므로 점을 찍어 간단히 나타내면 ☐이다.

(3) 3.215215215… ➡ 순환마디는 ☐이므로 점을 찍어 간단히 나타내면 ☐이다.

3-2 다음 순환소수에 대하여 순환마디를 구하고, 순환마디에 점을 찍어 간단히 나타내시오.

	순환마디	순환소수의 표현
(1) 0.161616… ➡	________ ➡	________
(2) 1.4333… ➡	________ ➡	________
(3) 5.198198198… ➡	________ ➡	________

2. 유한소수로 나타낼 수 있는 분수

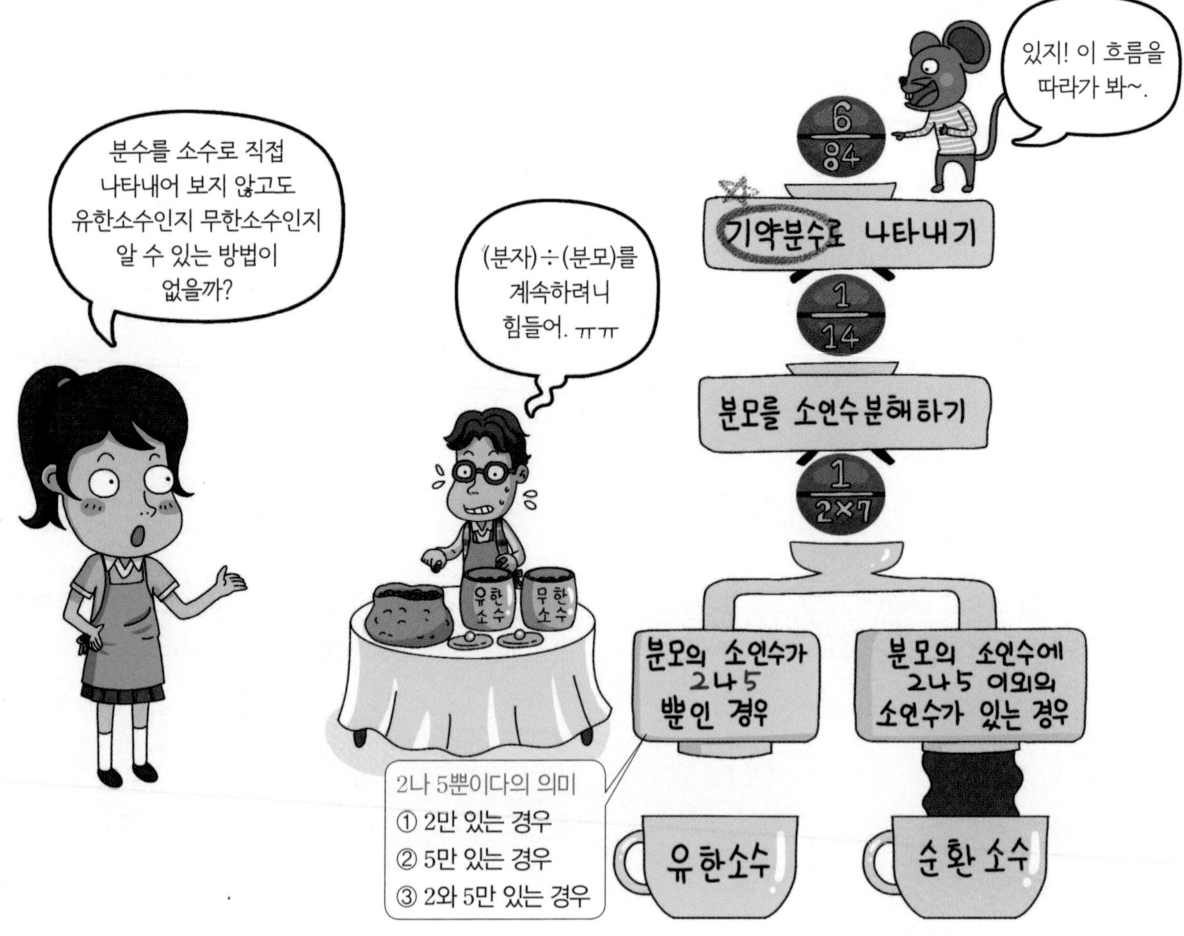

유한소수가 되는 예

$\frac{9}{60}=\frac{3}{20}=\frac{3}{2^2\times5}$ (약분, 분모를 소인수분해) ➡ 분모의 소인수가 2와 5뿐이므로 유한소수

➡ 0.15

순환소수가 되는 예

$\frac{6}{45}=\frac{2}{15}=\frac{2}{3\times5}$ (약분, 분모를 소인수분해) ➡ 분모에 2나 5 이외의 소인수 3이 있으므로 순환소수

➡ $0.1\dot{3}$

회색 글씨를 따라 쓰면서 개념을 정리해 보세요.

❖ 정수가 아닌 유리수가 유한소수인지 순환소수인지 판단하기

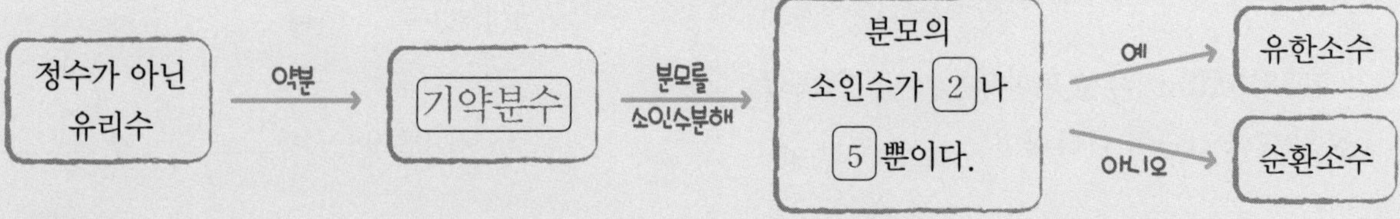

개념 원리 확인

○ 정답과 풀이 2쪽

1주 1일

유한소수로 나타낼 수 있는 분수

4-1 다음 중 옳은 것에 ○표를 하시오.

정수가 아닌 유리수를 기약분수로 나타내었을 때

(1) 분모의 소인수가 2나 5뿐이면 그 유리수는 유한소수로 나타낼 수 (있다, 없다).

(2) 분모에 2나 5 이외의 소인수가 있으면 그 유리수는 유한소수로 나타낼 수 (있다, 없다).

4-2 다음 중 옳은 것에 ○표를 하시오.

(1) $\frac{1}{2^2\times5}$ ➡ 분모의 소인수가 2와 5뿐이므로 유한소수로 나타낼 수 (있다, 없다).

(2) $\frac{7}{3\times5}$ ➡ 분모의 소인수 중에 3이 있으므로 유한소수로 나타낼 수 (있다, 없다).

유한소수를 기약분수로 나타내기

5-1 다음은 유한소수를 기약분수로 나타내는 과정이다. □ 안에 알맞은 수를 써넣고, 분모의 소인수를 구하시오.

(1) $0.42=\frac{\square}{100}=\frac{\square}{\square}$

➡ 분모의 소인수 : ________

(2) $0.285=\frac{\square}{1000}=\frac{\square}{\square}$

➡ 분모의 소인수 : ________

5-2 다음 유한소수를 기약분수로 나타내고, 분모의 소인수를 구하시오.

	기약분수	분모의 소인수
(1) 0.6	➡ ________	➡ ________
(2) 0.25	➡ ________	➡ ________
(3) 0.175	➡ ________	➡ ________

유한소수, 순환소수로 나타낼 수 있는 분수

6-1 다음 □ 안에 알맞은 수를 써넣고, 옳은 것에 ○표를 하시오.

(1) $\frac{7}{2^2\times5^2}$ ➡ 분모의 소인수가 2와 □뿐이므로 (유한, 순환)소수로 나타낼 수 있다.

(2) $\frac{45}{2\times5\times7}=\frac{9}{2\times\square}$ ➡ 분모의 소인수 중에 □이 있으므로 (유한, 순환)소수로만 나타낼 수 있다.

6-2 다음 분수를 유한소수로 나타낼 수 있으면 '유'를, 순환소수로만 나타낼 수 있으면 '순'을 ( ) 안에 써넣으시오.

(1) $\frac{13}{2^2\times3^3}$ ( )

(2) $\frac{21}{2\times3\times5}$ ( )

1주 1일 기초 집중 연습

○ 정답과 풀이 3쪽

개념 01 유한소수, 무한소수의 뜻을 알고 있는가?

소수
- 유한소수 : 소수점 아래에 0이 아닌 숫자가 유한 번 나타나는 소수 예 0.6, 0.875
- 무한소수 : 소수점 아래에 0이 아닌 숫자가 무한 번 나타나는 소수 예 0.123123…, 3.141592…

1-1

다음 소수가 유한소수이면 '유'를, 무한소수이면 '무'를 ( ) 안에 써넣으시오.

(1) 1.7333… ( )

(2) 0.75 ( )

(3) 0.347189423 ( )

1-2

다음 중 유한소수인 것을 모두 고르면? (정답 2개)

① 0.1666… ② −3.4
③ 0.108108108… ④ 1.454545…
⑤ −0.484848

1-3

다음 분수를 소수로 나타내고, 유한소수인지 무한소수인지 구별하시오.

분수	소수	유한소수/무한소수
(1) $\frac{4}{9}$		
(2) $\frac{1}{8}$		
(3) $\frac{3}{7}$		

개념 02 순환소수의 뜻을 알고, 표현할 수 있는가?

(1) 순환소수 : 무한소수 중에 2.415415…, 0.232323…과 같이 소수점 아래의 어떤 자리에서부터 일정한 숫자의 배열이 한없이 되풀이되는 소수

(2) 순환마디 : 순환소수에서 소수점 아래의 숫자의 배열이 되풀이되는 가장 짧은 한 부분

(3) 순환소수의 표현 : 순환마디의 첫 숫자와 끝 숫자 위에 점을 찍어 나타낸다.

예 0.333…의 순환마디는 3 ➡ $0.\dot{3}$

0.127127127…의 순환마디는 127 ➡ $0.\dot{1}2\dot{7}$ ($0.\dot{1}\dot{2}\dot{7}$ (×))

3.1252525…의 순환마디는 25 ➡ $3.1\dot{2}\dot{5}$

순환마디를 52로 착각하지 않도록 주의!

2-1

다음 무한소수가 순환소수이면 '○'를, 순환소수가 아니면 '×'를 ( ) 안에 써넣으시오.

(1) 0.1111… ( )

(2) −3.2151515… ( )

(3) 0.1010010001… ( )

(4) 1.0234234234… ( )

2-2

다음 중 순환소수의 순환마디를 바르게 나타낸 것은?

① 0.0272727… ➡ 순환마디 027
② 1.241241241… ➡ 순환마디 124
③ 5.035035035… ➡ 순환마디 35
④ 7.141141141… ➡ 순환마디 41
⑤ 2.14898989… ➡ 순환마디 89

2-3

다음 중 순환소수의 표현이 옳은 것은?

① $0.342342342\cdots=0.\dot{3}\dot{4}\dot{2}$

② $0.3333\cdots=0.\dot{3}\dot{3}$

③ $5.846444\cdots=5.8\dot{4}6$

④ $2.469469469\cdots=2.\dot{4}6\dot{9}$

⑤ $1.251251251\cdots=\dot{1}.2\dot{5}$

2-4

다음 분수를 소수로 나타낸 후, 순환마디에 점을 찍어 간단히 나타내시오.

	소수로 나타내기		순환소수의 표현
(1) $\frac{5}{6}=$	______	=	______
(2) $\frac{11}{12}=$	______	=	______
(3) $\frac{2}{37}=$	______	=	______

2-5

다음 중에서 $8.1656565\cdots$에 대하여 옳은 설명을 한 사람을 모두 말하시오.

개념 03 유한소수, 순환소수로 나타낼 수 있는 분수의 성질을 알고 있는가?

주어진 분수를 먼저 기약분수로 나타낸 후 다음과 같이 판별한다.

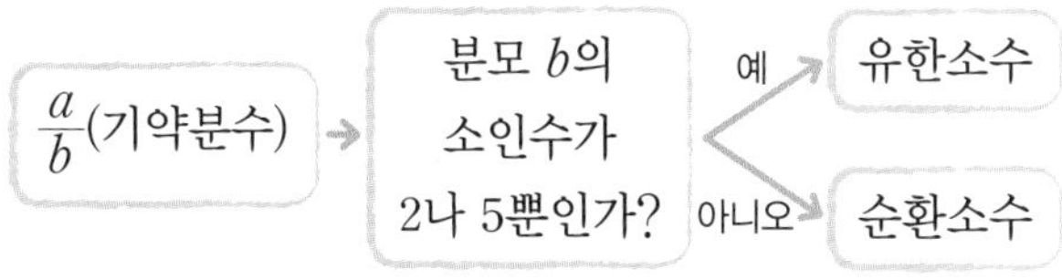

3-1

다음 분수를 소수로 나타낼 때, 유한소수로 나타낼 수 있는 것에는 '○'를, 나타낼 수 없는 것에는 '×'를 (　　) 안에 써넣으시오.

(1) $\frac{3}{2^2\times3^2}$ (　　)　(2) $\frac{22}{2^2\times5\times11}$ (　　)

(3) $\frac{4}{30}$ (　　)　(4) $\frac{21}{140}$ (　　)

3-2

다음 분수를 소수로 나타낼 때, 순환소수로만 나타낼 수 있는 것은?

① $\frac{18}{2\times3^2\times5}$　② $\frac{9}{60}$　③ $\frac{21}{105}$

④ $\frac{31}{2^2\times5\times11}$　⑤ $\frac{49}{2^4\times5\times7^2}$

3-3

다음 분수 중 유한소수로 나타낼 수 있는 것을 모두 고르면? (정답 2개)

① $\frac{5}{12}$　② $\frac{12}{18}$　③ $\frac{27}{40}$

④ $\frac{15}{72}$　⑤ $\frac{33}{110}$

등식의 성질

3. 순환소수를 분수로 나타내기 - 원리

소수점 아래 바로 순환마디가 오는 경우

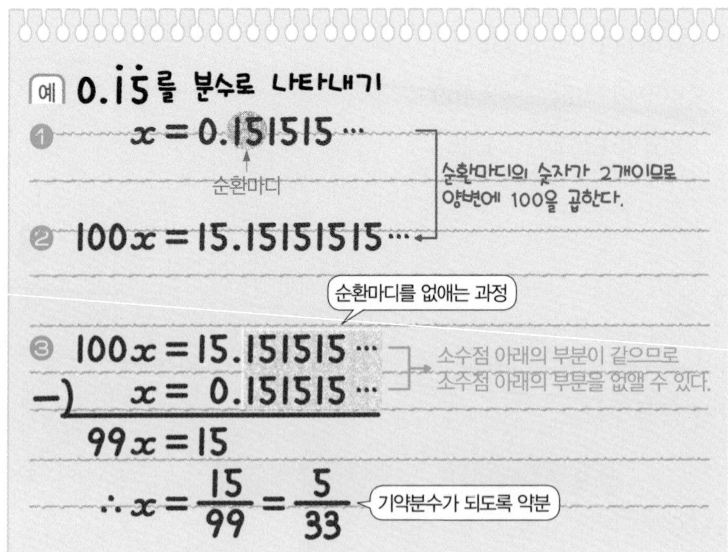

소수점 아래 바로 순환마디가 오지 않는 경우

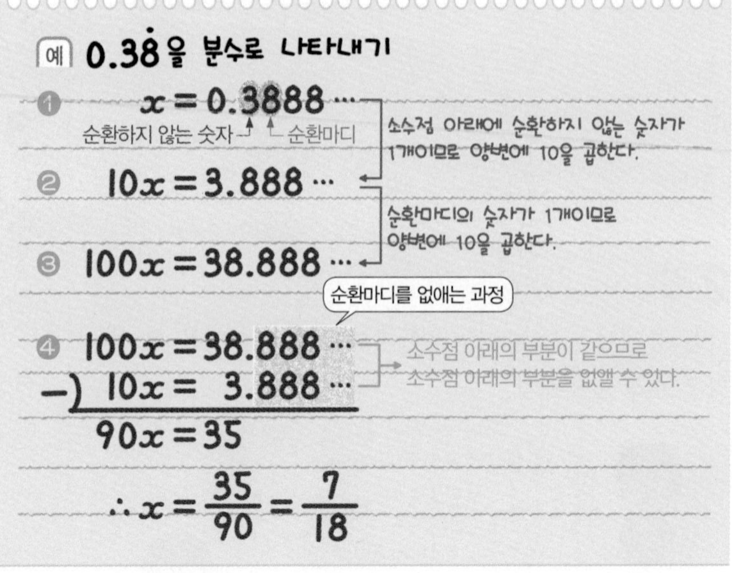

회색 글씨를 따라 쓰면서 개념을 정리해 보세요.

❖ 등식의 성질을 이용하여 순환소수를 분수로 나타내는 방법

순환소수의 [소수점 아래 부분]이 같아지도록 10의 거듭제곱을 곱하여 소수점의 위치가 첫 번째 순환마디의 [앞], [뒤]에 오게 한다.

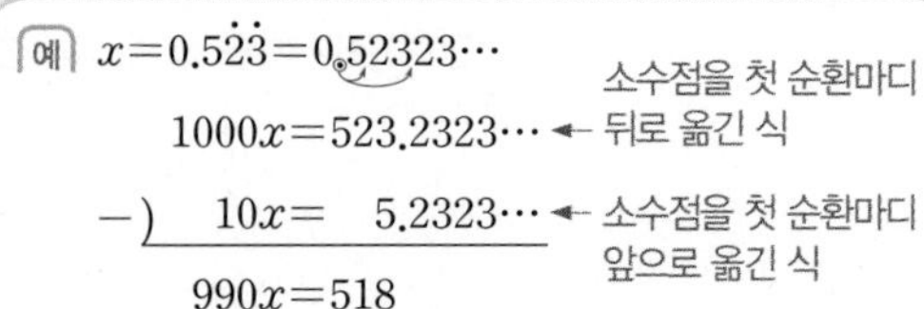

개념 원리 확인

○ 정답과 풀이 4쪽

소수점 아래 바로 순환마디가 오는 경우

1-1 다음은 순환소수 $0.\dot{6}$을 기약분수로 나타내는 과정이다. ☐ 안에 알맞은 수를 써넣으시오.

$0.\dot{6}$을 x로 놓으면
$x=0.666\cdots$ ⋯ ㉠
$10x=$☐ ⋯ ㉡
㉠과 ㉡은 소수점 아래의 부분이 같으므로
㉡－㉠을 하면

$$\begin{array}{rl} \square x= & 6.666\cdots \\ -)\quad x= & 0.666\cdots \\ \hline \square x= & 6 \end{array}$$

$\therefore x=\dfrac{6}{\square}=\square$

1-2 다음은 순환소수 $1.\dot{2}\dot{3}$을 기약분수로 나타내는 과정이다. ☐ 안에 알맞은 수를 써넣으시오.

$1.\dot{2}\dot{3}$을 x로 놓으면
$x=1.232323\cdots$ ⋯ ㉠
$100x=$☐ ⋯ ㉡
㉠과 ㉡은 소수점 아래의 부분이 같으므로
㉡－㉠을 하면

$$\begin{array}{rl} 100x= & \square \\ -)\quad x= & 1.232323\cdots \\ \hline 99x= & \square \end{array}$$

$\therefore x=\dfrac{122}{\square}$

소수점 아래 바로 순환마디가 오지 않는 경우

2-1 다음은 순환소수 $0.1\dot{3}$을 기약분수로 나타내는 과정이다. ☐ 안에 알맞은 수를 써넣으시오.

$0.1\dot{3}$을 x로 놓으면 $x=0.1333\cdots$
☐$x=1.333\cdots$ ⋯ ㉠
☐$x=13.333\cdots$ ⋯ ㉡
㉠과 ㉡은 소수점 아래의 부분이 같으므로
㉡－㉠을 하면

$$\begin{array}{rl} 100x= & 13.333\cdots \\ -)\quad 10x= & 1.333\cdots \\ \hline \square x= & 12 \end{array}$$

$\therefore x=\dfrac{12}{\square}=\square$

2-2 다음은 순환소수 $1.2\dot{4}\dot{3}$을 기약분수로 나타내는 과정이다. ☐ 안에 알맞은 수를 써넣으시오.

$1.2\dot{4}\dot{3}$을 x로 놓으면 $x=1.2434343\cdots$
$10x=12.434343\cdots$ ⋯ ㉠
☐$x=1243.434343\cdots$ ⋯ ㉡
㉠과 ㉡은 소수점 아래의 부분이 같으므로
㉡－㉠을 하면

$$\begin{array}{rl} \square x= & 1243.434343\cdots \\ -)\quad 10x= & 12.434343\cdots \\ \hline \square x= & 1231 \end{array}$$

$\therefore x=\square$

4. 순환소수를 분수로 나타내기 - 공식

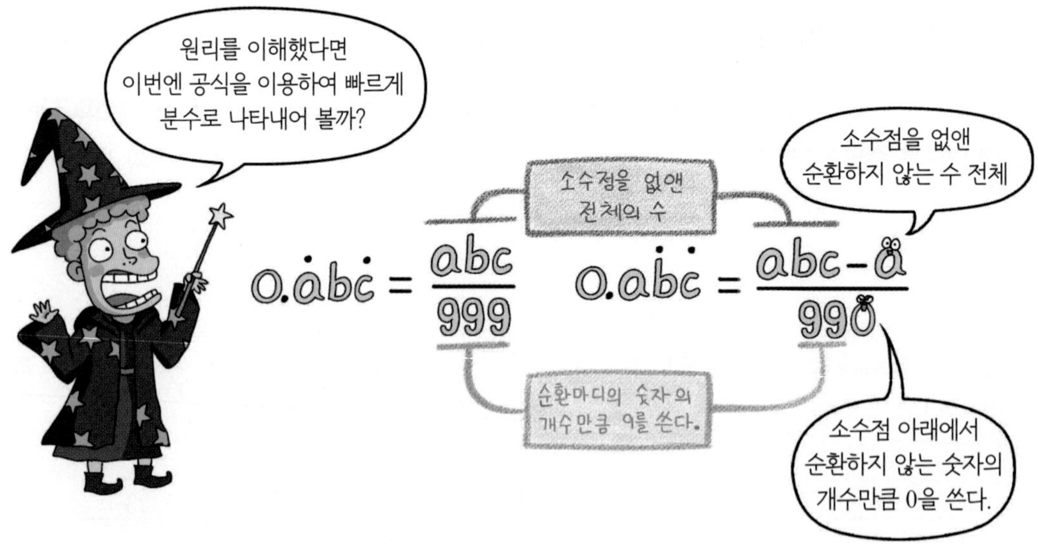

소수점 아래 바로 순환마디가 오는 경우

소수점 아래 바로 순환마디가 오지 않는 경우

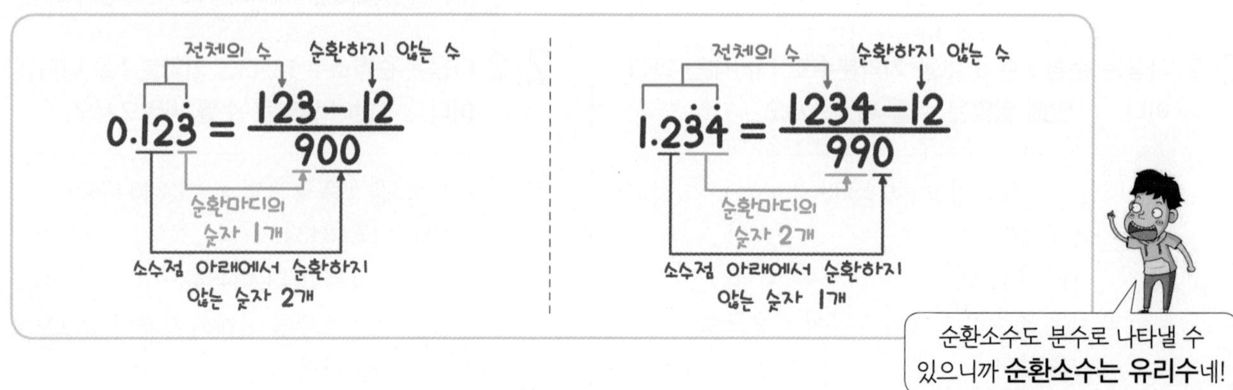

회색 글씨를 따라 쓰면서 개념을 정리해 보세요.

❖ 공식을 이용하여 순환소수를 분수로 나타내는 방법

1 분모 : 순환마디의 숫자의 개수만큼 [9]를 쓰고, 그 뒤에 소수점 아래에서 순환하지 않는 숫자의 개수만큼 [0]을 쓴다.

2 분자 : (전체의 수)−([순환하지 않는] 수)

예 $1.\dot{2}\dot{5}=\frac{125-\boxed{1}}{\boxed{99}}$, $1.2\dot{4}\dot{1}=\frac{1241-\boxed{12}}{\boxed{990}}$

개념 원리 확인

정답과 풀이 4쪽

소수점 아래 바로 순환마디가 오는 경우

3-1 다음은 순환소수를 기약분수로 나타내는 과정이다. ☐ 안에 알맞은 수를 써넣으시오.

(1) 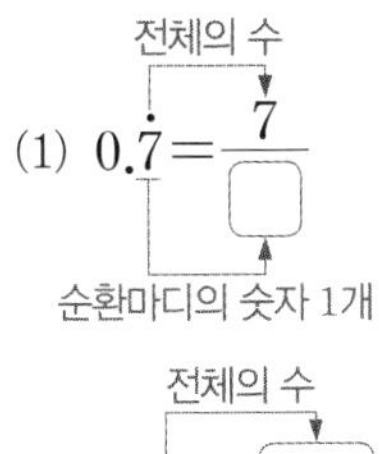

(2) 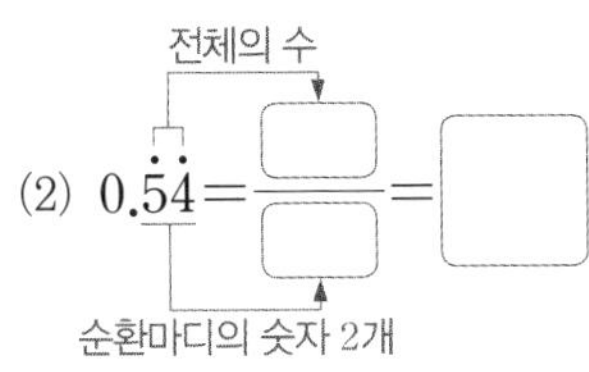

(3) 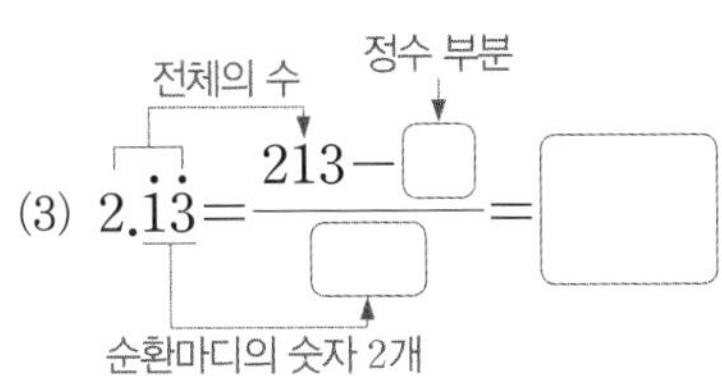

3-2 다음 순환소수를 기약분수로 나타내시오.

(1) $0.\dot{3}\dot{7}$

(2) $0.\dot{1}2\dot{3}$

(3) $1.\dot{5}$

(4) $3.\dot{4}\dot{9}$

소수점 아래 바로 순환마디가 오지 않는 경우

4-1 다음은 순환소수를 기약분수로 나타내는 과정이다. ☐ 안에 알맞은 수를 써넣으시오.

(1) 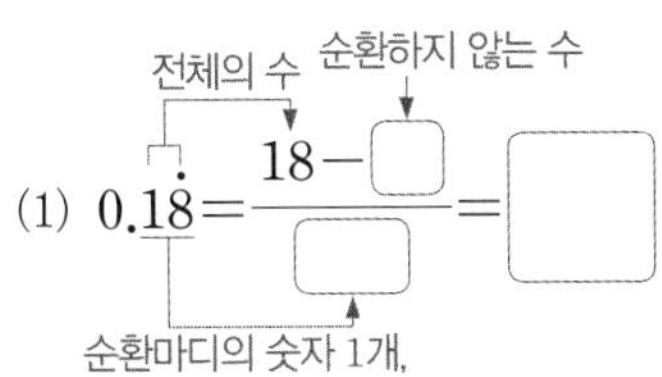

(2) 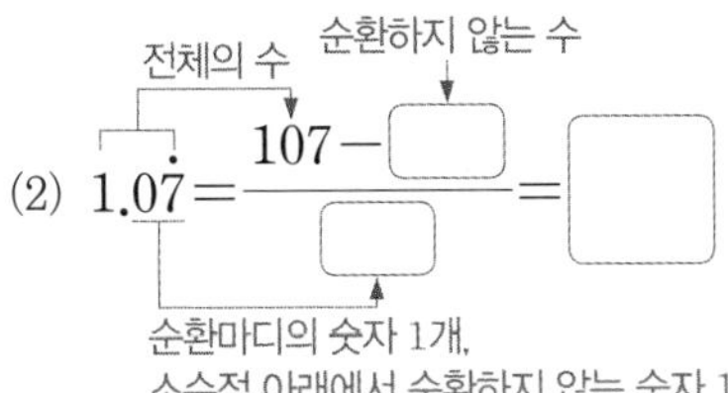

(3) 전체의 수, 순환하지 않는 수

$1.2\dot{3}\dot{6}=\frac{1236-\square}{\square}=\square$

순환마디의 숫자 2개,
소수점 아래에서 순환하지 않는 숫자 1개

4-2 다음 순환소수를 기약분수로 나타내시오.

(1) $0.5\dot{6}$

(2) $0.82\dot{4}$

(3) $1.3\dot{7}$

(4) $2.5\dot{8}\dot{3}$

개념 01 순환소수를 분수로 나타내는 원리를 이해하고 있는가?

순환소수를 분수로 나타내기 위해 두 개의 식을 만들 때, 두 식 모두 소수점 아래 첫째 자리에서부터 순환마디가 시작되도록 한다.

참고 첫 번째 순환마디의 앞뒤로 소수점이 오도록 순환소수에 10의 거듭제곱을 곱한다.

예 $x=0.242424\cdots$

$100x=24.242424\cdots$ ← 첫 번째 순환마디 뒤에 놓임

$-)\ \ x=0.242424\cdots$ ← 첫 번째 순환마디 앞에 놓임

$99x=24$

$\therefore x=\frac{24}{99}=\frac{8}{33}$ (답은 반드시 기약분수로!)

1-1

다음은 순환소수를 기약분수로 나타내는 과정이다. (가), (나), (다)에 알맞은 수를 각각 구하시오.

(1) $x=0.\dot{1}\dot{2}$

$100x=12.121212\cdots$

$-)\ \ x=0.121212\cdots$

(가)$x=$(나)　　$\therefore x=\frac{4}{(다)}$

(2) $x=0.3\dot{6}$

$100x=36.666\cdots$

$-)$ (가)$x=3.666\cdots$

(나)$x=33$　　$\therefore x=$(다)

(3) $x=2.\dot{1}4\dot{4}$

(가)$x=2144.144144144\cdots$

$-)\ \ x=2.144144144\cdots$

$999x=$(나)　　$\therefore x=$(다)

(4) $x=1.3\dot{5}\dot{8}$

(가)$x=1358.585858\cdots$

$-)\ \ 10x=13.585858\cdots$

$990x=$(나)　　$\therefore x=\frac{(다)}{198}$

1-2

다음 순환소수를 기약분수로 나타내시오.

(1) $0.\dot{8}$

(2) $2.\dot{3}\dot{1}$

(3) $0.7\dot{3}$

(4) $2.1\dot{5}\dot{3}$

1-3

다음 순환소수 x를 분수로 나타낼 때 필요한 가장 간단한 식을 보기에서 찾으시오.

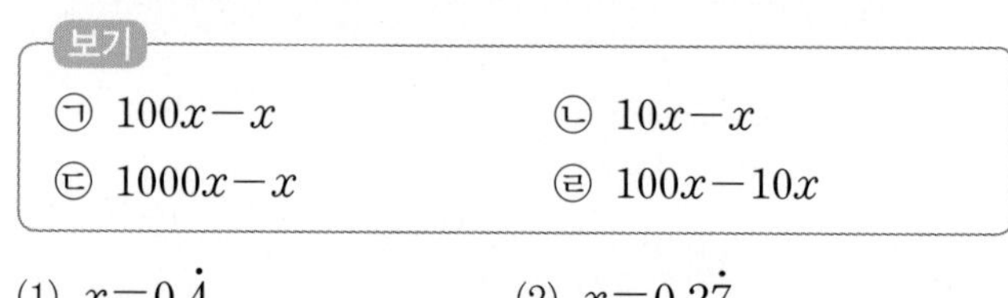

보기

㉠ $100x-x$　　㉡ $10x-x$

㉢ $1000x-x$　　㉣ $100x-10x$

(1) $x=0.\dot{4}$　　(2) $x=0.2\dot{7}$

(3) $x=1.\dot{2}\dot{8}$　　(4) $x=0.\dot{1}2\dot{5}$

개념 02 순환소수를 공식을 이용하여 분수로 나타낼 수 있는가?

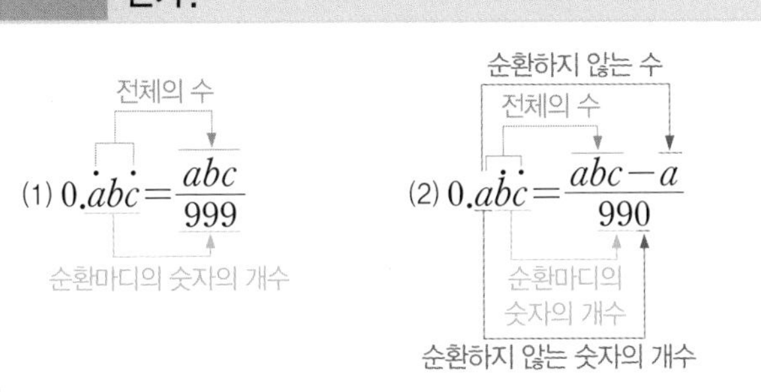

2-1

다음은 순환소수를 기약분수로 나타내는 과정이다. □ 안에 알맞은 수를 써넣으시오.

(1) $0.\dot{7}\dot{1}=\frac{\square}{99}$

(2) $2.3\dot{6}=\frac{236-\square}{90}=\square$

(3) $1.\dot{7}6\dot{3}=\frac{\square-17}{990}=\square$

(4) $1.23\dot{6}=\frac{1236-\square}{900}=\square$

2-2

다음 순환소수를 기약분수로 나타내시오.

(1) $0.\dot{3}\dot{5}$

(2) $0.\dot{6}5\dot{4}$

(3) $2.\dot{8}$

(4) $3.\dot{2}\dot{4}$

2-3

다음 순환소수를 기약분수로 나타내시오.

(1) $0.5\dot{3}$

(2) $0.43\dot{9}$

(3) $1.2\dot{5}$

(4) $5.2\dot{4}\dot{0}$

2-4

다음 중 순환소수를 분수로 나타내는 과정으로 옳지 않은 것은?

① $0.3\dot{4}=\frac{34-3}{90}$　② $0.\dot{0}\dot{7}=\frac{7}{99}$

③ $4.\dot{5}\dot{2}=\frac{452-400}{99}$　④ $1.1\dot{3}\dot{4}=\frac{1134-11}{990}$

⑤ $0.\dot{2}0\dot{4}=\frac{204}{999}$

2-5

다음 중 순환소수를 분수로 나타낸 것으로 옳은 것은?

① $0.\dot{0}\dot{4}=\frac{1}{25}$　② $0.2\dot{6}=\frac{8}{3}$

③ $1.\dot{3}\dot{6}=\frac{27}{20}$　④ $0.1\dot{2}\dot{5}=\frac{62}{495}$

⑤ $1.3\dot{5}\dot{8}=\frac{1357}{990}$

1주 2일

거듭제곱과 지수

(1) 거듭제곱 : 같은 수나 문자를 여러 번 곱한 것을 간단히 나타낸 것
(2) 밑 : 여러 번 곱한 수 또는 문자
(3) 지수 : 거듭제곱에서 곱해진 수의 개수 또는 문자의 개수

참고 $a^1=a$로 정한다.

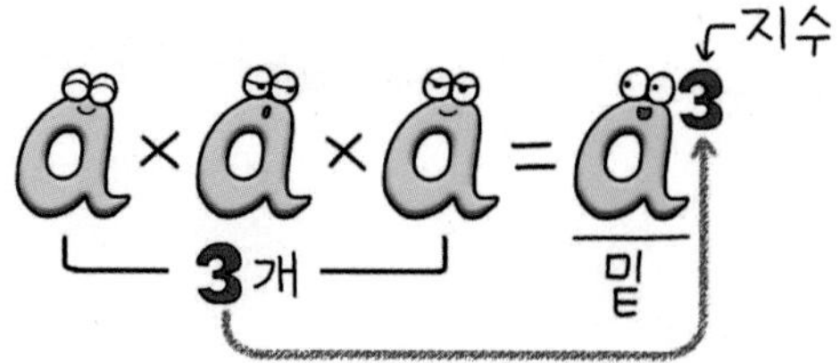

지수법칙 (1) – 지수의 합

$$a^2\times a^3=(a\times a)\times(a\times a\times a)$$
2개, 3개

$$=a\times a\times a\times a\times a$$
(2+3)개

$$=a^5$$ ← 2+3

➡ 지수끼리 더하기!

$$a^2\times a^3=a^{2+3}=a^5$$

지수법칙 (2) – 지수의 곱

$$(a^2)^3=a^2\times a^2\times a^2$$
3개

$$=a^{2+2+2}$$
3개

$$=a^6$$ ← 2×3

➡ 지수끼리 곱하기!

$$(a^2)^3=a^{2\times3}=a^6$$

회색 글씨를 따라 쓰면서 개념을 정리해 보세요.

1 지수법칙 (1) – 지수의 합

지수의 합

$$a^m\times a^n=a^{m+n}$$

2 지수법칙 (2) – 지수의 곱

지수의 곱

$$(a^m)^n=a^{mn}$$

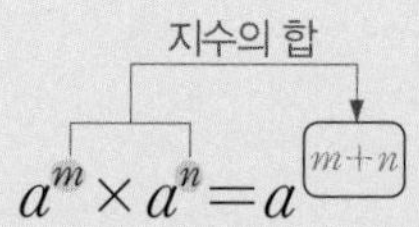

개념 원리 확인

정답과 풀이 6쪽

거듭제곱

1-1 다음을 거듭제곱을 이용하여 나타내시오.

(1) $3\times3\times5\times5\times5=3^{\square}\times5^{\square}$

(2) $\frac{1}{3}\times\frac{1}{3}\times\frac{1}{5}\times\frac{1}{5}=\left(\frac{1}{3}\right)^{\square}\times\left(\frac{1}{5}\right)^{\square}$

1-2 다음을 거듭제곱을 이용하여 나타내시오.

(1) $5\times5\times5\times7\times7\times7\times7$

(2) $\frac{1}{2}\times\frac{1}{2}\times\frac{1}{2}\times\frac{1}{7}\times\frac{1}{7}$

지수법칙(1) - 지수의 합

2-1 다음 $\square$ 안에 알맞은 수를 써넣으시오.

(1) $a^3\times a^5=a^{3+\square}=a^{\square}$

(2) $x\times x^4=x^{1+\square}=x^{\square}$

(3) $x^3\times x^4\times x^2=x^{3+\square+2}=x^{\square}$

(4) $a^3\times a^2\times b^2\times b=a^{\square+2}\times b^{2+\square}=a^{\square}b^{\square}$

2-2 다음 식을 간단히 하시오.

(1) $x^4\times x^3$

(2) $b^2\times b^5\times b^7$

(3) $x^3\times y^2\times y^5$

(4) $a^5\times b^4\times a\times b^6$

지수법칙(2) - 지수의 곱

3-1 다음 $\square$ 안에 알맞은 수를 써넣으시오.

(1) $(a^3)^3=a^{3\times3}=a^{\square}$

(2) $(x^4)^2=x^{4\times2}=x^{\square}$

(3) $(y^2)^6\times y^3=y^{2\times6}\times y^3=y^{\square}\times y^3$
$=y^{\square+3}=y^{\square}$

(4) $(b^3)^3\times(b^4)^4=b^{3\times3}\times b^{4\times4}=b^9\times b^{\square}$
$=b^{9+\square}=b^{\square}$

3-2 다음 식을 간단히 하시오.

(1) $(x^2)^6$

(2) $(y^8)^2$

(3) $(a^4)^3\times a^5$

(4) $(a^2)^5\times a^3\times(b^7)^3$

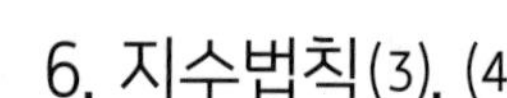

지수법칙 (3) – 지수의 차

$$a^4 \div a^2 = \frac{a^4}{a^2} = \frac{\overbrace{a \times a \times a \times a}^{4\text{개}}}{\underbrace{a \times a}_{2\text{개}}} = a^{2 \,(4-2)}$$

$$a^4 \div a^4 = \frac{a^4}{a^4} = \frac{\overbrace{a \times a \times a \times a}^{4\text{개}}}{\underbrace{a \times a \times a \times a}_{4\text{개}}} = 1$$

$$a^2 \div a^4 = \frac{a^2}{a^4} = \frac{\overbrace{a \times a}^{2\text{개}}}{\underbrace{a \times a \times a \times a}_{4\text{개}}} = \frac{1}{a^{2\,(4-2)}}$$

➡

지수끼리 빼기!!

$$a^4 \div a^2 = a^{4-2} = a^2$$

지수가 같다면!

$$a^4 \div a^4 = 1$$

지수끼리 빼기!!

$$a^2 \div a^4 = \frac{1}{a^{4-2}} = \frac{1}{a^2}$$

지수법칙 (4) – 지수의 분배

$$(ab)^2 = \underbrace{ab \times ab}_{2\text{개}} = \underbrace{a \times a}_{2\text{개}} \times \underbrace{b \times b}_{2\text{개}} = a^2b^2$$

$$\left(\frac{a}{b}\right)^3 = \underbrace{\frac{a}{b} \times \frac{a}{b} \times \frac{a}{b}}_{3\text{개}} = \frac{\overbrace{a \times a \times a}^{3\text{개}}}{\underbrace{b \times b \times b}_{3\text{개}}} = \frac{a^3}{b^3}$$

➡

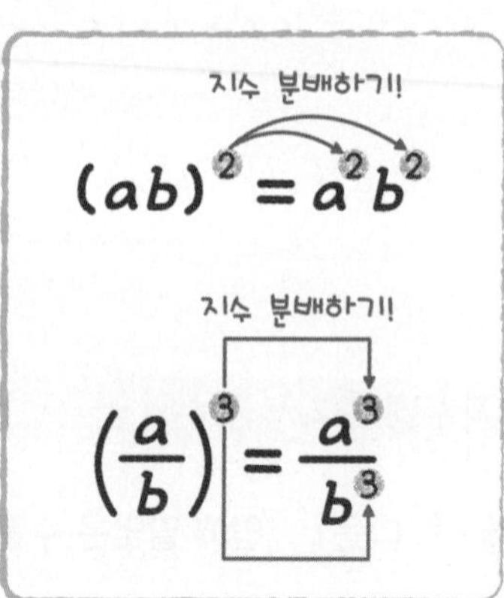

회색 글씨를 따라 쓰면서 개념을 정리해 보세요.

1 지수법칙 (3) – 지수의 차

지수의 차

$$a^m \div a^n = \begin{cases} a^{\boxed{m-n}} & (m>n) \\ \boxed{1} & (m=n) \\ \dfrac{1}{a^{\boxed{n-m}}} & (m<n) \end{cases}$$

2 지수법칙 (4) – 지수의 분배

지수의 분배

$$(ab)^m = a^{\boxed{m}} b^{\boxed{m}}$$

$$\left(\frac{a}{b}\right)^m = \frac{a^{\boxed{m}}}{b^{\boxed{m}}} \text{ (단, } b \neq 0)$$

↳ 0으로 나눌 수 없으므로 $b=0$일 때는 제외한다.

개념 원리 확인

정답과 풀이 6쪽

1주 3일

지수법칙(3) – 지수의 차

4-1 다음 □ 안에 알맞은 것을 써넣으시오.

(1) $x^6 \div x^4 = x^{6-\square} = x^{\square}$

(2) $x^8 \div x^8 = \square$

(3) $x^2 \div x^6 = \dfrac{1}{x^{\square-\square}} = \dfrac{1}{x^{\square}}$

(4) $x^9 \div x^6 \div x = x^{9-\square} \div x = x^{\square} \div x = x^{\square}$

4-2 다음 식을 간단히 하시오.

(1) $a^5 \div a^2$

(2) $a^2 \div a^2$

(3) $a^2 \div a^7$

(4) $a^6 \div a^2 \div a^4$

지수법칙(4) – 지수의 분배(1)

5-1 다음 □ 안에 알맞은 것을 써넣으시오.

(1) $(ab)^3 = a^{\square}b^{\square}$

(2) $(x^3y^5)^2 = x^{3\times\square} \times y^{5\times\square} = x^{\square}y^{\square}$

(3) $(2x^2)^3 = 2^3x^{2\times\square} = \square$

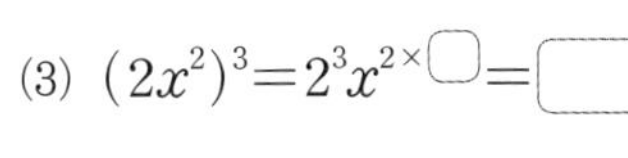

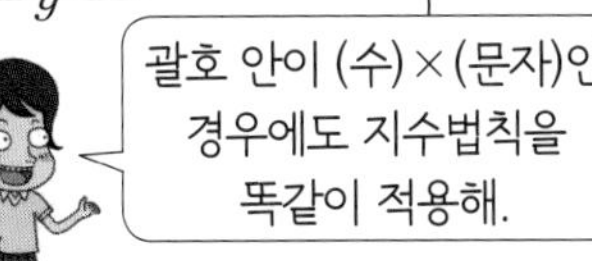

5-2 다음 식을 간단히 하시오.

(1) $(xy^3)^2$

(2) $(x^2y^3)^5$

(3) $(-a^3)^2$

지수법칙(4) – 지수의 분배(2)

6-1 다음 □ 안에 알맞은 것을 써넣으시오.

(1) $\left(\dfrac{a}{b}\right)^6 = \dfrac{a^{\square}}{b^6}$

(2) $\left(-\dfrac{x^2}{y^5}\right)^3 = \dfrac{(-x^2)^{\square}}{(y^5)^{\square}} = \dfrac{(-1)^{\square}x^{2\times\square}}{y^{5\times\square}}$

$= \dfrac{\square}{y^{\square}} = -\dfrac{\square}{y^{\square}}$

(3) $\left(\dfrac{4a}{b^3}\right)^2 = \dfrac{(4a)^2}{(b^3)^{\square}} = \dfrac{4^2a^{\square}}{b^{3\times\square}} = \dfrac{16a^{\square}}{b^{\square}}$

6-2 다음 식을 간단히 하시오.

(1) $\left(\dfrac{a^3}{b^2}\right)^2$

(2) $\left(-\dfrac{x}{y^2}\right)^5$

(3) $\left(\dfrac{x^2}{2y}\right)^3$

1주 3일 기초 집중 연습

정답과 풀이 7쪽

개념 01 지수법칙 (1), (2)를 이용하여 식을 간단히 할 수 있는가?

m, n이 자연수일 때

- 지수법칙 (1) : $a^m \times a^n = a^{m+n}$

➡ 밑이 같은 거듭제곱의 곱셈은 지수끼리 더한다.

주의 ① $a^2 \times a^3 = a^{2\times3}$ (×) → 더해야 한다. ② $a^2 + a^3 = a^{2+3}$ (×) → 곱셈이 아니다.
③ $a^2 \times b^3 = a^{2+3}$ (×) → 밑이 다르다.

- 지수법칙 (2) : $(a^m)^n = a^{mn}$

➡ 거듭제곱의 거듭제곱은 지수끼리 곱한다.

주의 ① $(a^2)^3 = a^{2+3}$ (×) → 곱해야 한다. ② $(a^2)^3 = a^{2^3}$ (×)

1-1

다음 식을 간단히 하시오.

(1) $a^4 \times a^6$　　(2) $b^3 \times b \times b^2$

(3) $x^4 \times y^6 \times x^7 \times y^8$　　(4) $(x^3)^7$

(5) $(b^2)^3 \times b^4$　　(6) $(x^5)^2 \times (x^3)^8 \times x^7$

1-2

다음 중 옳은 것은?

① $a^4 \times a = a^4$
② $2^8 \times 2^4 = 2^{32}$
③ $a^2 \times b^3 \times a^4 \times b^5 = a^5 b^9$
④ $x^5 \times (x^2)^3 = x^{10}$
⑤ $(x^2)^6 \times (x^4)^2 = x^{20}$

개념 02 지수법칙 (3), (4)를 이용하여 식을 간단히 할 수 있는가?

- 지수법칙 (3) : $a \neq 0$이고 m, n이 자연수일 때

$$a^m \div a^n = \begin{cases} m>n\text{이면 } a^{m-n} \\ m=n\text{이면 } 1 \\ m<n\text{이면 } \dfrac{1}{a^{n-m}} \end{cases}$$

주의 ① $a^4 \div a^2 = a^{4\div2}$ (×) → 빼야 한다. ② $a^2 \div a^2 = 0$ (×)
③ $a^4 \div a^2 = \dfrac{4}{2}$ (×)

- 지수법칙 (4) : m이 자연수일 때

① $(ab)^m = a^m b^m$　② $\left(\dfrac{a}{b}\right)^m = \dfrac{a^m}{b^m}$ (단, $b \neq 0$)

참고 l, m, n이 자연수일 때

① $(a^m b^n)^l = a^{ml} b^{nl}$　② $\left(\dfrac{a^n}{b^m}\right)^l = \dfrac{a^{nl}}{b^{ml}}$ (단, $b \neq 0$)

2-1

다음 중 옳은 것을 모두 고르면? (정답 2개)

① $a^8 \div a^2 = a^4$　② $a^5 \div a^5 = 0$
③ $a \div a^5 = \dfrac{1}{a^4}$　④ $a^3 \div a^2 \div a^3 = a^2$
⑤ $(a^2)^3 \div (a^3)^2 = 1$

2-2

다음은 두 학생이 지수법칙을 이용하여 식을 간단히 한 것이다. 답을 잘못 구한 학생을 찾고, 옳은 답을 구하시오.

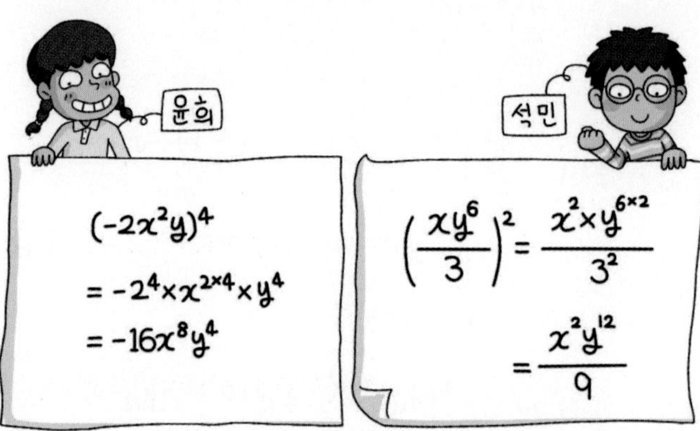

2-3

다음 보기에서 옳은 것을 모두 고르시오.

보기

ㄱ $(x^3y^2)^4=x^{12}y^8$ ㄴ $(2a^2b^4)^3=6a^6b^{12}$

ㄷ $(-3a^2b)^3=27a^6b^3$ ㄹ $(-ab)^5=-a^5b^5$

ㅁ $\left(\frac{2x^3}{3y}\right)^2=\frac{4x^5}{9y^2}$ ㅂ $\left(-\frac{xy^2}{4}\right)^3=-\frac{x^3y^5}{4}$

개념 03 지수법칙을 종합적으로 이용하여 식을 간단히 할 수 있는가?

$a\neq0$이고 m, n이 자연수일 때

(1) $a^m\times a^n=a^{m+n}$, $(a^m)^n=a^{mn}$

(2) $a^m\div a^n=\begin{cases} a^{m-n} & (m>n) \\ 1 & (m=n) \\ \frac{1}{a^{n-m}} & (m<n) \end{cases}$

(3) $(ab)^m=a^mb^m$, $\left(\frac{a}{b}\right)^m=\frac{a^m}{b^m}$ (단, $b\neq0$)

3-1

다음 중 옳은 것은?

① $x^2\times x^3\times x^6=x^{36}$ ② $a^3\div(a^2)^5=a^7$

③ $\left(\frac{4b}{a^3}\right)^3=\frac{64b^3}{a^9}$ ④ $x^5\times(x^4y)^3\times y=x^{12}y^4$

⑤ $(x^7)^2\div(x^3)^3\div x^6=x$

3-2

다음 식을 만족하는 자연수 m, n에 대하여 $m+n$의 값을 구하시오.

$$(a^2)^2\times(a^4)^3\times a=a^m,\ (b^4)^5\div(b^3)^3\div b^2=b^n$$

개념 04 ▢ 안에 알맞은 수 또는 미지수의 값을 구할 수 있는가?

지수법칙을 이용하여 좌변을 간단히 한 후 $a^m=a^n$이면 $m=n$임을 이용하여 ▢ 안에 알맞은 수를 구한다.

4-1

다음 ▢ 안에 알맞은 수를 써넣으시오.

(1) $x^3\times x^{\square}=x^6$ (2) $(x^{\square})^4=x^8$

(3) $x^{\square}\div x^4=1$ (4) $x^6\div x^{\square}=\frac{1}{x^3}$

(5) $(x^3y^{\square})^2=x^6y^4$ (6) $\left(\frac{2a^7}{b^3}\right)^{\square}=\frac{4a^{14}}{b^6}$

4-2

다음 식을 만족하는 자연수 x, y에 대하여 $x-y$의 값을 구하시오.

$$(a^3)^2\times a^x=a^{10},\ (b^2)^y\div b^8=\frac{1}{b^2}$$

4-3

$\left(\frac{3}{2^a}\right)^4=\frac{3^4}{2^{12}}$, $\left(\frac{2^a}{7^2}\right)^5=\frac{2^b}{7^c}$이 성립할 때, 자연수 a, b, c의 값을 각각 구하시오.

1주 3일

단항식의 곱셈

단항식의 나눗셈

회색 글씨를 따라 쓰면서 개념을 정리해 보세요.

1 (단항식)×(단항식)의 계산 : 계수는 [계수]끼리, 문자는 [문자]끼리 곱한다.

2 (단항식)÷(단항식)의 계산 : 나눗셈을 분수 꼴로 바꾸어 계산하거나, 나눗셈을 [역수]의 곱셈으로 바꾸어 계산한다.

역수 : 두 수의 곱이 1일 때, 한 수를 다른 수의 역수라고 한다.

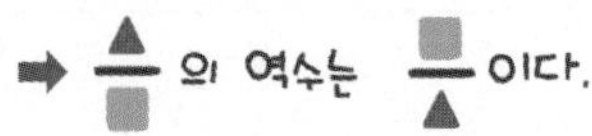

개념 원리 확인

○ 정답과 풀이 8쪽

1주 4일

(단항식)×(단항식)의 계산

1-1 다음 ▢ 안에 알맞은 것을 써넣으시오.

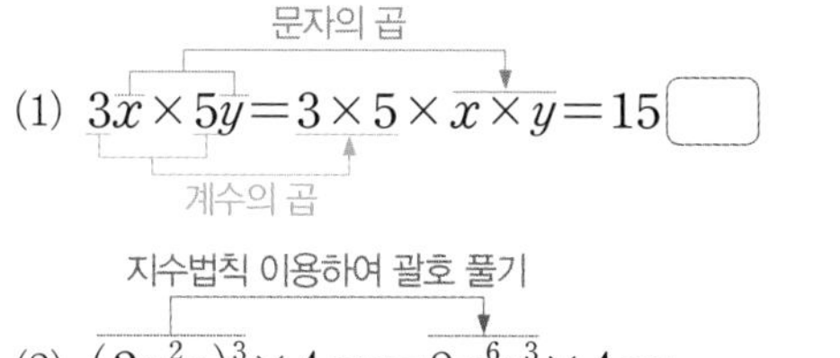

(1) $3x\times5y=3\times5\times x\times y=15\square$

(2) $(2x^2y)^3\times4xy=8x^6y^3\times4xy$
$=8\times4\times x^6y^3\times xy$ ← 계수는 계수끼리 문자는 문자끼리
$=32x^{\square}y^{\square}$

1-2 다음을 계산하시오.

(1) $5x\times4x^3$

(2) $(-2a)^3\times3ab$

(3) $(3ab)^2\times2a^3b^2$

단항식의 역수 구하기

2-1 다음 식의 역수를 구하시오.

(1) $7a$

(2) $\frac{1}{3}xy$

(3) $(-2a)^2$

2-2 다음 식의 역수를 구하시오.

(1) $5ab$

(2) $-\frac{3}{2}xy^2$

(3) $\left(\frac{2}{5}ab\right)^2$

(단항식)÷(단항식)의 계산

3-1 다음 ▢ 안에 알맞은 것을 써넣으시오.

(1) $6ab^2\div2a=\frac{6ab^2}{\square}=\frac{6}{\square}\times\frac{\square}{a}=\square$

(2) $16x^4y^6\div\frac{2y}{3x^2}=16x^4y^6\times\square$ (곱셈으로, 역수로)
$=16\times\frac{3}{2}\times x^4y^6\times\square$
$=\square$

3-2 다음을 계산하시오.

(1) $12x^2y\div3xy$

(2) $9a^2b^5\div\frac{3}{4}ab$

(3) $(2ab)^3\div\frac{a^3b}{4}$

거듭제곱을 먼저 계산해.

8. 단항식의 곱셈과 나눗셈의 혼합 계산

펑!

1단계 지수법칙을 이용하여 괄호를 푼다.

2단계 나눗셈은 나누는 식을 역수의 곱셈으로 바꾼다.

3단계 계수는 계수끼리, 문자는 문자끼리 계산한다.

단항식의 곱셈과 나눗셈이 섞인 식의 계산은 다음과 같이 하면 된단다.

어렵지 않네요!

$$5x^3y \div (-xy^2)^3 \times xy$$

$$= 5x^3y \div (-x^3y^6) \times xy$$ ← 지수법칙을 이용하여 괄호를 푼다.

$$= 5x^3y \times \left(-\frac{1}{x^3y^6}\right) \times xy$$ ← 나눗셈을 역수의 곱셈으로 바꾼다.

$$= 5 \times (-1) \times x^3y \times \frac{1}{x^3y^6} \times xy$$ ← 계수는 계수끼리, 문자는 문자끼리 계산한다.

$$= -\frac{5x}{y^4}$$

회색 글씨를 따라 쓰면서 개념을 정리해 보세요.

❖ 단항식의 곱셈과 나눗셈의 혼합 계산 순서

1단계 거듭제곱이 있으면 지수법칙을 이용하여 괄호를 푼다.

2단계 나눗셈은 나누는 식을 역수의 곱셈으로 바꾼다.

3단계 계수는 계수끼리, 문자는 문자끼리 계산한다.

개념 원리 확인

○ 정답과 풀이 8쪽

단항식의 곱셈과 나눗셈의 혼합 계산 (1)

4-1 다음 ▢ 안에 알맞은 것을 써넣으시오.

$10a^2b^4 \div 2b^2 \times 3a$

$= 10a^2b^4 \times \dfrac{1}{\square} \times 3a$ ← 나눗셈을 역수의 곱셈으로 바꾸기

$= 10 \times \dfrac{1}{\square} \times 3 \times a^2b^4 \times \dfrac{1}{\square} \times a$ ← 계수는 계수끼리 문자는 문자끼리

$= \square$

4-2 다음을 계산하시오.

(1) $2x^2 \times 4x \div x^2$

(2) $3x^2y \div (-4xy^3) \times 2x^5y^2$

(3) $4a^2b \div \dfrac{1}{3}ab^2 \times 6ab$

(4) $8a^3 \div \dfrac{1}{2}a^2b \div (-4b^2)$

단항식의 곱셈과 나눗셈의 혼합 계산 (2)

5-1 다음 ▢ 안에 알맞은 것을 써넣으시오.

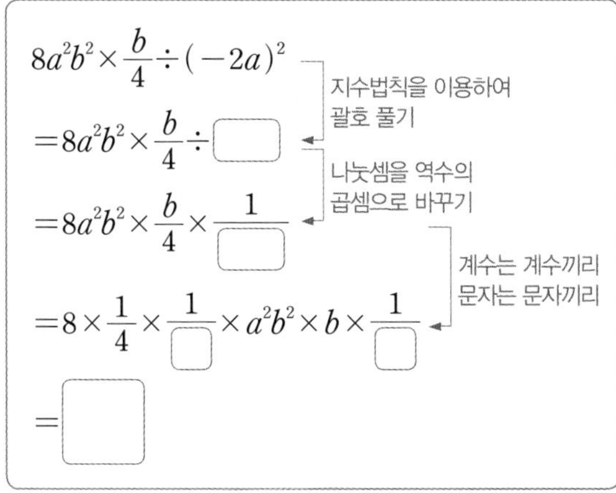

$8a^2b^2 \times \dfrac{b}{4} \div (-2a)^2$

$= 8a^2b^2 \times \dfrac{b}{4} \div \square$ ← 지수법칙을 이용하여 괄호 풀기

$= 8a^2b^2 \times \dfrac{b}{4} \times \dfrac{1}{\square}$ ← 나눗셈을 역수의 곱셈으로 바꾸기

$= 8 \times \dfrac{1}{4} \times \dfrac{1}{\square} \times a^2b^2 \times b \times \dfrac{1}{\square}$ ← 계수는 계수끼리 문자는 문자끼리

$= \square$

5-2 다음을 계산하시오.

(1) $3x \times (-2x)^3 \div 6x^3$

(2) $18a^6 \div (-3a)^2 \times 6a$

(3) $(-3x^2y)^2 \div \dfrac{1}{3}x^3y^2 \times \dfrac{x^4y^6}{27}$

(4) $\left(-\dfrac{1}{2}x\right)^3 \times \dfrac{6y^3}{x} \div \left(-\dfrac{3}{4}xy\right)$

1주 4일 기초 집중 연습

○ 정답과 풀이 9쪽

개념 01 (단항식)×(단항식)의 계산을 할 수 있는가?

(1) 계수는 계수끼리, 문자는 문자끼리 곱한다.
(2) 같은 문자끼리의 곱은 지수법칙을 이용한다.

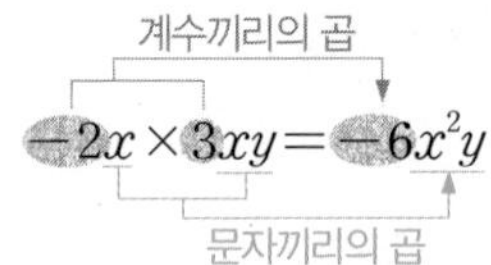

1-1

다음을 계산하시오.

(1) $-4ab \times 6b^2$

(2) $3xy^3 \times (-x^4y^2)$

(3) $(-3x)^2 \times (-5xy)$

(4) $(2a^2)^2 \times \left(-\frac{1}{3}a^3\right)^2$

(5) $5a^2 \times 2a \times 3a^4$

(6) $3x^2 \times \frac{1}{9}xy^2 \times (-6y)$

1-2

다음 중 계산 결과가 옳지 않은 것은?

① $3x \times (-5y) = -15xy$
② $4x^3 \times 5xy^2 = 20x^4y^2$
③ $9a^2b \times (-2ab^2) = -18a^3b^3$
④ $(-2x)^3 \times (-4xy) = -32x^4y$
⑤ $-2x^2 \times \frac{3}{4}xy^3 \times \left(-\frac{1}{9}y\right) = \frac{1}{6}x^3y^4$

개념 02 (단항식)÷(단항식)의 계산을 할 수 있는가?

나눗셈을 분수 꼴로 바꾸거나 역수의 곱셈으로 바꾸어 계산한다.

➡ $A \div B = \frac{A}{B}$, $A \div B = A \times \frac{1}{B} = \frac{A}{B}$ (곱셈으로, 역수로)

참고 나누는 식의 계수가 분수이거나 나눗셈이 2개 이상인 경우에는 나눗셈을 역수의 곱셈으로 바꾸어 계산한다.

2-1

다음을 계산하시오.

(1) $-3a^2 \div 4a$

(2) $24x^3y \div 12xy^2$

(3) $7x^2y \div (x^3y^2)^2$

(4) $(-9xy)^2 \div 9x^2y$

2-2

다음을 계산하시오.

(1) $15a^3 \div \frac{a}{5}$

(2) $(4x)^3 \div \left(-\frac{2}{3}x^3\right)$

(3) $(-3x^4y^3)^3 \div \frac{3x^4}{2y^3}$

(4) $5a^2b \div \left(-\frac{1}{2}ab\right)^2$

2-3

다음 중 계산 결과가 옳지 않은 것은?

① $6ab^2\div 3ab=2b$

② $18a^4\div(-6a^3)=3a$

③ $-a^3b\div\frac{1}{2}ab=-2a^2$

④ $(-ab^2)^3\div a^2b^2=-ab^4$

⑤ $\left(\frac{a^3b}{2}\right)^2\div\frac{b^3}{8a^2}=\frac{2a^8}{b}$

2-4

$(x^3y)^2\div\frac{y}{2x}\div\left(-\frac{x}{y^2}\right)^4$을 계산하면?

① $-2x^3y^9$ ② $-2x^3y^7$ ③ $2x^3y^9$
④ $2x^7y^3$ ⑤ $2x^9y^3$

개념 03 단항식의 곱셈과 나눗셈의 혼합 계산을 할 수 있는가?

❶ 괄호 풀기 ➡ ❷ 나눗셈을 곱셈으로 바꾸기
➡ ❸ 계수는 계수끼리, 문자는 문자끼리 계산하기

$5x^3y\div(-xy^2)^3\times xy$
$=5x^3y\div(-x^3y^6)\times xy$ ← 지수법칙을 이용하여 괄호를 푼다.
$=5x^3y\times\left(-\frac{1}{x^3y^6}\right)\times xy$ ← 나눗셈을 역수의 곱셈으로 바꾼다.
$=5\times(-1)\times x^3y\times\frac{1}{x^3y^6}\times xy$ ← 계수는 계수끼리, 문자는 문자끼리 계산한다.
$=-\frac{5x}{y^4}$

참고 곱셈과 나눗셈이 혼합된 식은 앞에서부터 차례대로 계산한다.

3-1

다음을 계산하시오.

(1) $18x^3\times(-16y^2)\div 9xy$

(2) $4x^2y\div\frac{1}{3}xy^2\times 6xy$

(3) $(2x^2y)^3\times(-3xy^3)^2\div 12x^8y^3$

(4) $\left(-\frac{2}{3}ab\right)^2\div(-4b)\times\frac{3}{8}a$

3-2

다음 중 옳은 것은?

① $(a^5)^3\times(ab^2)^6\div b^6=a^{21}b^{12}$

② $(a^3b)^2\div a^2b^3\times\left(\frac{b}{a^2}\right)^2=\frac{b}{a^2}$

③ $-6ab^2\div 3ab\times 2ab^2=-4a^2b^2$

④ $18y^3\times\frac{1}{2}x^2y^3\div 3xy^2=3xy^4$

⑤ $(3xy)^2\div 6x^3y^5\times\left(-\frac{x^3y^2}{2}\right)^3=-9x^9y^3$

3-3

준완이가 다음과 같이 문제를 풀었는데 틀렸다. (가), (나), (다) 중 처음으로 잘못 계산한 부분을 찾고, 옳은 답을 구하시오.

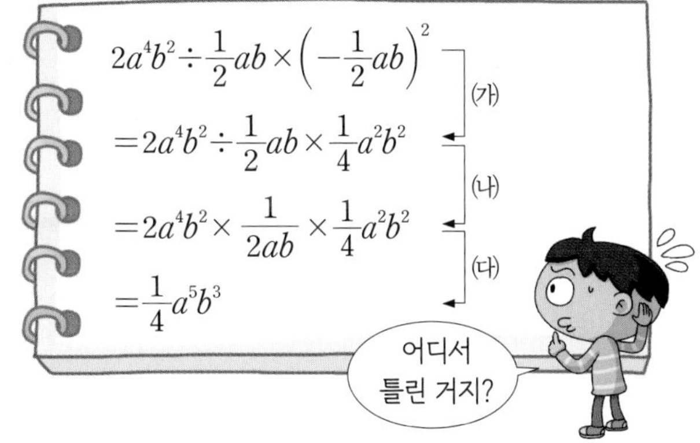

다항식의 덧셈과 뺄셈

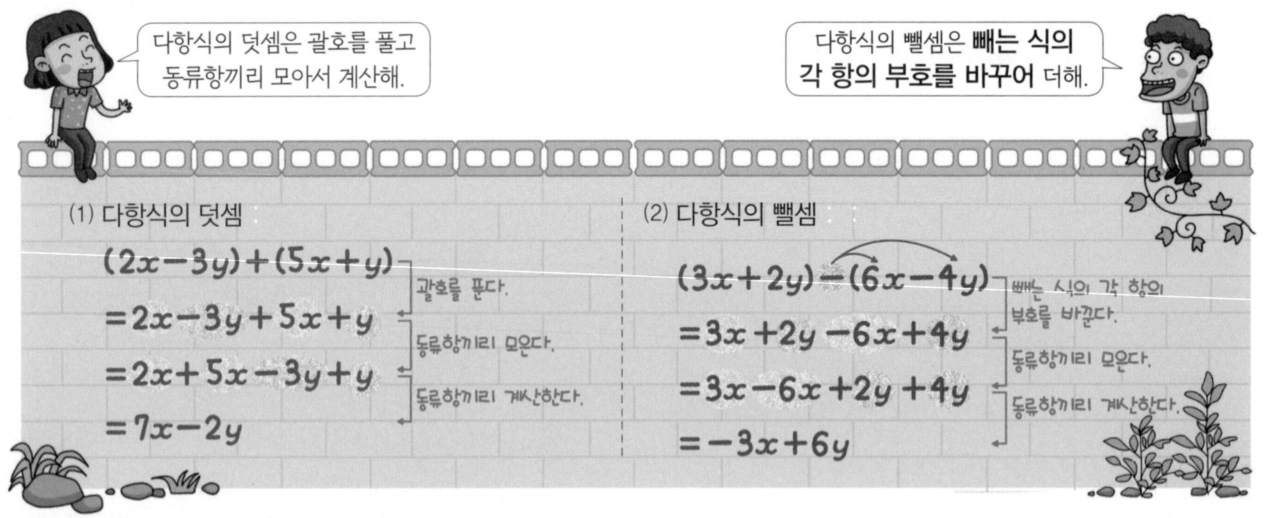

계수가 분수인 다항식의 덧셈과 뺄셈

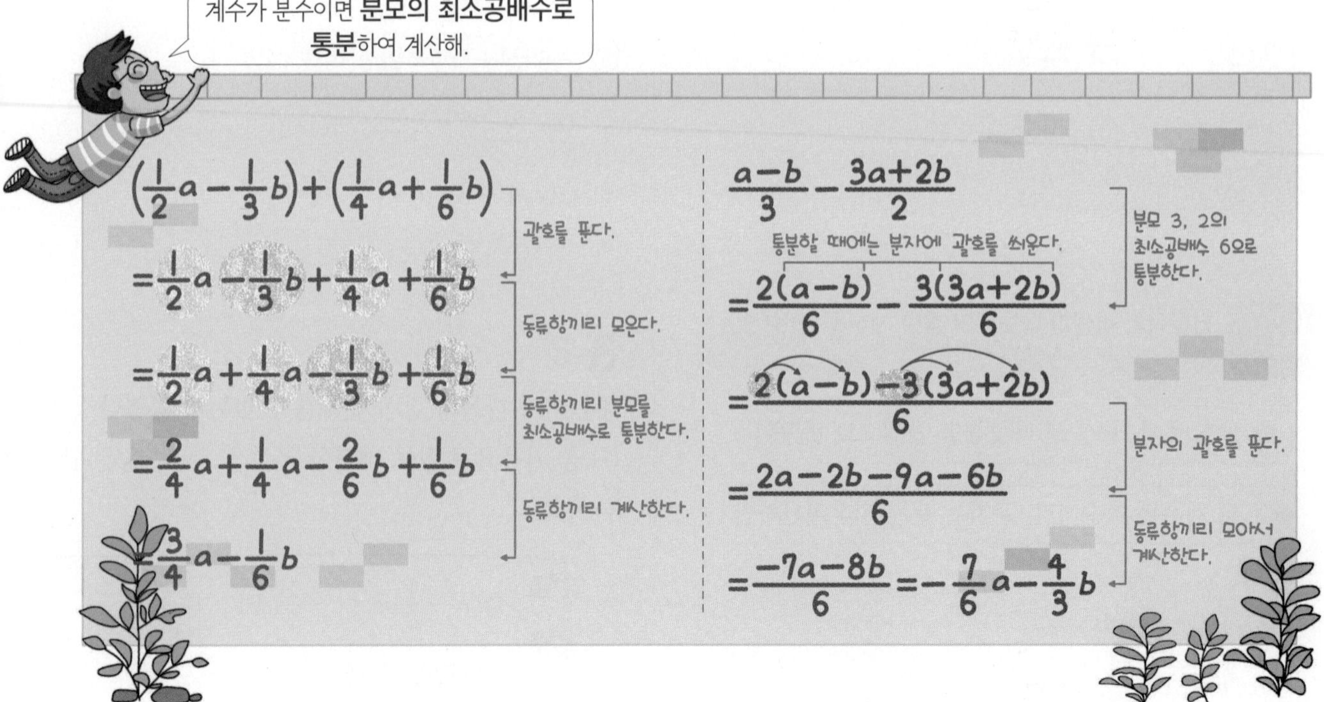

회색 글씨를 따라 쓰면서 개념을 정리해 보세요.

1 다항식의 덧셈 : 괄호를 풀고 [동류항]끼리 모아서 계산한다.

2 다항식의 뺄셈 : [빼는 식]의 각 항의 [부호]를 바꾸어 더한다.

3 계수가 분수인 다항식의 계산 : 분모의 [최소공배수로 통분]하여 계산한다.

개념 원리 확인

정답과 풀이 11쪽

다항식의 덧셈과 뺄셈

1-1 다음 □ 안에 알맞은 것을 써넣으시오.

(1) $3(x+y)+(5x-2y)$

$=\square x+\square y+5x-2y$

$=\square x+5x+\square y-2y$

$=\square$

(2) $(3x+5y)-(x+2y)$

$=3x+5y-x\square 2y$

$=3x-x+5y\square 2y$

$=\square x+\square y$

1-2 다음을 계산하시오.

(1) $(x+3y)+(2x-4y)$

(2) $(2x-y)+2(x-3y)$

(3) $(2x-5y)-(-x+3y)$

(4) $(-x+2y)-3(5x+y)$

계수가 분수인 다항식의 덧셈과 뺄셈

2-1 다음 □ 안에 알맞은 것을 써넣으시오.

(1) $\left(\frac{1}{2}x-\frac{5}{6}y\right)+\left(-\frac{1}{5}x+\frac{4}{3}y\right)$

$=\frac{1}{2}x-\frac{5}{6}y-\frac{1}{5}x+\frac{4}{3}y$

$=\frac{1}{2}x-\frac{1}{5}x-\frac{5}{6}y+\frac{4}{3}y$

$=\frac{5}{10}x-\frac{\square}{10}x-\frac{5}{6}y+\frac{\square}{6}y$

$=\square$

(2) $\frac{x+2y}{3}+\frac{3x-4y}{5}$

$=\frac{5(x+2y)+\square(3x-4y)}{15}$

$=\frac{5x+10y+\square x-\square y}{15}$

$=\square$

2-2 다음을 계산하시오.

(1) $\left(\frac{1}{3}x-\frac{3}{4}y\right)+\left(-\frac{5}{4}x+\frac{1}{6}y\right)$

(2) $\left(\frac{1}{2}x+\frac{1}{3}y\right)-\left(\frac{2}{3}x-\frac{3}{4}y\right)$

(3) $\frac{5x+3y}{4}+\frac{x-2y}{2}$

(4) $\frac{x+2y}{3}-\frac{3x-y}{4}$

이차식의 덧셈과 뺄셈

다항식의 덧셈, 뺄셈과 똑같이 계산한다.

x에 대한 **다항식의 각 항의 차수 중 가장 큰 차수가 2인 다항식**을 x에 대한 **이차식**이라고 해.

(1) 이차식의 덧셈 : 괄호를 풀고 동류항끼리 모아서 계산한다.

$$\begin{aligned}&(2x^2+3x-1)+(x^2+x+4)\\&=2x^2+3x-1+x^2+x+4\\&=2x^2+x^2+3x+x-1+4\\&=3x^2+4x+3\end{aligned}$$

괄호를 푼다. / 동류항끼리 모은다. / 동류항끼리 계산한다.

(2) 이차식의 뺄셈 : 빼는 식의 각 항의 부호를 바꾸어 더한다.

$$\begin{aligned}&(x^2-4x+2)-(2x^2-x+1)\\&=x^2-4x+2-2x^2+x-1\\&=x^2-2x^2-4x+x+2-1\\&=-x^2-3x+1\end{aligned}$$

괄호를 푼다. / 동류항끼리 모은다. / 동류항끼리 계산한다.

여러 가지 괄호가 있는 다항식의 덧셈과 뺄셈

이 순서로 괄호를 풀어 계산한다.

$$\begin{aligned}&2x^2-[x^2-\{5x+3-(4x+7)\}]\\&=2x^2-\{x^2-(5x+3-4x-7)\}\\&=2x^2-\{x^2-(x-4)\}\\&=2x^2-(x^2-x+4)\\&=2x^2-x^2+x-4\\&=x^2+x-4\end{aligned}$$

$$\begin{aligned}&3x-[y-\{2x-(x-2y)\}]\\&=3x-\{y-(2x-x+2y)\}\\&=3x-\{y-(x+2y)\}\\&=3x-(y-x-2y)\\&=3x-(-x-y)\\&=3x+x+y=4x+y\end{aligned}$$

괄호를 풀 때, 괄호 앞의 부호에 주의해야 해!

회색 글씨를 따라 쓰면서 개념을 정리해 보세요.

1 이차식의 덧셈 : 괄호를 풀고 동류항끼리 모아서 계산한다.

2 이차식의 뺄셈 : 빼는 식의 각 항의 부호를 바꾸어 더한다.

3 괄호가 있는 다항식의 계산 : (소괄호) ➡ {중괄호} ➡ [대괄호]의 순서로 괄호를 풀어 계산한다.

개념 원리 확인

정답과 풀이 11쪽

이차식의 덧셈과 뺄셈

3-1 다음을 계산하시오.

(1) $(5x^2-3x-2)+(-2x^2-2x+7)$

(2) $2(x^2-2x)+(3x^2+4x-2)$

(3) $(2x^2+x-3)-(3x^2-5x+1)$

(4) $(x^2-x+11)-3(-x^2+2x-3)$

3-2 다음을 계산하시오.

(1) $(3x^2-x+1)+(x^2+5x-7)$

(2) $(x^2+5)+2(-2x^2+3x)$

(3) $(3x^2-4x+1)-(-x^2-3x+2)$

(4) $4(2x^2-7x+1)-2(x^2-2x+5)$

여러 가지 괄호가 있는 다항식의 계산

4-1 다음을 계산하시오.

(1) $5x-\{3x-2y-(2x+y)\}$

(2) $2x-[3x-\{2y-(5-6x)+7\}]$

(3) $3x^2+5-\{2x^2-7x-(x^2-x-3)\}$

(4) $x^2-[2x-\{3x^2-(4x-5)\}+6]$

4-2 다음을 계산하시오.

(1) $3x+y-\{x-(2y-x+1)\}$

(2) $10x-[2x+3y-\{x-4y-(5x-2y)\}]$

(3) $-2x^2+2-\{3x^2-1-(5x^2+x)\}$

(4) $3x^2-[x^2+6x-\{4x-(2x^2-5)\}]$

○ 정답과 풀이 12쪽

개념 01 다항식의 덧셈과 뺄셈을 할 수 있는가?

❶ 괄호를 푼다.
❷ 동류항끼리 모아서 계산한다.

덧셈	뺄셈
$(x-2y)+(3x+y)$ ❶	$(x-2y)-(3x+y)$ ❶
$=x-2y+3x+y$ ❷	$=x-2y-3x-y$ ❷
$=4x-y$	$=-2x-3y$

참고 계수가 분수일 때는 분모의 최소공배수로 통분하여 계산한다.

1-1

다음을 계산하시오.

(1) $(4x-y)+(2x+6y)$

(2) $(x-y+2)+(-3x-2y+5)$

(3) $(-4x+7y)-(x+4y)$

(4) $3(x+2y-2)-2(2x+5y+1)$

1-2

다음은 민재가 $\frac{5x-3y}{2}-\frac{x-2y}{5}$ 를 간단히 하는 과정이다. ☐ 안에 알맞은 수를 써넣으시오.

$$\frac{5x-3y}{2}-\frac{x-2y}{5}$$
$$=\frac{\square(5x-3y)-\square(x-2y)}{\square}$$
$$=\frac{\square x-\square y}{\square}$$

분모의 최소공배수로 통분해야지!

1-3

다음을 계산하시오.

(1) $\frac{1}{2}(3x-y)-\frac{3}{4}(-x+2y)$

(2) $\left(\frac{1}{2}a+\frac{3}{4}b\right)+\left(\frac{1}{3}a-\frac{3}{5}b\right)$

(3) $\frac{x-y}{3}+\frac{x-5y}{6}$

(4) $\frac{x-4y}{6}-\frac{x-2y}{4}$

1-4

$\frac{x+2y}{3}-\frac{x-y}{4}=Ax+By$일 때, 상수 A, B에 대하여 $A+B$의 값을 구하시오.

1-5

다음 중 옳지 <u>않은</u> 것을 모두 고르면? (정답 2개)

① $(4a+3b)-(2a-b)=2a+4b$
② $(5a+3b)+3(2a-2b)=11a-3b$
③ $4(a-3b)-3(2a+b)=10a-9b$
④ $\frac{2}{3}(2a+3b)+\frac{3}{2}(3a-4b)=\frac{35a-4b}{6}$
⑤ $\frac{a+3b}{4}-\frac{-2a-4b}{5}=\frac{13a+31b}{20}$

개념 02 이차식의 덧셈과 뺄셈을 할 수 있는가?

괄호를 풀고 동류항끼리 모아서 계산한다.
➡ 이차항은 이차항끼리, 일차항은 일차항끼리, 상수항은 상수항끼리 계산한다.

2-1

다음을 계산하시오.

(1) $(2x^2-7)+(-3x^2+5x+6)$

(2) $(5x^2-x+1)+2(2x^2-x+1)$

(3) $2(5x^2-2x+7)-4(3x^2-x-4)$

(4) $\dfrac{-2x^2+x-3}{3}+\dfrac{x^2-4x-1}{2}$

2-2

$5(x^2-3x+2)-3(x^2-3x-4)$를 계산하였을 때, x^2의 계수와 상수항의 합을 구하시오.

2-3

$\left(\dfrac{1}{3}x^2-x-\dfrac{1}{2}\right)-\left(\dfrac{1}{2}x^2+\dfrac{5}{3}x-\dfrac{5}{6}\right)=Ax^2+Bx+C$일 때, $A+B-C$의 값은? (단, A, B, C는 상수)

① $-\dfrac{19}{6}$ ② $-\dfrac{17}{6}$ ③ $-\dfrac{5}{3}$
④ $\dfrac{13}{6}$ ⑤ $\dfrac{17}{6}$

개념 03 여러 가지 괄호가 있는 식의 계산을 할 수 있는가?

(1) (소괄호) ➡ {중괄호} ➡ [대괄호]의 순서로 괄호를 푼다.

(2) 괄호 앞에 ┌ +가 있으면 ➡ 괄호 안의 부호 그대로
└ −가 있으면 ➡ 괄호 안의 부호 반대로

3-1

다음을 계산하시오.

(1) $7x-[2x-\{x-5y+(3x-4y)\}]$

(2) $3x-\{7x^2+4x-(3x^2-2x+3)\}$

3-2

$4x-\{3y-(-2x+y)-3x\}=ax+by$일 때, $a+b$의 값은? (단, a, b는 상수)

① -2 ② -1 ③ 1
④ 2 ⑤ 3

3-3

$4x^2-[2x-2\{x^2+3x-(5+4x^2)\}]$을 계산한 식에서 x^2의 계수를 a, x의 계수를 b, 상수항을 c라고 할 때, $\dfrac{bc}{a}$의 값은?

① -20 ② -5 ③ 5
④ 12 ⑤ 20

1주 5일

누구나 100점 테스트

01 다음 보기 중 유한소수는 모두 몇 개인가?

보기

㉠ -0.123　　㉡ $0.123\cdots$
㉢ 3.141592　　㉣ $3.141\cdots$
㉤ $1.010101\cdots$　　㉥ $1.\dot{2}$

① 1개　② 2개　③ 3개
④ 4개　⑤ 5개

02 다음은 4명의 학생들이 순환소수를 간단히 표현한 것이다. 이때 바르게 나타낸 학생은 누구인지 말하시오.

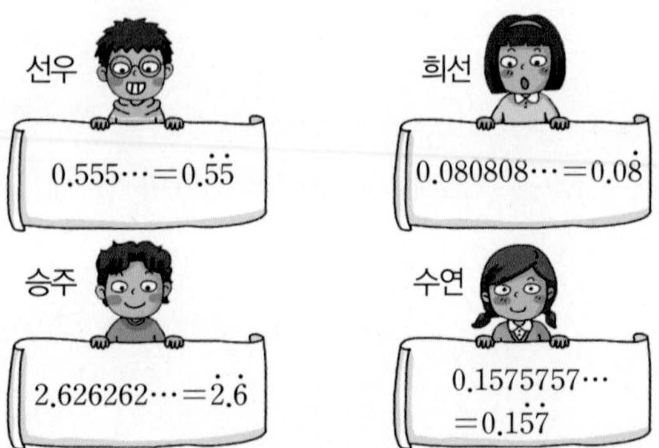

03 다음 보기의 분수 중 순환소수로만 나타낼 수 있는 것을 모두 고른 것은?

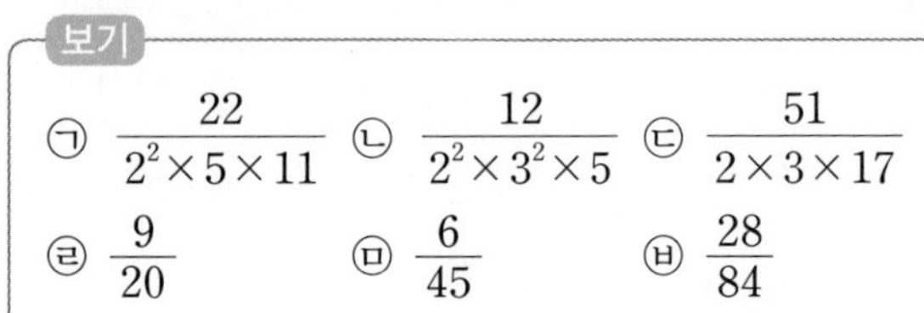

보기

㉠ $\dfrac{22}{2^2\times5\times11}$　㉡ $\dfrac{12}{2^2\times3^2\times5}$　㉢ $\dfrac{51}{2\times3\times17}$
㉣ $\dfrac{9}{20}$　㉤ $\dfrac{6}{45}$　㉥ $\dfrac{28}{84}$

① ㉠　② ㉠, ㉢　③ ㉡, ㉤
④ ㉠, ㉡, ㉢　⑤ ㉡, ㉤, ㉥

04 다음은 순환소수 $0.1\dot{2}\dot{7}$을 분수로 나타내는 과정이다. ①~⑤에 들어갈 수로 옳은 것은?

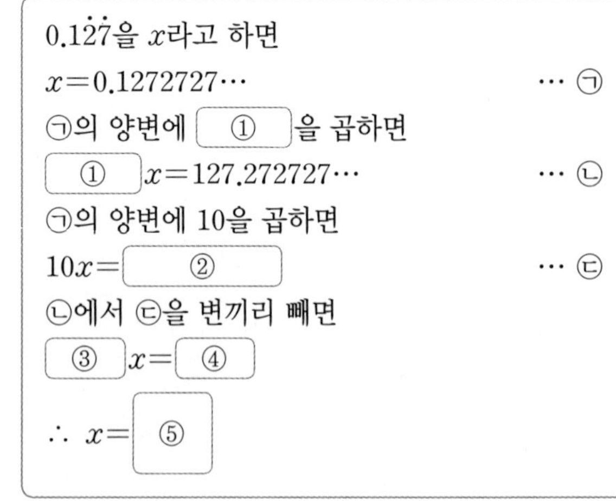

$0.1\dot{2}\dot{7}$을 x라고 하면
$x=0.1272727\cdots$　$\cdots$ ㉠
㉠의 양변에 [①]을 곱하면
[①]$x=127.272727\cdots$　$\cdots$ ㉡
㉠의 양변에 10을 곱하면
$10x=$[②]　$\cdots$ ㉢
㉡에서 ㉢을 변끼리 빼면
[③]$x=$[④]
$\therefore\ x=$[⑤]

① 100　② $12.7272\cdots$　③ 990
④ 127　⑤ $\dfrac{8}{55}$

05 다음 중 순환소수 $x=0.2050505\cdots$에 대한 설명으로 옳지 않은 것은?

① 순환마디를 이루는 숫자는 2개이다.
② 순환마디는 5이다.
③ $0.2\dot{0}\dot{5}$로 나타낸다.
④ 분수로 나타낼 때 필요한 가장 간단한 식은 $1000x-10x$이다.
⑤ 기약분수로 나타내면 $\dfrac{203}{990}$이다.

○ 정답과 풀이 14쪽

1주

06 다음 중 순환소수를 분수로 나타낸 것으로 옳지 <u>않은</u> 것은?

① $0.\dot{3}\dot{5}=\frac{35}{99}$　　② $0.4\dot{8}=\frac{22}{45}$

③ $0.1\dot{8}=\frac{2}{11}$　　④ $2.\dot{3}\dot{4}=\frac{232}{99}$

⑤ $1.02\dot{6}=\frac{77}{75}$

07 다음 □ 안에 들어갈 수가 나머지 넷과 다른 것은?

① $a^{\square}\times a^{4}=a^{7}$　　② $a^{5}\div a^{\square}=a^{2}$

③ $(x^{\square}y^{2})^{2}=x^{6}y^{4}$　　④ $\left(\frac{a^{2}}{b}\right)^{3}=\frac{a^{6}}{b^{\square}}$

⑤ $(x^{3}y^{\square})^{3}=x^{9}y^{15}$

08 다음 중 옳은 것을 모두 고르면? (정답 2개)

① $3x^{2}\times 6xy=18x^{3}y$

② $9a^{2}b^{5}\div\frac{3}{4}ab=12a^{3}b^{6}$

③ $(-2x^{2}y)^{2}\times(-3xy^{2})=12x^{5}y^{4}$

④ $3a\times(-2b)^{2}\times(-a^{2})=-6a^{3}b^{2}$

⑤ $2x^{3}y\div 3y^{2}\div\frac{2}{3}x=\frac{x^{2}}{y}$

09 다음 중 옳지 <u>않은</u> 것은?

① $(x-y)+(-3x-2y+5)=-2x-3y+5$

② $(4x+7y-1)-(x+3y+2)=3x+4y-3$

③ $\left(\frac{1}{2}x+\frac{1}{6}y\right)-\left(\frac{1}{3}x-\frac{1}{2}y\right)=\frac{1}{6}x+\frac{2}{3}y$

④ $\frac{2x-4y}{3}+\frac{-x+5y}{2}=\frac{1}{6}x+\frac{7}{6}y$

⑤ $\frac{x+2y}{4}-\frac{x-5y}{6}=\frac{1}{12}x-\frac{1}{3}y$

10 다음을 계산하시오.

(1) $4(3x^{2}-4x+1)-3(-2x^{2}+3x-8)$

(2) $8x-3y+2[-y-\{3x-2(x+1)\}]$

특강 | 창의, 융합, 코딩

1 우리 조상들도 분수를 사용했다고 한다. 다음은 우리 조상들이 자주 사용하는 분수와 그 분수의 이름을 나타낸 것이다. 아래 물음에 답하시오.

(1) 위의 글에서 나타난 분수를 유한소수와 무한소수로 구분하여 ☐ 안에 써넣으시오.

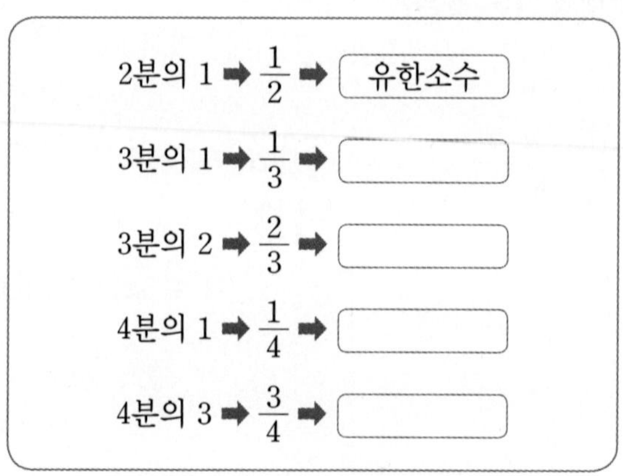

2분의 1 ➡ $\frac{1}{2}$ ➡ 유한소수

3분의 1 ➡ $\frac{1}{3}$ ➡ ☐

3분의 2 ➡ $\frac{2}{3}$ ➡ ☐

4분의 1 ➡ $\frac{1}{4}$ ➡ ☐

4분의 3 ➡ $\frac{3}{4}$ ➡ ☐

(2) 다음은 소수를 수직선 위에 나타낸 것이다. 각각의 소수를 기약분수로 나타내고, 우리 조상들이 사용한 분수의 이름을 써넣으시오.

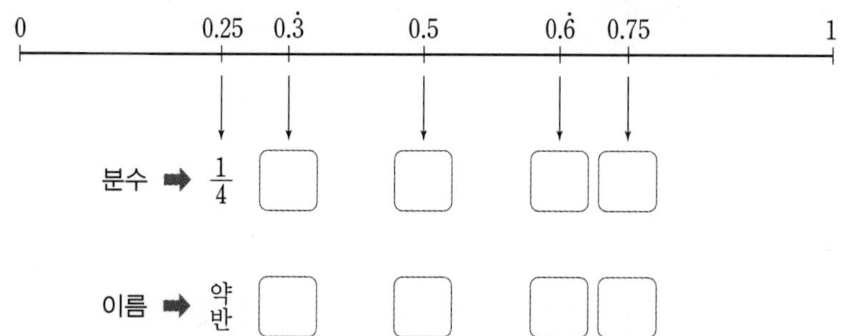

2 다음 흐름에 따라 주어진 분수를 유한소수로 나타낼 수 있는지 순환소수로만 나타낼 수 있는지 판단하시오.

보기

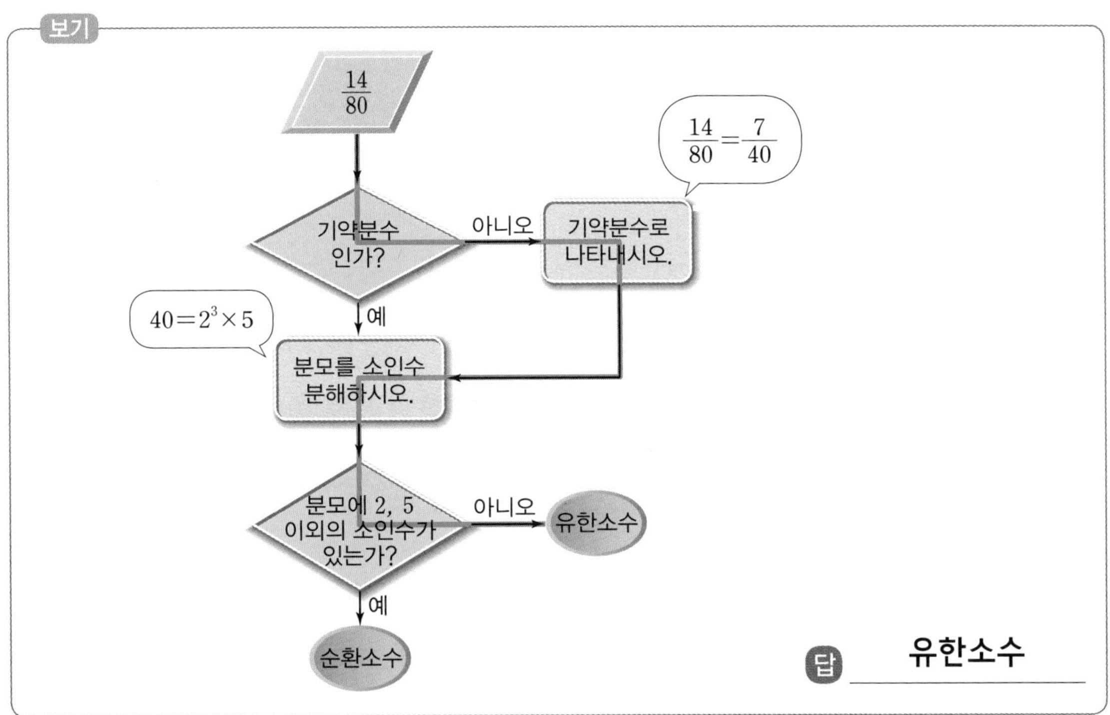

답 유한소수

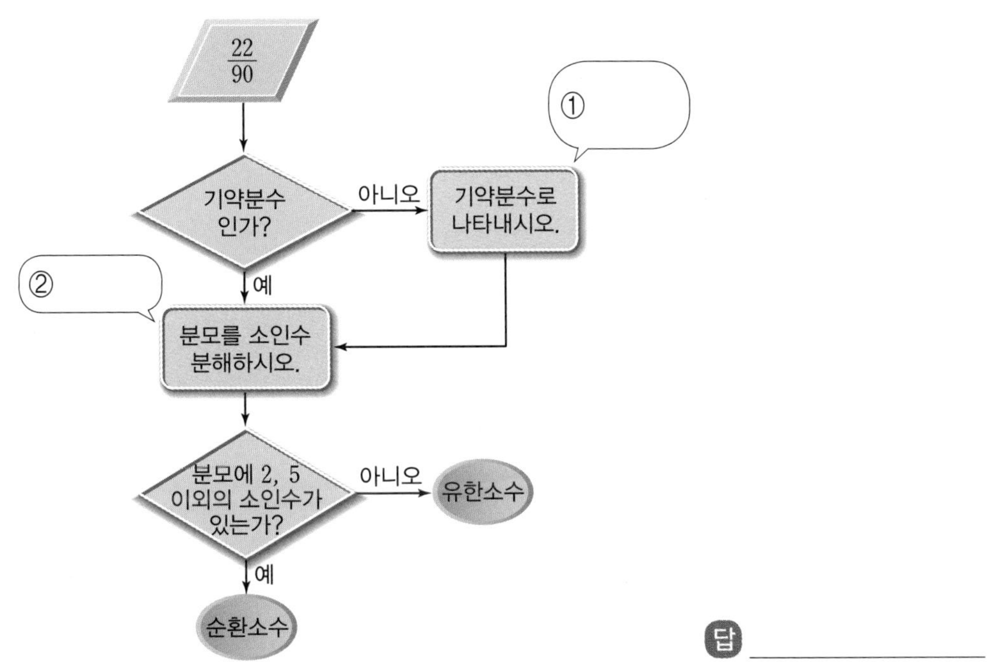

답 ________

특강 | 창의, 융합, 코딩

3 **재민이는 0과 1 사이에 있는 분수를 입력하면 그 입력된 값에 따라 음을 연주하고 악보를 출력해 주는 기계를 개발하였다. 입력된 분수를 소수로 나타내었을 때, 소수점 아래 첫째 자리에서부터 나타나는 숫자의 순서대로 아래 그림의 각 숫자에 대응된 음이 연주된다.**

예를 들어 $\frac{1}{4}$을 입력하면 $\frac{1}{4}=0.25$이므로 미(2)와 라(5) 음이 한 번 연주되고 끝나며, 악보는 가 출력된다. 또 $\frac{16}{33}$을 입력하면 $\frac{16}{33}=0.484848\cdots=0.\dot{4}\dot{8}$이므로 솔$(4)$과 레$(8)$ 음이 계속 반복하여 연주되며 악보 가 출력된다. 다음 물음에 답하시오.

(1) 분수 $\frac{3}{20}$을 입력하면 어떤 음이 연주되는지 구하고, 출력되는 악보를 오선지 위에 그리시오.

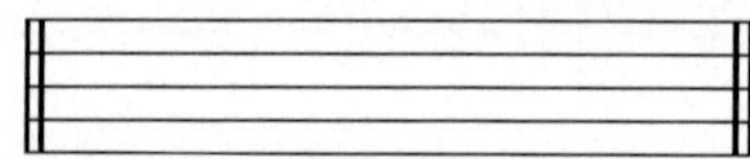

(2) 분수 $\frac{48}{111}$을 입력하면 어떤 음이 연주되는지 구하고, 출력되는 악보를 오선지 위에 그리시오.

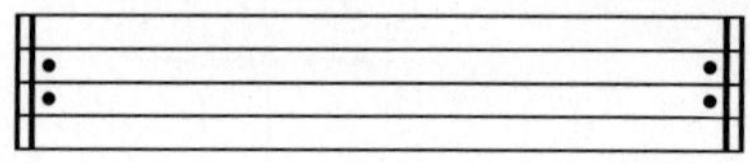

(3) 다음 그림과 같은 악보가 출력되려면 어떤 기약분수를 입력해야 하는지 구하시오.

4 다음은 기원전 1800년경 이집트의 수학자 아메스가 쓴 세계에서 가장 오래된 수학책인 "파피루스"에 실려 있는 문제이다. 아래 물음에 답하시오.

(1) 생쥐의 수를 거듭제곱으로 나타내시오.

(2) 보리 이삭의 수와 보리 낟알의 수를 각각 거듭제곱으로 나타내시오.

(3) 보리 낟알을 생쥐에게 똑같이 나누어 준다면 몇 알씩 나누어 주어야 하는지 구하시오.

5 선장과 선원들이 바닷속에서 보물함을 찾았다. 대화를 보고 보물함 자물쇠의 비밀번호를 구하시오.

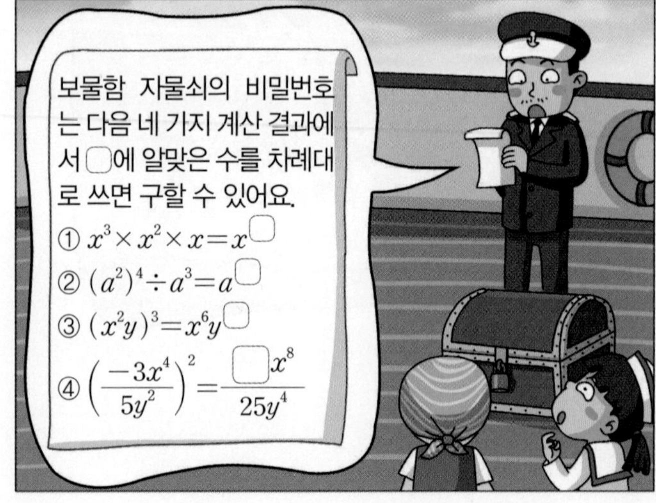

① $x^3 \times x^2 \times x = x^{\square}$

② $(a^2)^4 \div a^3 = a^{\square}$

③ $(x^2y)^3 = x^6y^{\square}$

④ $\left(\frac{-3x^4}{5y^2}\right)^2 = \frac{\square x^8}{25y^4}$

보물함 자물쇠의 비밀번호는 □□□□이에요.

6 다음 그림에서 보기와 같이 곱셈 또는 나눗셈을 하여 빈칸에 알맞은 식을 써넣으시오.

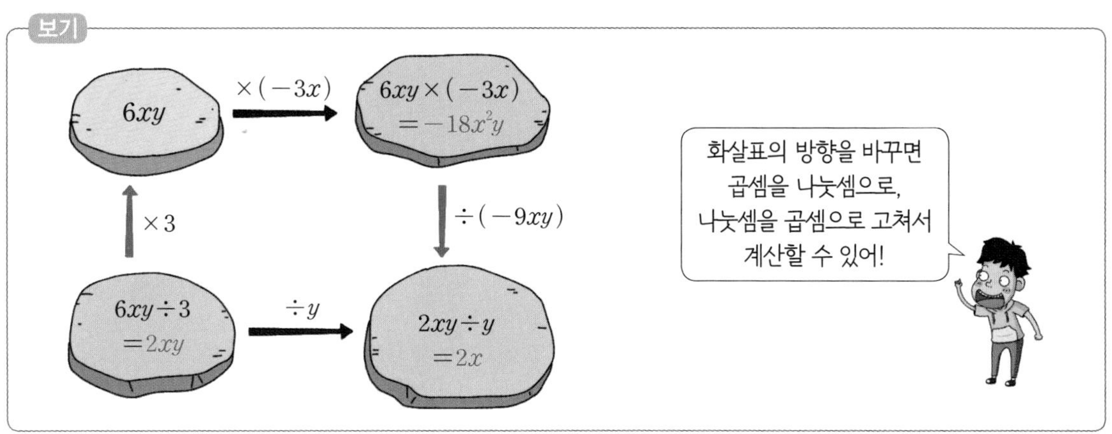

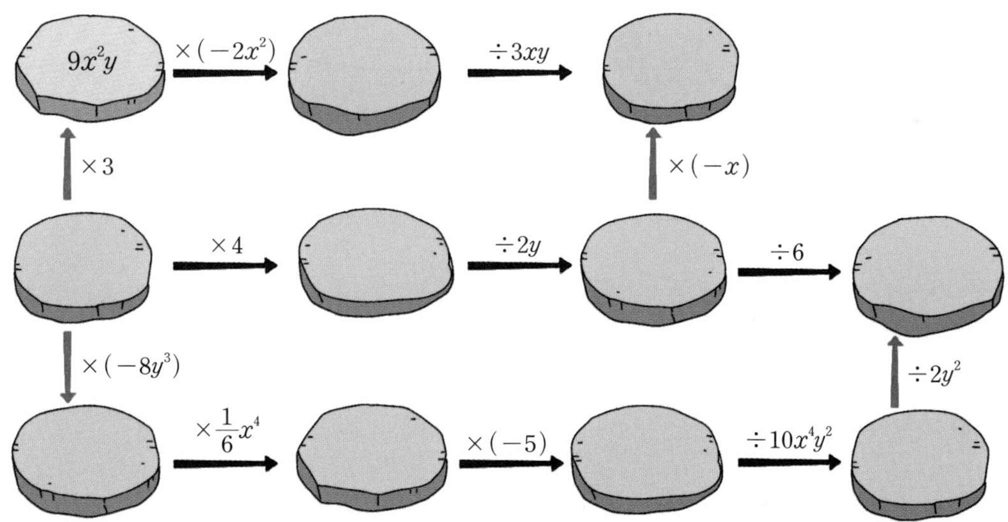

2주 이번 주에는 무엇을 공부할까? ①

• 이번 주에 공부할 내용

단항식과 다항식의 계산 / 부등식 / 일차부등식 / 연립일차방정식

5일
연립일차 방정식
우리가 힘을 합쳐야 해. 연립일차방정식 대형으로! 우리처럼 미지수가 2개인 일차방정식 2개를 한 쌍으로 묶은 것이 연립일차방정식이야.
$-x+3y=0$
$2x+y=0$
꺄아~!
우리와 하늘을 날아보자.
안녕
어. 이곳은 옥상이구나. 나비 친구들. 안녕~.
4일
일차부등식의 활용
엘리베이터
200g까지 실을 수 있음
엘리베이터가 200 g까지 실을 수 있으니까.. 흠, 꿀단지를 몇 개까지 한 번에 실어 나를 수 있지?
일차부등식을 세워 풀면 알 수 있어.
20g
20g
20g
3일
일차부등식의 뜻과 풀이
일차부등식은 음수를 곱하거나 나눌 때 부등호의 방향에 주의해야 해.
일차부등식 함
$\frac{1}{x}\geq 3$
$3x-1<0$
이것도!
그건 일차부등식이 아니잖아. 저쪽으로!
$x-1>1$
$-2x+1<0$
$3x\leq 5$
$x^2>2$
$6x-2>3$
일차부등식은 여기에.

이전 학년 내용

이번 주에는 무엇을 공부할까? ❷

수의 대소를 비교할 수 있는가?

1-1

다음 ◯ 안에 >, < 중 알맞은 부등호를 써넣으시오.

(1) -5 ◯ $+3$

(2) 0 ◯ -4

(3) $\frac{3}{7}$ ◯ $\frac{5}{7}$

(4) $-\frac{1}{2}$ ◯ $-\frac{1}{3}$

수의 대소 관계

① (음수)$<0<$(양수)

② 양수끼리는 절댓값이 큰 수가 크다.

③ 음수끼리는 절댓값이 큰 수가 작다.

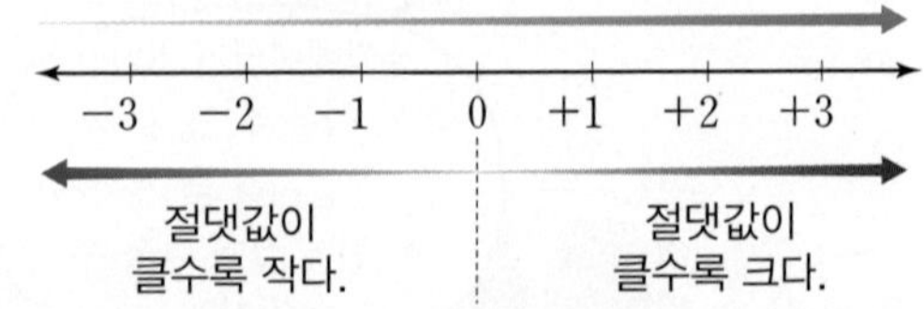

1-2

다음 ◯ 안에 >, < 중 알맞은 부등호를 써넣으시오.

(1) $+6$ ◯ -4

(2) 0 ◯ $+3$

(3) 2 ◯ 1.2

(4) $-\frac{3}{2}$ ◯ $-\frac{4}{3}$

부등호를 사용하여 문장을 식으로 나타낼 수 있는가?

2-1

다음 문장을 부등호를 사용하여 나타내시오.

(1) x는 / -2보다 크거나 같다.

(2) x는 / 3 미만이다.

(3) x는 / 15보다 작지 않다.

부등호의 사용

x는 a 초과이다. ➡ $x>a$ =(보다 크다.)	x는 a 미만이다. ➡ $x<a$ =(보다 작다.)
x는 a 이상이다. ➡ $x\geq a$ =(보다 크거나 같다.) =(보다 작지 않다.)	x는 a 이하이다. ➡ $x\leq a$ =(보다 작거나 같다.) =(보다 크지 않다.)

2-2

다음 문장을 부등호를 사용하여 나타내시오.

(1) x는 -1보다 작다.

(2) x는 6 이하이다.

(3) x는 10 초과이다.

(4) x는 $-\frac{1}{2}$보다 크지 않다.

정답과 풀이 17쪽

방정식의 해인지를 판단할 수 있는가?

3-1

방정식 $2x-1=5$에 대하여 다음 표를 완성하고, 해를 구하시오.

x의 값	좌변	우변	참, 거짓
0	$2\times0-1=-1$	5	거짓
1		5	
2		5	
3		5	

➡ 방정식의 해 : ________

- 방정식의 해(근)
  방정식을 참이 되게 하는 미지수의 값
- 방정식의 해인지 확인하는 방법
  $x=a$를 주어진 방정식에 대입하였을 때, (좌변)=(우변)이 성립하면 $x=a$는 그 방정식의 해이다.

3-2

다음 [ ] 안의 수가 주어진 방정식의 해이면 '○'를, 해가 아니면 '×'를 ( ) 안에 써넣으시오.

(1) $x+3=5$ [-2] ( )

(2) $4-3x=1$ [1] ( )

(3) $5x=x+8$ [2] ( )

(4) $3(x-2)=4x$ [-3] ( )

일차방정식의 뜻을 알고 있는가?

4-1

다음 중 일차방정식인 것에는 '○'를, 아닌 것에는 '×'를 ( ) 안에 써넣으시오.

(1) $4x+3=2x$ ( )

(2) $2x-1=2x-5$ ( )

(3) $4-x=x^2+5x$ ( )

일차방정식 : 방정식에서 우변의 모든 항을 좌변으로 이항하여 정리하였을 때, (x에 대한 일차식)$=0$ 꼴이 되는 방정식을 x에 대한 일차방정식이라고 한다.

$2x+1=x+3$ —(우변의 모든 항을 좌변으로 이항한다.)→ $2x+1-x-3=0$

—(좌변을 정리한다.)→ $x-2=0$ (일차방정식)

↳ x에 대한 일차식

4-2

다음 중 일차방정식인 것에는 '○'를, 아닌 것에는 '×'를 ( ) 안에 써넣으시오.

(1) $-5x=3x+1$ ( )

(2) $6x-5$ ( )

(3) $3x=-x$ ( )

(4) $x^2+5=x(x-2)$ ( )

(단항식) × (다항식)의 계산

분배법칙 기억하지?
분배법칙을 이용하여 **단항식을 다항식의 각 항에 곱해.**

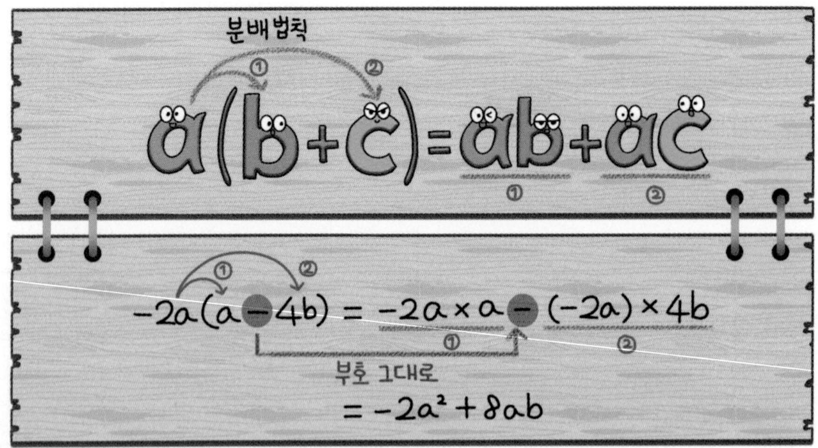

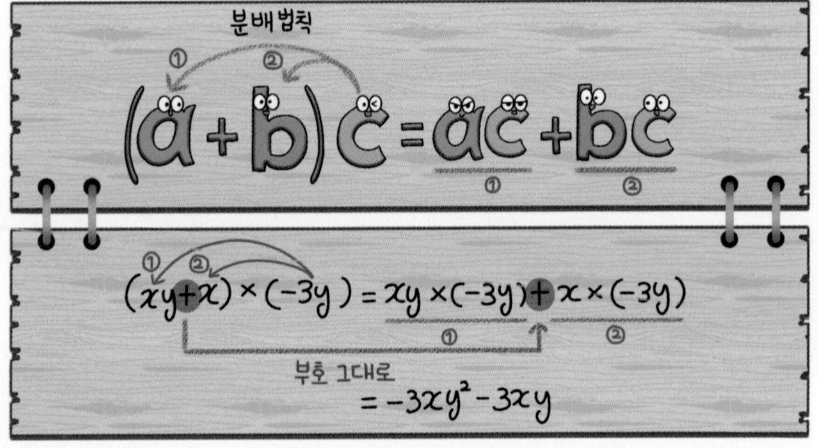

단항식이 뒤에서 곱해질 때도 마찬가지네요.

전개, 전개식

(1) 전개 : 단항식과 다항식의 곱을 괄호를 풀어서 하나의 다항식으로 나타내는 것

(2) 전개식 : 전개하여 얻은 다항식

$$5x(x-2y)=5x^2-10xy$$

전개식

전개

회색 글씨를 따라 쓰면서 개념을 정리해 보세요.

1 단항식과 다항식의 곱셈 : 분배법칙을 이용하여 단항식을 다항식의 각 항에 곱한다.

2 전개 : 단항식과 다항식의 곱을 하나의 다항식으로 나타내는 것

3 전개식 : 전개하여 얻은 다항식

개념 원리 확인

○ 정답과 풀이 18쪽

(단항식)×(다항식)의 계산 (1)

1-1 다음 □ 안에 알맞은 것을 써넣으시오.

(1) $2x(3x+y)=\underset{①}{2x\times 3x}+\underset{②}{2x\times y}$

$=\square+\square$

(2) $(16x-12y)\times\frac{1}{4}x=\underset{①}{16x\times\frac{1}{4}x}-\underset{②}{12y\times\frac{1}{4}x}$

$=\square-\square$

(3) $-4x(2xy+3y-2)$

$=\underset{①}{-4x\times 2xy}+\underset{②}{(-4x)\times 3y}-\underset{③}{(-4x)\times 2}$

$=\square-\square+\square$

1-2 다음 식을 전개하시오.

(1) $\frac{1}{4}a(20a-8b)$

(2) $-2ab(3a+4b)$

(3) $(3x-2y)\times(-3x)$

(4) $(15x-10y)\times\frac{2}{5}x$

(5) $3ab(-a+2b-1)$

(6) $(6a-9b-12)\times\left(-\frac{2}{3}a\right)$

(단항식)×(다항식)의 계산 (2)

2-1 다음 □ 안에 알맞은 것을 써넣으시오.

$2x(5x+y)-3x(4x-2y)$

$=2x\times\square+2x\times y-\square\times 4x$

$-(\square)\times 2y$

$=\square+2xy-\square+6xy$

$-\square+\square$

동류항이 생기면
동류항끼리 계산해.

2-2 다음을 계산하시오.

(1) $a(2a-1)+3a(a+3)$

(2) $2x(x+4)-x(3x-2)$

(3) $(2a+3b)\times(-a)+(6a-8b)\times\frac{1}{2}a$

2주 1일

(다항식)÷(단항식)의 계산

나눗셈을 역수의 곱셈으로 바꿔서 계산하거나 분수 꼴로 바꿔서 계산한다.

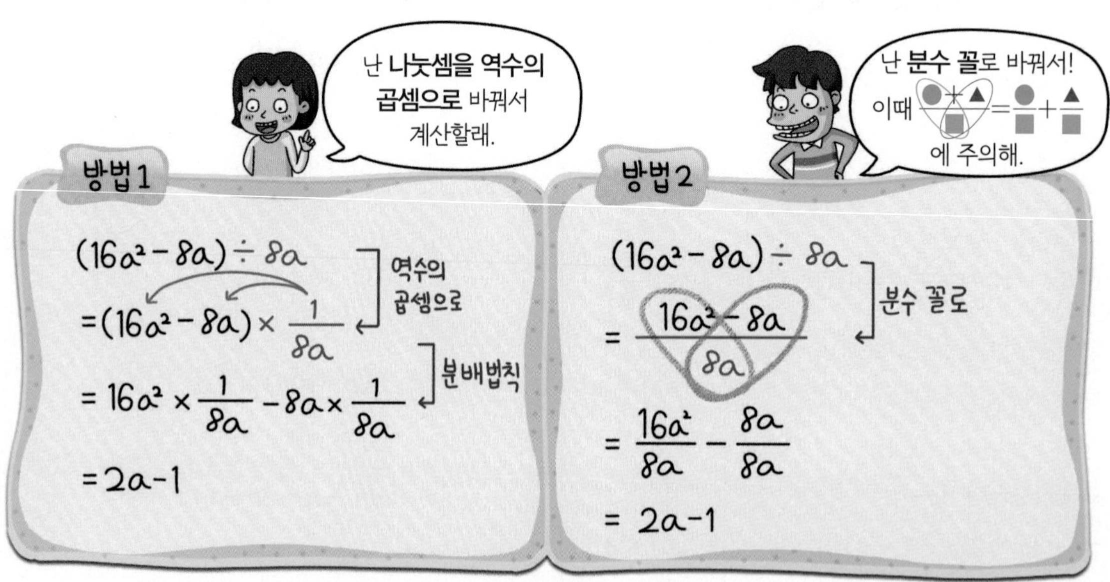

다항식과 단항식의 혼합 계산

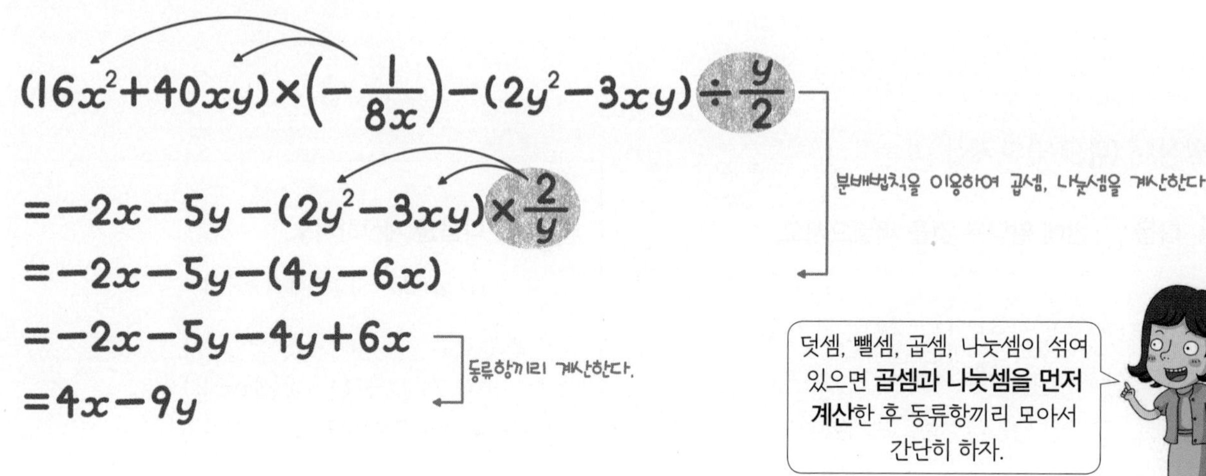

회색 글씨를 따라 쓰면서 개념을 정리해 보세요.

1 다항식과 단항식의 나눗셈 : 나눗셈을 역수의 곱셈으로 바꿔서 계산하거나 분수 꼴로 바꿔서 계산한다.

2 다항식과 단항식의 혼합 계산 : 곱셈과 나눗셈을 먼저 계산한 후 동류항끼리 모아서 간단히 한다.

개념 원리 확인

정답과 풀이 18쪽

(다항식)÷(단항식)의 계산 (1)

3-1 다음 ▢ 안에 알맞은 것을 써넣으시오.

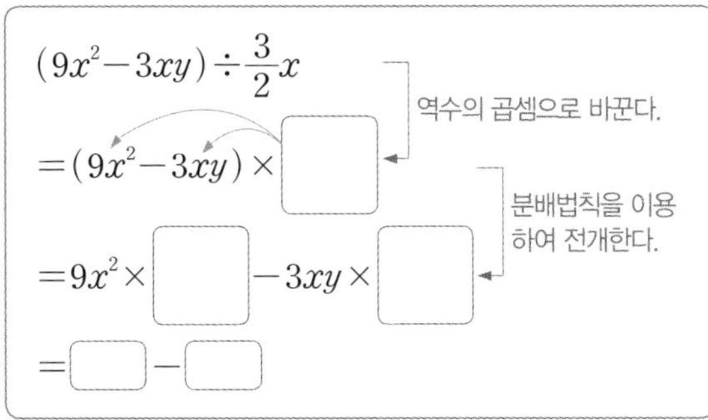

3-2 다음을 계산하시오.

(1) $(x^2+2x)\div\frac{3}{4}x$

(2) $(2x^2-8x)\div\left(-\frac{x}{2}\right)$

(3) $(2a^3b-8ab^2)\div\left(-\frac{4}{5}ab\right)$

2주 1일

(다항식)÷(단항식)의 계산 (2)

4-1 다음 ▢ 안에 알맞은 것을 써넣으시오.

$(18x^2-12xy)\div2x$ — 분수 꼴로 바꾼다.

$=\frac{18x^2-12xy}{2x}$ — 분자의 각 항을 분모로 나눈다.

$=\frac{18x^2}{▢}-\frac{12xy}{▢}$

$=$ ▢ $-$ ▢

4-2 다음을 계산하시오.

(1) $(15a^2+5a)\div5a$

(2) $(12x^2-6xy)\div6x$

(3) $(6x^4y^2-9x^2y)\div3xy$

다항식과 단항식의 혼합 계산

5-1 다음 ▢ 안에 알맞은 것을 써넣으시오.

$y(3x-2y)+(4y^3-3xy^2)\div\frac{y}{6}$ (역수)

$=3xy-$ ▢ $+(4y^3-3xy^2)\times$ ▢

$=3xy-$ ▢ $+24y^2-$ ▢

$=$ ▢

5-2 다음을 계산하시오.

(1) $(6x^2y+9xy)\div\frac{3}{4}y-4x(2x+6)$

(2) $(12a^2b-9ab^2)\div3ab+(16a^2-8a)\div(-4a)$

2주 1일 기초 집중 연습

정답과 풀이 19쪽

개념 01 (단항식)×(다항식)을 계산할 수 있는가?

(단항식)×(다항식)의 계산 : 분배법칙을 이용하여 단항식을 다항식의 각 항에 곱한다.

참고 분배법칙

① $A(B+C)=AB+AC$

② $(A+B)C=AC+BC$

1-1

다음 식을 전개하시오.

(1) $4a(2a+3b)$

(2) $\frac{1}{3}x(9x-3y)$

(3) $(3ab-4b^2)\times 7ab$

(4) $-5a(2a-3b-c)$

(5) $(x-2y-1)\times 3x$

1-2

$-4x(x-3y+5)$를 전개한 식의 x^2의 계수를 a, $\frac{1}{5}x(5x+10y+15)$를 전개한 식의 xy의 계수를 b라고 할 때, $a+b$의 값은?

① -6 ② -4 ③ -2 ④ 4 ⑤ 6

1-3

다음을 계산하시오.

(1) $3b(2a+3b)-2b(3a-4b)$

(2) $(9a+6b)\times\left(-\frac{2}{3}a\right)+(15a-3b)\times\frac{3}{5}a$

개념 02 (다항식)÷(단항식)을 계산할 수 있는가?

방법 1 역수의 곱셈으로 바꿔서 계산한다.

$(A+B)\div C=(A+B)\times\frac{1}{C}=\frac{A}{C}+\frac{B}{C}$

역수의 곱셈으로 바꾼다.

방법 2 분수 꼴로 바꿔서 계산한다.

$(A+B)\div C=\frac{A+B}{C}=\frac{A}{C}+\frac{B}{C}$

분수 꼴로 바꾼다.

2-1

다음을 계산하시오.

(1) $(8a^2b-4ab)\div\frac{4}{3}a$

(2) $(5x^2+10xy)\div\left(-\frac{5}{7}x\right)$

(3) $(25a^2+5ab)\div 5a$

(4) $(6x^2-4xy)\div(-2x)$

2-2

다음 중 옳지 않은 것은?

① $2x(x+4)=2x^2+8x$

② $\frac{x}{7}(7xy+14y^2)=x^2y+2xy^2$

③ $(8x^2-6xy)\div(-2x)=-4x+3y$

④ $(24x^2-9xy)\div\frac{3}{5}x=40x^3-15x^2y$

⑤ $(2x^2y-4xy^2)\div\left(-\frac{xy}{4}\right)=-8x+16y$

2-3

$\frac{-12a^2b^3+16ab^4+8ab^2}{4ab^2}$을 계산하였을 때, b^2의 계수와 상수항의 합을 구하시오.

2-4

다음은 수진이가 다항식을 단항식으로 나누는 과정이다. 수진이의 풀이 과정에서 처음으로 틀린 부분을 찾고, 옳은 답을 구하시오.

$(2x^2-4x)\div\left(-\frac{2}{3}x\right)$

$=$① $(2x^2-4x)\times\left(-\frac{3x}{2}\right)$

$=$② $2x^2\times\left(-\frac{3x}{2}\right)-4x\times\left(-\frac{3x}{2}\right)$

$=$③ $-3x^3+6x^2$

어디서 틀린 거지?

개념 03 다항식과 단항식의 혼합 계산을 할 수 있는가?

다항식과 단항식의 덧셈, 뺄셈, 곱셈, 나눗셈의 혼합된 식은 다음의 순서로 계산한다.

분배법칙을 이용　　　동류항끼리 모아서 계산

3-1

다음을 계산하시오.

(1) $(-3y+2)\div\frac{1}{3x}+(15x^2-10x^2y)\div(-5x)$

(2) $4x(x-y)-(2x^2y^2+x^3y)\div\frac{1}{3}xy$

3-2

$3x(x-2xy)-\frac{x^2y-5x^2y^2}{y}$을 계산하면?

① x^2-x^2y　② $2x^2-x^2y$　③ $3x^2-5x^2y$

④ $3x^2+5x^2y^2$　⑤ $2x^2-6x^2y+5x^2y^2$

3-3

다음 식에 대하여 물음에 답하시오.

$$(12x^2-8xy)\div2x-(15xy-18y^2)\times\frac{1}{3y}$$

(1) 위의 식을 계산하시오.

(2) (1)의 결과에서 x의 계수와 y의 계수의 곱을 구하시오.

부등식

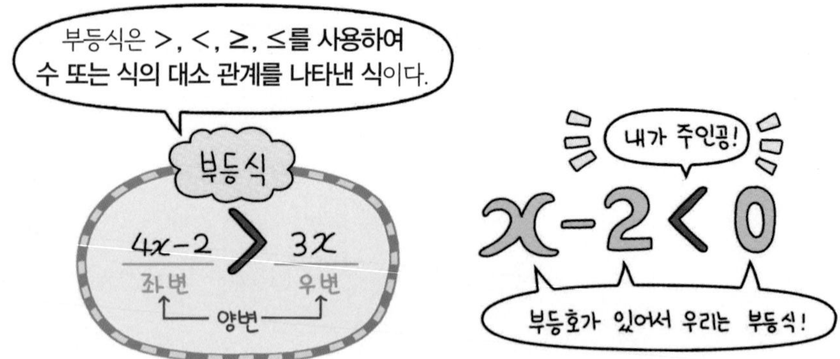

부등식의 해

x의 값이 1, 2, 3, 4일 때, 부등식 $4x-2>3x$의 해를 구해 보자.

x에 1, 2, 3, 4를 차례로 대입하자!

x	$4x-2$(좌변)	$3x$(우변)	$4x-2>3x$의 참, 거짓
1	$4\times1-2=2$	$3\times1=3$	$2>3$ ➡ 거짓
2	$4\times2-2=6$	$3\times2=6$	$6>6$ ➡ 거짓
3	$4\times3-2=10$	$3\times3=9$	$10>9$ ➡ 참
4	$4\times4-2=14$	$3\times4=12$	$14>12$ ➡ 참

3, 4와 같이 부등식을 참이 되게 하는 x의 값을 부등식의 해라고 한다. 또 부등식의 해를 모두 구하는 것을 부등식을 푼다고 한다.

회색 글씨를 따라 쓰면서 개념을 정리해 보세요.

1 부등식 : 부등호 [>, <, ≥, ≤]를 사용하여 수 또는 식의 [대소 관계를 나타낸 식]이다.

2 부등식의 해 : 부등식을 [참]이 되게 하는 [미지수의 값]

➡ $x=a$를 부등식에 대입하였을 때
- 부등식이 참 : $x=a$는 부등식의 [해이다].
- 부등식이 거짓 : $x=a$는 부등식의 [해가 아니다].

3 부등식을 푼다 : 부등식의 [해]를 모두 구하는 것

개념 원리 확인

정답과 풀이 20쪽

부등식의 뜻

1-1 다음 중 부등식인 것에는 '○'를, 부등식이 아닌 것에는 '×'를 (　　) 안에 써넣으시오.

(1) $3x < x - 4$　(　　)

(2) $2x - 1 = 0$　(　　)

(3) $5 < 12$　(　　)

(4) $3x + 1$　(　　)

1-2 다음 보기 에서 부등식인 것을 모두 고르시오.

보기

ㄱ $3x + y - 1$　　ㄴ $x > 5$

ㄷ $x - 1 > 2$　　ㄹ $3x - 2 = 0$

ㅁ $y = 4x + 5$　　ㅂ $2 + 3x > 5x - 2$

2주

2일

문장을 부등식으로 나타내기

2-1 다음은 문장을 부등식으로 나타낸 것이다. □ 안에 알맞은 부등호를 써넣으시오.

(1) x를 8로 나눈 수는 / 12보다 작다.

➡ $x \div 8$ □ 12

(2) 1000원짜리 사탕 2개와 1500원짜리 과자 x개의 가격은 / 6000원 이상이다.

➡ $1000 \times 2 + 1500 \times x$ □ 6000

2-2 다음 문장을 부등식으로 나타내시오.

(1) x에서 4를 뺀 수에 3을 곱한 수는 18보다 크거나 같다.

(2) 밑변의 길이가 x, 높이가 10인 삼각형의 넓이는 30보다 크지 않다.

(3) 건우의 5년 후의 나이는 현재 나이 x살의 2배 미만이다.

부등식의 해

3-1 다음은 x의 값이 1, 2, 3, 4일 때, 부등식 $6 - x > 3$의 해를 구하는 과정이다. 표를 완성하고 부등식의 해를 구하시오.

x의 값	좌변	대소 비교	우변	참, 거짓
1	$6-1=5$	$>$	3	참
2				
3				
4				

➡ 부등식의 해는 ______________이다.

3-2 x의 값이 1, 2, 3, 4일 때, 다음 부등식의 해를 구하시오.

(1) $6x - 14 \geq 1$

(2) $5 - x > 4x - 6$

부등식의 성질

(1) 부등식의 양변에 같은 수를 더하거나 양변에서 같은 수를 빼어도 부등호의 방향은 변하지 않는다.

➡ $a<b$일 때, $a+c<b+c$, $a-c<b-c$

(2) 부등식의 양변에 같은 양수를 곱하거나 양변을 같은 양수로 나누어도 부등호의 방향은 변하지 않는다.

➡ $a<b$일 때, $c>0$이면 $ac<bc$, $\frac{a}{c}<\frac{b}{c}$

(3) 부등식의 양변에 같은 음수를 곱하거나 양변을 같은 음수로 나누면 부등호의 방향이 바뀐다.

➡ $a<b$일 때, $c<0$이면 $ac>bc$, $\frac{a}{c}>\frac{b}{c}$

부등식의 성질을 이용하여 식의 값의 범위 구하기

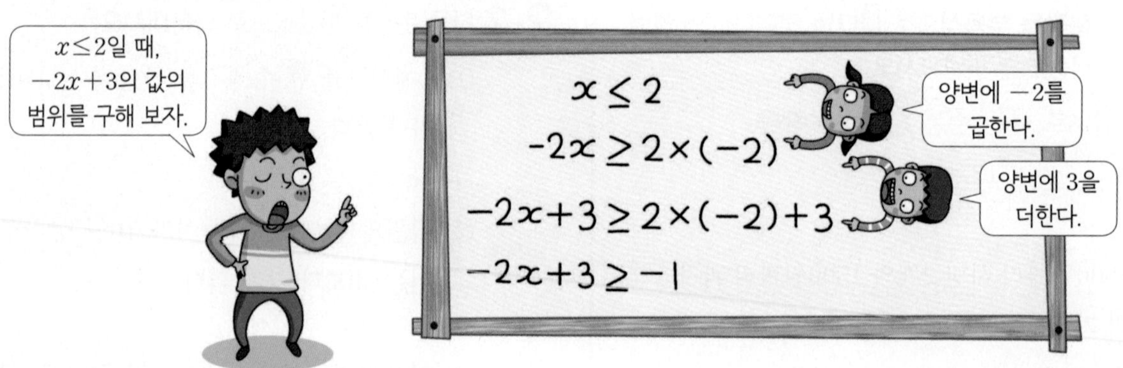

부등식의 성질을 이용한 부등식의 풀이

부등식의 성질을 이용하여 부등식을 $x>$(수), $x<$(수), $x\ge$(수), $x\le$(수) 꼴로 정리하면 이것이 그 부등식의 해가 된다.

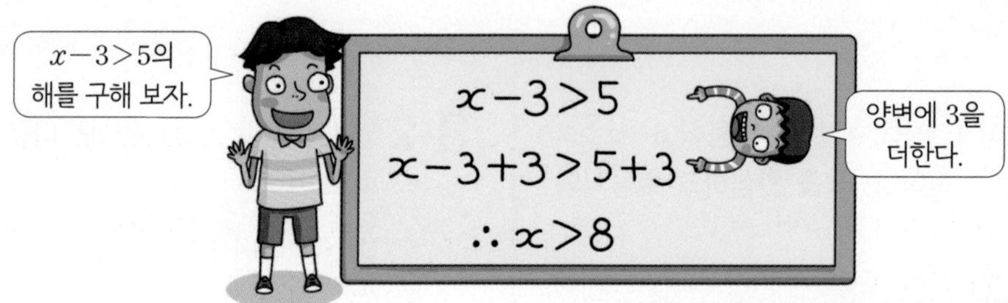

회색 글씨를 따라 쓰면서 개념을 정리해 보세요.

❖ 부등식의 성질

1 $a<b$일 때, $a+c$ [<] $b+c$, $a-c$ [<] $b-c$

2 $a<b$일 때, $c>0$이면 ac [<] bc, $\frac{a}{c}$ [<] $\frac{b}{c}$

3 $a<b$일 때, $c<0$이면 ac [>] bc, $\frac{a}{c}$ [>] $\frac{b}{c}$

부등식의 양변을 **음수로 곱하거나 나누면 부등호의 방향이 바뀐다는 것**에 주의!

개념 원리 확인

정답과 풀이 21쪽

부등식의 성질

4-1 $a>b$일 때, 다음 ○ 안에 알맞은 부등호를 써넣으시오.

(1) $a+3$ ○ $b+3$

(2) $a-2$ ○ $b-2$

(3) $2a+1$ ○ $2b+1$

(4) $-3a-1$ ○ $-3b-1$

4-2 $a\le b$일 때, 다음 ○ 안에 알맞은 부등호를 써넣으시오.

(1) $a+2$ ○ $b+2$

(2) $a-6$ ○ $b-6$

(3) $4a-1$ ○ $4b-1$

(4) $-\frac{a}{2}+4$ ○ $-\frac{b}{2}+4$

식의 값의 범위 구하기

5-1 $x\le 2$일 때, 다음 식의 값의 범위를 구하려고 한다. ㉠, ㉡에 알맞은 식을 구하시오.

(1) $5+2x$

➡ $x\le 2$의 양변에 2를 곱하면 ㉠ ______

또 $2x\le 4$의 양변에 5를 더하면

㉡ ______

(2) $-4x+6$

➡ $x\le 2$의 양변에 -4를 곱하면 ㉠ ______

또 ㉠ ______ 의 양변에 6을 더하면

㉡ ______

5-2 $x>-1$일 때, 다음 식의 값의 범위를 구하시오.

(1) $3x-2$

(2) $-5x+3$

부등식의 성질을 이용한 부등식의 풀이

6-1 다음은 부등식의 성질을 이용하여 부등식 $-3x+1>-5$를 푸는 과정이다. □ 안에 알맞은 것을 써넣으시오.

> $-3x+1>-5$의 양변에서 1을 빼면
>
> □
>
> 또 □의 양변을 -3으로 나누면
>
> □

6-2 다음 부등식을 푸시오.

(1) $4x\ge 12$

(2) $-\frac{1}{2}x-1<3$

2주 2일 기초 집중 연습

○ 정답과 풀이 21쪽

개념 01 부등식의 뜻을 알고 있는가?

주어진 식의 좌변과 우변 사이에 부등호 ($>$, $<$, $\geq$, $\leq$)가 있으면 부등식이다.

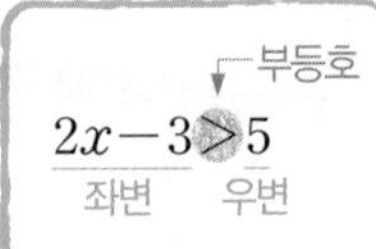

예 $x+2<5$, $-3>2$ ➡ 부등식이다.
$2x-8=6$, $x-7$ ➡ 부등식이 아니다.

참고 $-3>2$는 거짓이지만 부등식이다. ➡ 부등식을 찾을 때는 부등식의 참, 거짓에 관계없이 부등호가 있으면 부등식이다.

1-1

다음 중 부등식이 <u>아닌</u> 것을 모두 고르면? (정답 2개)

① $4x\leq1$　　② $2x+y-10$
③ $2x-1<3x$　　④ $3=7-4$
⑤ $-x+1>-x+5$

1-2

다음 중 문장을 부등식으로 나타낸 것으로 옳지 <u>않은</u> 것은?

① x에 4를 더하면 16보다 크다. ➡ $x+4>16$
② x에서 6을 뺀 수에 3을 곱한 수는 x의 7배를 초과한다. ➡ $3(x-6)\geq7x$
③ 500원짜리 스티커 3장과 1000원짜리 스티커 x장의 가격은 10000원 이하이다. ➡ $1500+1000x\leq10000$
④ 가로의 길이가 8 cm, 세로의 길이가 x cm인 직사각형의 둘레의 길이는 40 cm 이상이다.
➡ $2(8+x)\geq40$
⑤ 전체가 150쪽인 문제집을 하루에 6쪽씩 x일 동안 풀었더니 90쪽 미만이 남았다. ➡ $150-6x<90$

개념 02 부등식의 해를 구할 수 있는가?

$x=k$가 부등식의 해이다.
➡ $x=k$를 주어진 부등식에 대입하면 부등식이 참이 된다.

예 부등식 $x+3\leq3x-1$에 대하여
$x=1$일 때, (좌변)$=1+3=4$, (우변)$=3\times1-1=2$
$4\leq2$ (거짓) ➡ 해가 아니다.
$x=2$일 때, (좌변)$=2+3=5$, (우변)$=3\times2-1=5$
$5\leq5$ (참) ➡ 해이다.

2-1

x의 값이 -1, 0, 1, 2일 때, 다음 부등식의 해를 구하시오.

(1) $3-x>2$

(2) $3x+8\geq11$

(3) $4x-3<2$

(4) $5-x\geq3x-3$

2-2

다음 부등식 중 [　] 안의 수가 해인 것은?

① $x+5\leq2x$ [2]　　② $3x+1\leq-2$ [0]
③ $3x<-2+4x$ [3]　　④ $x>2x+3$ [-3]
⑤ $2x+1\geq x$ [-2]

개념 03 부등식의 성질을 알고 있는가?

$a<b$일 때

(1) $a+c<b+c$, $a-c<b-c$

(2) $c>0$이면 $ac<bc$, $\frac{a}{c}<\frac{b}{c}$

(3) $c<0$이면 $ac>bc$, $\frac{a}{c}>\frac{b}{c}$ — 음수를 곱하거나 음수로 나누면 부등호의 방향이 바뀌어!

3-1

$a<b$일 때, 다음 중 옳지 않은 것은?

① $a+5<b+5$　② $a-4<b-4$

③ $2a-1<2b-1$　④ $1-a>1-b$

⑤ $\frac{a}{3}+1>\frac{b}{3}+1$

3-2

다음 ◯ 안에 알맞은 부등호를 써넣으시오.

(1) $8a+1>8b+1$이면 a ◯ b이다.

➡ $8a+1>8b+1$의 양변에서 1을 빼면 ㉠ ________

또 $8a>8b$의 양변을 8로 나누면 ㉡ ________

(2) $2a-13\le 2b-13$이면 a ◯ b이다.

(3) $-\frac{1}{4}a+2>-\frac{1}{4}b+2$이면 a ◯ b이다.

3-3

x의 값의 범위가 다음과 같을 때, 주어진 식의 값의 범위를 구하시오.

(1) $x\ge 4$일 때, $\frac{5}{2}x-2$

(2) $x<-3$일 때, $3-2x$

개념 04 부등식의 성질을 이용하여 부등식을 풀 수 있는가?

부등식의 성질을 이용하여 부등식을

$x>$(수), $x<$(수), $x\ge$(수), $x\le$(수)

꼴로 정리하면 이것이 그 부등식의 해가 된다.

4-1

부등식의 성질을 이용하여 다음 부등식을 푸시오.

(1) $x-7<3$

(2) $2x+1\ge 9$

(3) $-\frac{1}{2}x+2\ge 3$

4-2

다음은 혜리와 정원이가 부등식 $-3x+2\le -4$의 풀이 과정을 보고 (가), (나)에서 이용된 부등식의 성질을 말한 것이다. 혜리와 정원이의 대답을 완성하시오.

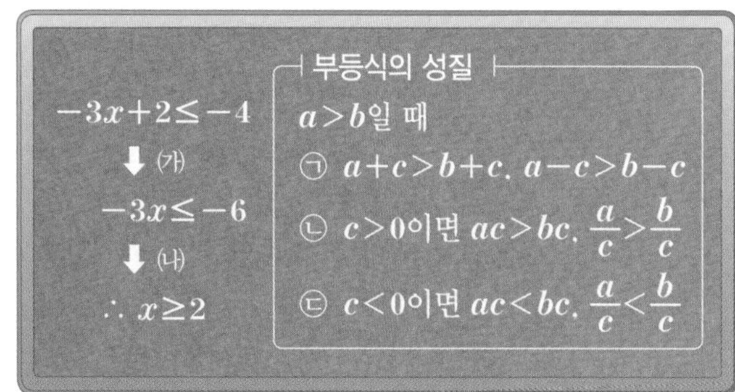

$-3x+2\le -4$
⬇ (가)
$-3x\le -6$
⬇ (나)
$\therefore x\ge 2$

부등식의 성질

$a>b$일 때

㉠ $a+c>b+c$, $a-c>b-c$

㉡ $c>0$이면 $ac>bc$, $\frac{a}{c}>\frac{b}{c}$

㉢ $c<0$이면 $ac<bc$, $\frac{a}{c}<\frac{b}{c}$

(가)에서는 부등식의 성질 ________을 사용했어요.

(나)에서는 부등식의 성질 ________을 사용했어요.

2주 2일

일차부등식

부등식의 모든 항을 좌변으로 이항하여 정리한 식이

(일차식)<0, (일차식)>0, (일차식)≤ 0, (일차식)≥ 0

중의 어느 한 가지 꼴로 나타낼 수 있는 부등식을 **일차부등식**이라고 한다.

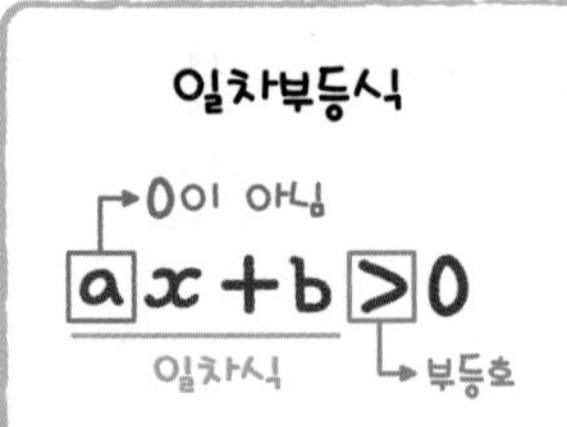

일차부등식의 풀이

일차부등식 $3x+1\leq x-7$을 풀고 그 해를 수직선 위에 나타내어 보자.

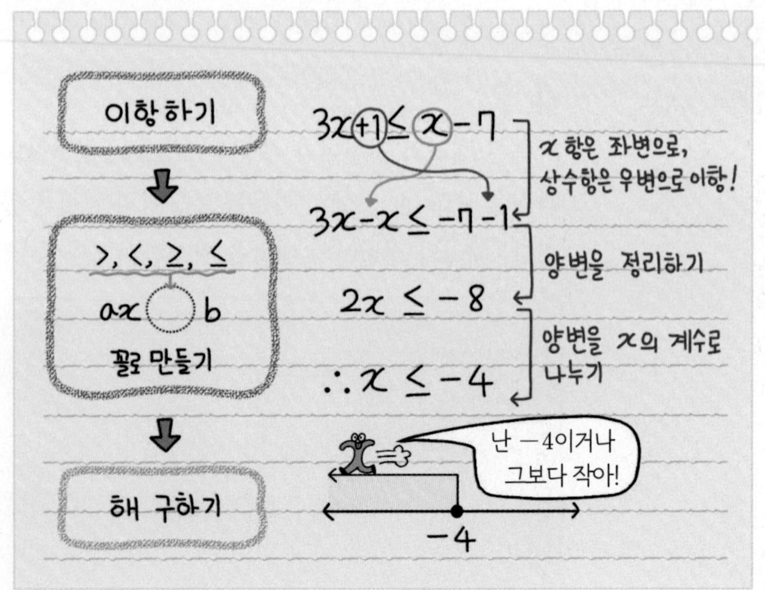

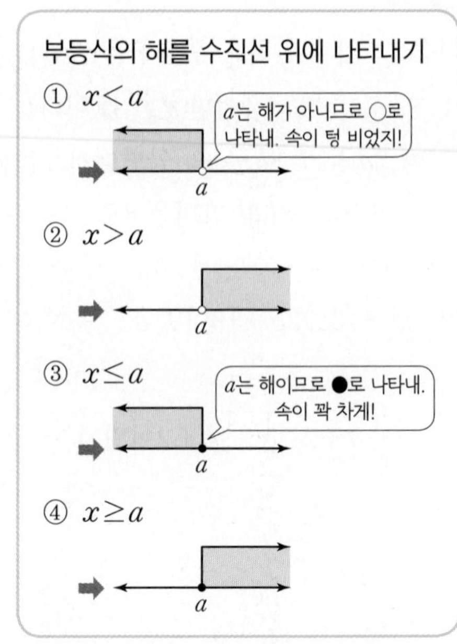

회색 글씨를 따라 쓰면서 개념을 정리해 보세요.

❖ 일차부등식의 풀이 순서

1단계 미지수 x를 포함한 항은 [좌변]으로, 상수항은 [우변]으로 이항한다.

2단계 양변을 [정리]하여 [$ax>b$, $ax<b$, $ax\geq b$, $ax\leq b$] 중 어느 하나의 꼴로 나타낸다.

3단계 양변을 x의 계수 [a]로 나눈다. 이때 a가 [음수]이면 부등호의 방향이 [바뀐다].

개념 원리 확인

정답과 풀이 22쪽

일차부등식의 뜻

1-1 다음 ☐ 안에 알맞은 것을 써넣고, 옳은 것에 ○표를 하시오.

(1) $-x+2>3-x$

➡ 우변에 있는 항을 모두 좌변으로 이항하면

$-x+2-3+x>0$　　$\therefore$ ☐ >0

따라서 일차부등식(이다, 이 아니다).

(2) $2x^2+3x-4<2x^2-x$

➡ 우변에 있는 항을 모두 좌변으로 이항하면

$2x^2+3x-4-2x^2+x<0$

$\therefore$ ☐ <0

따라서 일차부등식(이다, 이 아니다).

1-2 다음 중 일차부등식인 것에는 '○'를, 일차부등식이 아닌 것에는 '×'를 (　　) 안에 써넣으시오.

(1) $x+1<2$　　(　　)

(2) $4x+3=x-2$　　(　　)

(3) $4x\geq 4(x-1)$　　(　　)

(4) $3x^2-x+4\leq 2+3x^2$　　(　　)

(5) $x^2-3x+1>-x^2+2$　　(　　)

일차부등식의 풀이

2-1 다음 일차부등식을 풀고, 그 해를 수직선 위에 나타내시오.

(1) $4x+2\geq 10$

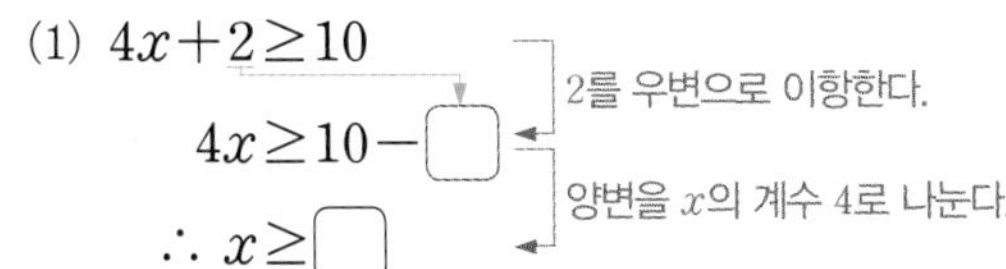

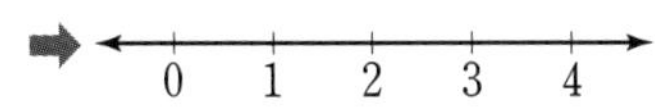

(2)

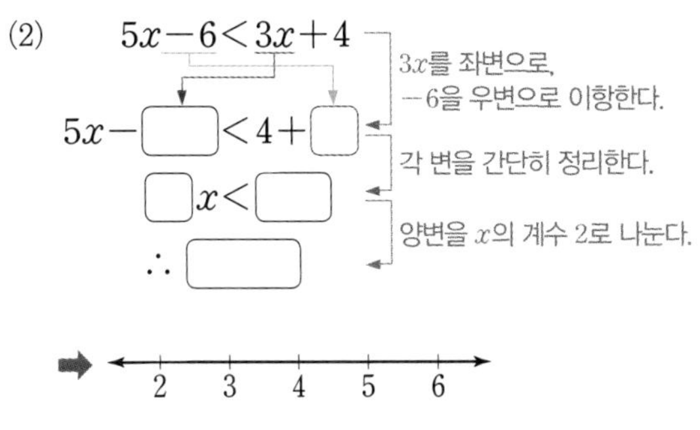

2-2 다음 일차부등식의 해를 구하고, 그 해를 수직선 위에 나타내시오.

(1) $x+3\geq 4$

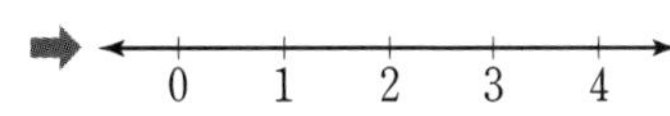

(2) $-5x-3<12$

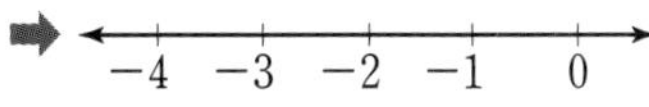

(3) $4x-1\leq 2x+7$

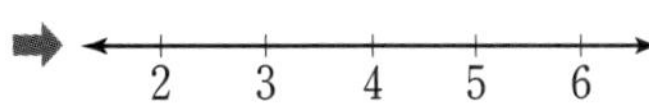

(4) $1-4x>-8-x$

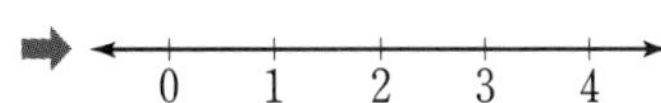

6. 여러 가지 일차부등식의 풀이

괄호가 있는 일차부등식의 풀이

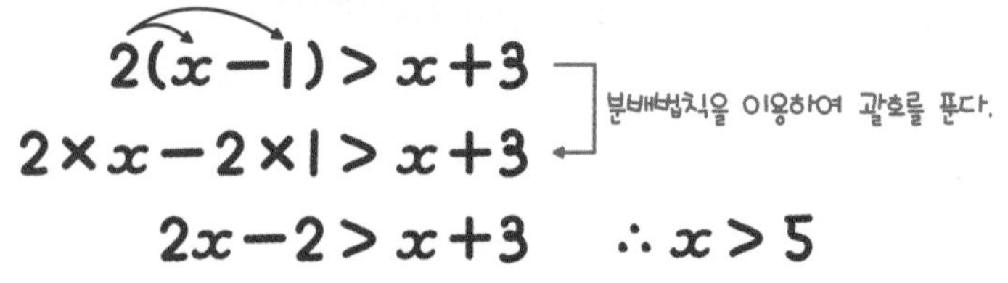

괄호가 있으면 **분배법칙을 이용하여 괄호를 풀어** 부등식을 간단히 한 후 푼다.

계수가 소수 또는 분수인 일차부등식의 풀이

계수가 소수인 일차부등식의 풀이

$$0.3x-1>0.2x$$

$$0.3x\times10-1\times10>0.2x\times10$$ 양변에 10을 곱한다.

$$3x-10>2x \qquad \therefore x>10$$

양변에 적당한 **수를 곱할 때**는 **모든 항에 빠짐없이** 똑같이 곱해야 해.

계수가 분수인 일차부등식의 풀이

$$\frac{1}{2}x-1\le\frac{1}{3}x$$

$$\frac{1}{2}x\times6-1\times6\le\frac{1}{3}x\times6$$ 양변에 분모의 최소공배수 6을 곱한다.

$$3x-6\le2x \qquad \therefore x\le6$$

회색 글씨를 따라 쓰면서 개념을 정리해 보세요.

1 괄호가 있는 일차부등식의 풀이 : 분배법칙을 이용하여 괄호를 먼저 푼다.

2 계수가 소수인 일차부등식의 풀이 : 양변에 10, 100, 1000, … 중 적당한 수를 곱하여 계수를 정수로 바꾼 후 푼다.

3 계수가 분수인 일차부등식의 풀이 : 양변에 분모의 최소공배수를 곱하여 계수를 정수로 바꾼 후 푼다.

개념 원리 확인

정답과 풀이 23쪽

괄호가 있는 일차부등식의 풀이

3-1 다음은 일차부등식 $3(x+2)>2x+1$을 푸는 과정이다. ☐ 안에 알맞은 수를 써넣으시오.

> $3(x+2)>2x+1$에서 괄호를 풀면
> $3x+$☐$>2x+1$
> $\therefore x>$☐

3-2 다음 일차부등식을 푸시오.

(1) $2(x-3)<5x$

(2) $1-3x\geq-4(x-2)$

(3) $5-(3-x)<2(x+1)$

2주 3일

계수가 소수인 일차부등식의 풀이

4-1 다음은 일차부등식 $0.2x+1.8>-0.1x$를 푸는 과정이다. ☐ 안에 알맞은 수를 써넣으시오.

> $0.2x+1.8>-0.1x$의 양변에 10을 곱하면
> $2x+$☐$>-x$
> $3x>$☐ $\quad\therefore x>$☐

4-2 다음 일차부등식을 푸시오.

(1) $0.5x>0.2x-0.9$

(2) $0.1x-2\leq0.4x+0.7$

(3) $-0.05x-0.04\geq0.03x+0.12$

계수가 분수인 일차부등식의 풀이

5-1 다음은 일차부등식 $\frac{3}{2}x-\frac{7}{6}\geq\frac{x}{3}$를 푸는 과정이다. ☐ 안에 알맞은 것을 써넣으시오.

> $\frac{3}{2}x-\frac{7}{6}\geq\frac{x}{3}$의 양변에 분모의 최소공배수 6을 곱하면
> ☐$x-7\geq2x$
> ☐$x\geq7 \quad\therefore x\geq$☐

5-2 다음 일차부등식을 푸시오.

(1) $\frac{x}{2}+3\geq\frac{x}{6}+\frac{2}{3}$

(2) $\frac{2}{3}x-\frac{3}{2}<\frac{1}{4}x+\frac{7}{6}$

(3) $\frac{x-1}{4}>\frac{3x-1}{2}$

2주 3일 기초 집중 연습

○ 정답과 풀이 23쪽

개념 01 일차부등식의 뜻을 알고 있는가?

부등식의 모든 항을 좌변으로 이항하여 정리한 식이

(일차식)>0, (일차식)<0,
(일차식)≥ 0, (일차식)≤ 0

꼴이면 일차부등식이다.

$ax+b>0$ (0이 아님: a, 일차식: $ax+b$, 부등호: $>$)

참고 일차부등식이 아닌 예

① $1>0$ ➡ x가 없으므로 일차부등식이 아니다.

② $x^2-2\leq 0$ ➡ 좌변이 일차식이 아니므로 일차부등식이 아니다.

③ $\frac{1}{x}+3<0$ ➡ x가 분모에 있으므로 일차부등식이 아니다.

1-1

다음 중 일차부등식인 것에는 '○'를, 일차부등식이 아닌 것에는 '×'를 (　) 안에 써넣으시오.

(1) $4x+x=2x-8$ (　　)

(2) $\frac{x}{6}\geq 5$ (　　)

(3) $4-3x\leq x$ (　　)

(4) $\frac{1}{x}-4>3$ (　　)

(5) $x(x-1)<x^2+3$ (　　)

1-2

다음 중 일차부등식인 것을 모두 고르면? (정답 2개)

① $x^2+3<1$　② $3x\geq x+2$
③ $12<15+3$　④ $-3x+1>-3x-6$
⑤ $x(x+5)>x^2-1$

개념 02 일차부등식을 풀 수 있는가?

일차부등식은 다음의 순서로 푼다.

❶ x항은 좌변으로, 상수항은 우변으로 이항하여 정리한다.

❷ 양변을 x의 계수로 나눈다. (x의 계수가 음수이면 부등호의 방향이 바뀐다.)

예
$5x-4\geq 7x-2$
$5x-7x\geq -2+4$ (x항은 좌변, 상수항은 우변으로 이항한다.)
$-2x\geq 2$
$\therefore x\leq -1$ (양변을 x의 계수 -2로 나눈다.)

2-1

다음 일차부등식을 푸시오.

(1) $\frac{3}{2}x\leq 15$

(2) $-5x>-2x+12$

(3) $-4x+3\geq x+7$

(4) $6x+8<16-2x$

2-2

일차부등식 $3x+8<5x+2$의 해를 수직선 위에 바르게 나타낸 것은?

① -3　② -3

③ 2

④ 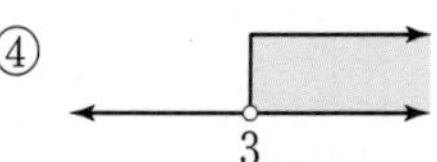

⑤ 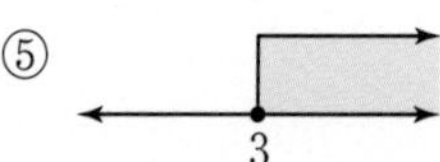

2-3

다음 일차부등식의 풀이에서 틀린 부분을 찾아 그 이유를 설명하고, 일차부등식을 바르게 푸시오.

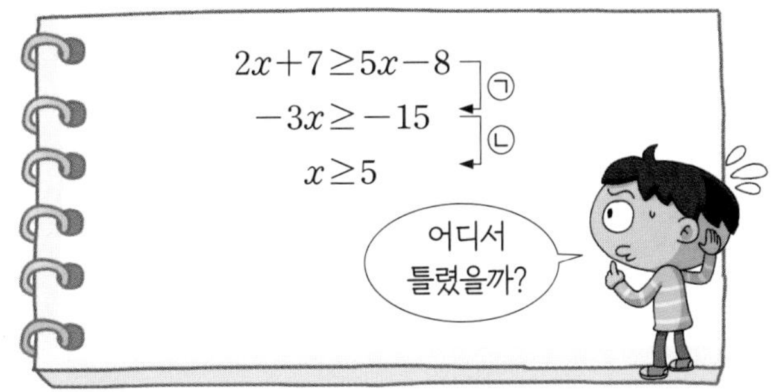

개념 03 여러 가지 일차부등식을 풀 수 있는가?

(1) 괄호가 있는 경우 : 분배법칙을 이용하여 괄호를 풀어 부등식을 간단히 한 후 푼다.
(2) 계수가 소수인 경우 : 양변에 10, 100, 1000, …과 같이 적당한 수를 곱하여 계수를 정수로 바꾼 후 푼다.
(3) 계수가 분수인 경우 : 양변에 분모의 최소공배수를 곱하여 계수를 정수로 바꾼 후 푼다.

3-1

다음 일차부등식을 푸시오.

(1) $3(x-3)<-x+7$

(2) $2(x+1)+3>4-(2x-7)$

(3) $0.6x\leq 0.4x-1.2$

(4) $0.3(2x-3)\geq 3.5x+2$

(5) $-\frac{3}{8}x+\frac{2}{3}>\frac{x}{8}-\frac{5}{6}$

(6) $\frac{x-3}{3}-\frac{x-4}{5}\leq 1$

3-2

다음 일차부등식 중 해가 나머지 넷과 다른 하나는?

① $x+7<5$
② $2x-3>4x+1$
③ $3(x-2)<-2(x+8)$
④ $0.5x+0.1<0.3(x-1)$
⑤ $\frac{1}{2}(x-1)<\frac{1}{5}x+1$

2주 3일

3-3

다음은 일차부등식 $\frac{x}{3}+0.5\leq x-\frac{5}{6}$를 푸는 과정이다. (가)~(마)에 알맞은 것을 써넣으시오.

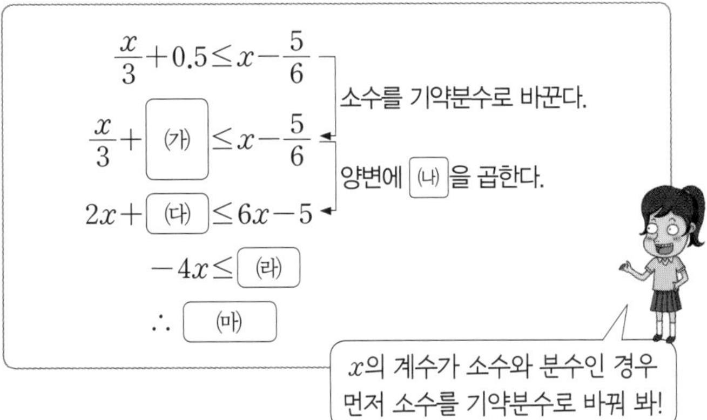

3-4

다음 일차부등식을 푸시오.

(1) $0.1x+0.7<\frac{1}{5}x-\frac{1}{10}$

(2) $\frac{1}{4}x-0.2\geq\frac{1}{5}(x-1)$

한 번에 300 kg까지 운반할 수 있는 승강기가 있다. 몸무게가 75 kg인 지웅이가 하나의 무게가 25 kg인 상자를 운반하려고 할 때, 한 번에 상자를 최대 몇 개까지 운반할 수 있는지 구하시오.

1단계 미지수 정하기

상자의 개수를 x라고 하자.

2단계 일차부등식 세우기

(지웅이의 몸무게)+(상자 x개의 무게)≤ 300 (kg)

➡ $75+25x\le 300$

3단계 일차부등식 풀기

$75+25x\le 300$에서 $25x\le 225$ $\therefore x\le 9$

따라서 한 번에 상자를 최대 9개까지 운반할 수 있다.

4단계 확인하기

처음 일차부등식에 $x=9$를 대입하면 $75+25\times 9\le 300$이고

$x=10$을 대입하면 $\underbrace{75+25\times 10}_{325}>300$이므로

구한 해는 문제의 뜻에 맞는다.

회색 글씨를 따라 쓰면서 개념을 정리해 보세요.

❖ 일차부등식의 활용 문제 푸는 순서

1단계 문제의 뜻을 파악하고 구하려는 것을 미지수 x로 놓는다.

2단계 문제의 뜻에 맞게 일차부등식을 세운다.

3단계 일차부등식을 푼다.

4단계 구한 해가 문제의 뜻에 맞는지 확인한다.

개념 원리 확인

정답과 풀이 24쪽

일차부등식의 활용 - 물건의 개수

1-1 **3000원인 필통 한 개와 한 자루에 800원인 볼펜을 합하여 10000원 이하로 학용품을 사려고 한다. 다음 물음에 답하시오.**

(1) 볼펜을 x자루 산다고 할 때, 부등식을 세우시오.

➡ (필통 한 개의 가격)+(볼펜 x자루의 가격) $\le$10000(원)

이므로 ☐$\le$10000

(2) (1)에서 세운 부등식을 푸시오.

(3) 볼펜을 최대 몇 자루까지 살 수 있는지 구하시오.

1-2 **한 송이에 1500원인 빨간 장미와 한 송이에 1000원인 노란 장미를 합하여 20송이를 사려고 한다. 전체 금액이 25000원 이하가 되게 하려고 할 때, 다음 물음에 답하시오.**

(1) 빨간 장미를 x송이 산다고 할 때, 부등식을 세우시오.

(2) 부등식을 푸시오.

(3) 빨간 장미를 최대 몇 송이까지 살 수 있는지 구하시오.

일차부등식의 활용 - 도형

2-1 **오른쪽 그림과 같이 밑변의 길이가 10 cm인 삼각형의 넓이가 60 cm^2 이상일 때, 다음 물음에 답하시오.**

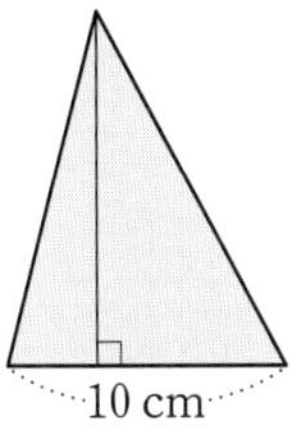

(1) 삼각형의 높이를 x cm라고 할 때, 부등식을 세우시오.

➡ 삼각형의 넓이는

$\frac{1}{2}\times$(밑변의 길이)$\times$(높이)

이므로 $\ge$60

(2) (1)에서 세운 부등식을 푸시오.

(3) 삼각형의 높이는 몇 cm 이상이어야 하는지 구하시오.

2-2 **오른쪽 그림과 같이 밑변의 길이가 15 cm이고 높이가 8 cm인 사다리꼴의 넓이가 80 cm^2 이상일 때, 다음 물음에 답하시오.**

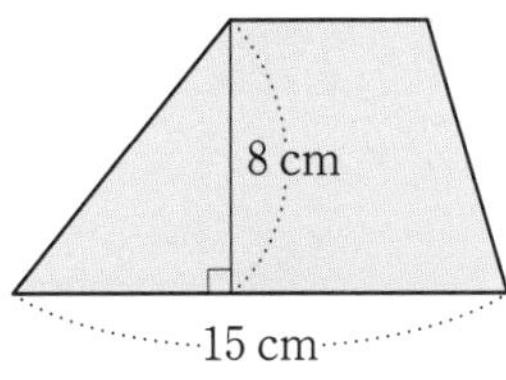

(1) 사다리꼴의 윗변의 길이를 x cm라고 할 때, 부등식을 세우시오.

➡ 사다리꼴의 넓이는

$\frac{1}{2}\times$\{(밑변의 길이)+(윗변의 길이)\} $\times$(높이)

이므로 $\ge$80

(2) (1)에서 세운 부등식을 푸시오.

(3) 사다리꼴의 윗변의 길이는 몇 cm 이상이어야 하는지 구하시오.

개념 원리 확인

○ 정답과 풀이 24쪽

일차부등식의 활용 - 거리, 속력, 시간

① (거리)=(속력)×(시간)

② $(\text{속력})=\dfrac{(\text{거리})}{(\text{시간})}$

③ $(\text{시간})=\dfrac{(\text{거리})}{(\text{속력})}$

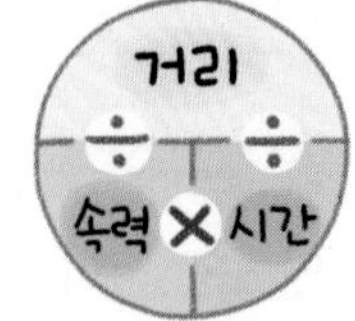

참고 거리, 속력, 시간에 대한 문제를 풀 때, 각각의 단위가 다른 경우에는 단위를 통일한다.

• 1 km=1000 m • 1시간=60분

3-1 기차가 출발하기 전까지 1시간의 여유가 있어서 근처의 상점에서 물건을 사오려고 한다. 상점에서 물건을 사는 데 15분이 걸리고 시속 3 km로 걸을 때, 물음에 답하시오.

(1) 다음 그림의 빈칸에 알맞은 것을 써넣으시오.

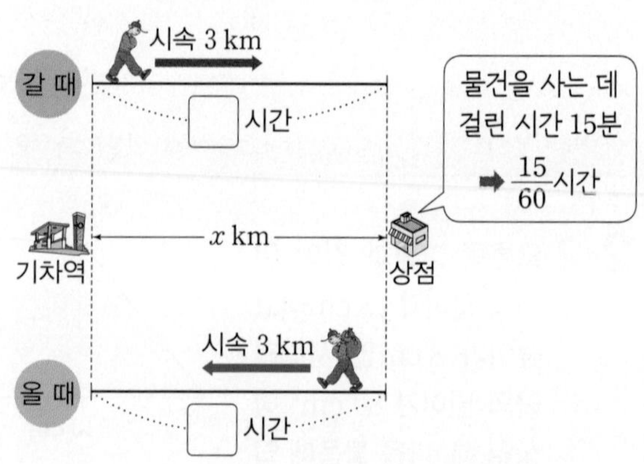

(2) 부등식을 세우시오.

➡ (갈 때 걸린 시간)+(물건을 사는 데 걸린 시간)+(올 때 걸린 시간)≤1(시간)

이므로 □≤1

(3) (2)에서 세운 부등식을 푸시오.

(4) 최대 몇 km 떨어진 상점까지 다녀올 수 있는지 구하시오.

3-2 등산을 하는데 올라갈 때는 시속 3 km로 걷고, 내려올 때는 같은 길을 시속 5 km로 걸어서 전체 걸리는 시간을 3시간 이내로 하려고 한다. 물음에 답하시오.

(1) 올라갈 때의 거리를 x km라고 할 때, 다음 표를 완성하고 부등식을 세우시오.

	올라갈 때	내려올 때
거리	x km	□km
속력	시속 3 km	시속 5 km
시간	□시간	□시간

➡ (올라갈 때 걸린 시간)+(내려올 때 걸린 시간)≤3(시간)

이므로 □≤3

(2) (1)에서 세운 부등식을 푸시오.

(3) 최대 몇 km까지 올라갔다가 내려올 수 있는지 구하시오.

3-3 선우가 집에서 시장까지 갔다 오는데 갈 때는 분속 60 m로 걷고, 돌아올 때는 분속 40 m로 걸었다. 시장에서 물건을 사는 데 걸린 시간 5분을 포함하여 집으로 돌아오는 데 총 20분을 넘기지 않았다면 집에서 시장까지의 거리는 몇 m 이하인지 구하시오.

2주 4일 기초 집중 연습

개념 01 일차부등식의 활용 문제를 풀 수 있는가?

① 미지수 정하기 ➡ ② 일차부등식 세우기 ➡ ③ 일차부등식 풀기 ➡ ④ 확인하기

참고 물건의 개수, 사람 수, 횟수 등을 미지수 x로 놓았을 때는 구한 해 중 자연수만을 답으로 한다.

1-1

최대 정원 무게가 1000 kg인 엘리베이터를 이용하여 몸무게가 80 kg인 사람이 1개에 44 kg인 짐을 여러 개 실어 나르려고 한다. 엘리베이터를 이용하여 한 번에 실어 나를 수 있는 짐은 최대 몇 개인지 구하시오.

1-2

마트에서 젤리와 막대사탕을 합하여 20개 사려고 한다. 젤리 1개의 가격은 800원, 막대사탕 한 개의 가격은 600원이라고 할 때, 전체 금액을 15000원 이하로 하려고 한다. 다음 물음에 답하시오.

(1) 일차부등식을 세우시오.

➡ 젤리의 개수를 x라고 하면 막대사탕의 개수가 ☐이므로
(젤리의 총가격)+(막대사탕의 총가격)$\le$15000
에서 ☐

(2) 젤리는 최대 몇 개까지 살 수 있는지 구하시오.

1-3

현재 혜련이와 유림이의 예금액은 각각 6000원, 12000원이다. 다음 달부터 혜련이는 매달 5000원씩, 유림이는 매달 3000원씩 예금하려고 할 때, 혜련이의 예금액이 유림이의 예금액보다 많아지는 것은 몇 개월 후부터인지 구하시오.

1-4

경완이가 산책을 하는데 갈 때는 시속 4 km로 걷고, 올 때는 같은 길을 시속 2 km로 걸어서 3시간 이내에 산책을 마치려고 한다. 최대 몇 km까지 갔다 올 수 있는지 구하시오.

1-5

지수는 집에서 5 km 떨어진 학교까지 가는데 처음에는 시속 3 km로 걷다가 도중에 시속 6 km로 달려서 1시간 이내에 도착하려고 한다. 집에서 몇 km 떨어진 지점까지 걸어가도 되는지 구하시오.

미지수가 2개인 일차방정식

중1

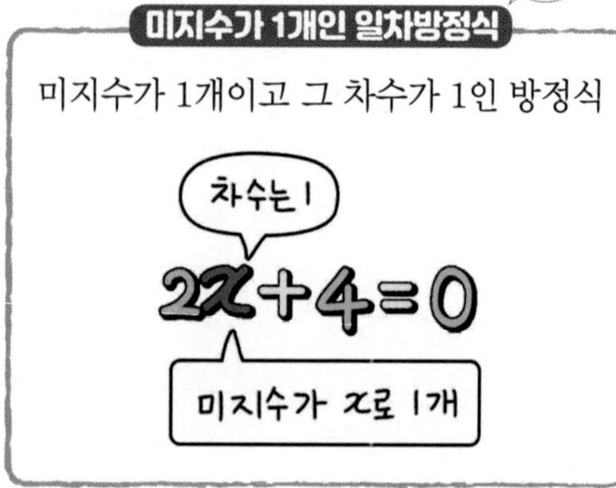

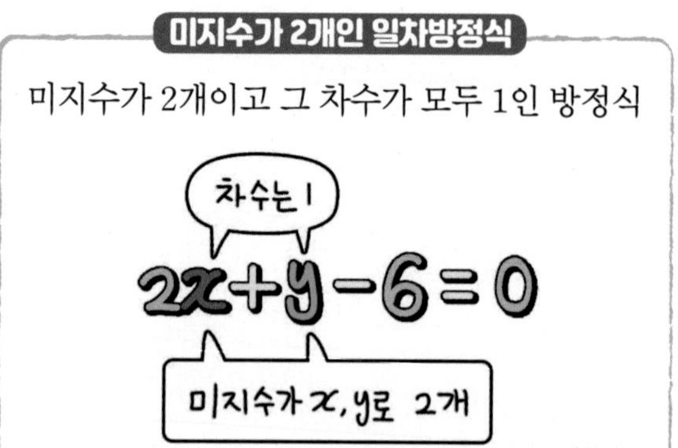

미지수가 2개인 일차방정식의 해

미지수가 2개인 일차방정식을 **참이 되게 하는 x, y의 값** 또는 **그 순서쌍 (x, y)**를 그 **일차방정식의 해**라고 한다. 또 일차방정식의 해를 모두 구하는 것을 일차방정식을 푼다고 한다.

예 x, y가 자연수일 때, 일차방정식 $2x+y=6$의 해를 구해 보자.

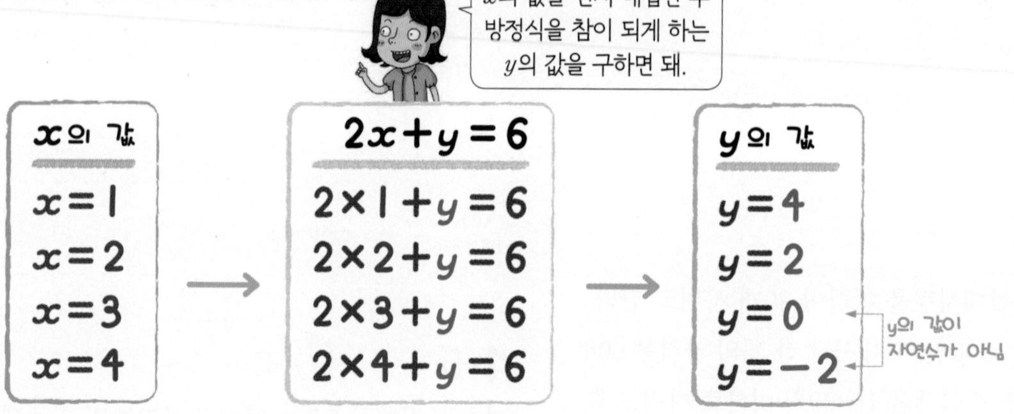

➡ 이때 y도 자연수이므로 일차방정식 $2x+y=6$을 참이 되게 하는 x, y의 값은
$x=1$, $y=4$ 또는 $x=2$, $y=2$이고, 이것을 순서쌍 (x, y)로 나타내면 $(1, 4)$, $(2, 2)$이다.

회색 글씨를 따라 쓰면서 개념을 정리해 보세요.

1 미지수가 2개인 일차방정식 : 미지수가 2개이고 그 차수가 모두 1인 방정식

2 미지수가 2개인 일차방정식의 해 : 미지수가 2개인 일차방정식을 참이 되게 하는 x, y의 값 또는 그 순서쌍 (x, y)

3 미지수가 2개인 일차방정식을 푼다 : 미지수가 2개인 일차방정식의 해를 모두 구하는 것

개념 원리 확인

○ 정답과 풀이 26쪽

미지수가 2개인 일차방정식 찾기

1-1 다음 □ 안에 알맞은 것을 써넣고, 주어진 식이 미지수가 2개인 일차방정식인지 말하시오.

(1) $3x+y$

➡ 미지수가 x, y의 2개이고 그 차수는 모두 □이지만 □이 아니다.

(2) $2x-3y+7=x+y$

➡ 우변의 모든 항을 좌변으로 이항하면

$2x-3y+7-x-y=0$

∴ □$+7=0$

1-2 다음 중 미지수가 2개인 일차방정식인 것에는 '○'를, 아닌 것에는 '×'를 ( ) 안에 써넣으시오.

(1) $2x+3y+1$ ( )

(2) $x+2=5$ ( )

(3) $x-3y+5=0$ ( )

(4) $x^2+y=-2y+x^2+7$ ( )

미지수가 2개인 일차방정식의 해 구하기

2-1 다음 일차방정식에 대하여 표를 완성하고, x, y가 자연수일 때 해를 순서쌍 (x, y)로 나타내시오.

(1) $2x+y=7$

x	1	2	3	4
y	5			

(2) $x+3y=10$

x				
y	1	2	3	4

2-2 다음 일차방정식에 대하여 표를 완성하고, x, y가 자연수일 때 해를 순서쌍 (x, y)로 나타내시오.

(1) $x+y=3$

x	1	2	3	4
y				

(2) $2x+3y=9$

x	1	2	3	4	5
y					

주어진 순서쌍이 일차방정식의 해인지 판단하기

3-1 다음은 x, y의 순서쌍 $(1, 2)$가 일차방정식 $-2x+3y=4$의 해인지를 판단하는 과정이다. □ 안에 알맞은 것을 써넣고, 옳은 것에 ○표를 하시오.

> $-2x+3y=4$에 $x=1$, $y=2$를 대입하면
> (좌변)$=-2\times1+3\times2=$□, (우변)$=$□
> 즉 (좌변)□(우변)이므로 순서쌍 $(1, 2)$는 일차방정식의 (해이다, 해가 아니다).

3-2 다음 중 x, y의 순서쌍 (x, y)가 일차방정식 $3x+2y=11$의 해인 것에는 '○'를, 해가 아닌 것에는 '×'를 ( ) 안에 써넣으시오.

(1) $(1, 4)$ ( )

(2) $(4, -1)$ ( )

미지수가 2개인 연립일차방정식

➡ $\begin{cases} x+y=5 \\ 2x+y=8 \end{cases}$ 과 같이 미지수가 2개인 **두 일차방정식을 한 쌍으로 묶어 놓은 것**을 미지수가 2개인 연립일차방정식 또는 간단히 **연립방정식**이라고 한다.

연립일차방정식의 해

연립방정식을 이루는 **두 일차방정식을 동시에 만족하는 x, y의 값** 또는 그 **순서쌍 (x, y)**를 그 **연립방정식의 해**라고 한다. 또 연립방정식의 해를 모두 구하는 것을 연립방정식을 푼다고 한다.

예 x, y가 자연수일 때

x	1	2	3	4
y	4	3	2	1

x	1	2	3
y	6	4	2

회색 글씨를 따라 쓰면서 개념을 정리해 보세요.

1 연립일차방정식 : 미지수가 2개인 일차방정식 2개를 한 쌍으로 묶어 놓은 것

2 연립일차방정식의 해 : 연립방정식을 이루는 두 일차방정식을 동시에 만족하는 x, y의 값 또는 그 순서쌍 (x, y)

3 연립방정식을 푼다 : 연립방정식의 해를 모두 구하는 것

개념 원리 확인

정답과 풀이 26쪽

연립방정식의 해 구하기

4-1 x, y가 자연수일 때, 연립방정식 $\begin{cases} x+y=7 \\ 3x+y=13 \end{cases}$의 해를 구하려고 한다. 물음에 답하시오.

(1) 일차방정식 $x+y=7$에 대하여 다음 표를 완성하고, 해를 순서쌍 (x, y)로 나타내시오.

x	1	2	3	4	5	6
y						

(2) 일차방정식 $3x+y=13$에 대하여 다음 표를 완성하고, 해를 순서쌍 (x, y)로 나타내시오.

x	1	2	3	4	5
y					

(3) 주어진 연립방정식의 해를 순서쌍 (x, y)로 나타내시오.

4-2 다음 연립방정식에 대하여 표를 완성하고, x, y가 자연수일 때, 해를 순서쌍 (x, y)로 나타내시오.

(1) $\begin{cases} x+y=4 & \cdots ㉠ \\ x-y=2 & \cdots ㉡ \end{cases}$

㉠

x	1	2	3	4
y				

㉡

x	1	2	3	4	5	6
y						

(2) $\begin{cases} 2x+y=13 & \cdots ㉠ \\ 4x-y=5 & \cdots ㉡ \end{cases}$

㉠

x	1	2	3	4	5	6	7
y							

㉡

x	1	2	3	4	5	6	7
y							

2주
5일

주어진 순서쌍이 연립방정식의 해인지 판단하기

5-1 다음 중 x, y의 순서쌍 $(3, 2)$를 해로 갖는 것에는 '○'를, 해로 갖지 않는 것에는 '×'를 ( ) 안에 써넣으시오.

(1) $\begin{cases} 3x-y=7 \\ 2x+3y=-1 \end{cases}$ ( )

(2) $\begin{cases} x-y=1 \\ 2x-y=4 \end{cases}$ ( )

(3) $\begin{cases} x-2y=6 \\ 5x+4y=3 \end{cases}$ ( )

5-2 다음 중 해가 $x=5$, $y=-1$인 것에는 '○'를, 아닌 것에는 '×'를 ( ) 안에 써넣으시오.

(1) $\begin{cases} 2x+y=9 \\ x-2y=4 \end{cases}$ ( )

(2) $\begin{cases} 2x-3y=13 \\ x-y=6 \end{cases}$ ( )

(3) $\begin{cases} x-4y=9 \\ 2x+3y=7 \end{cases}$ ( )

2주 5일 기초 집중 연습

○ 정답과 풀이 27쪽

개념 01 미지수가 2개인 일차방정식의 뜻을 알고 있는가?

등식의 모든 항을 좌변으로 이항하여 정리하였을 때

$ax+by+c=0$(a, b, c는 상수, $a\neq0$, $b\neq0$)

꼴이면 미지수가 x, y로 2개인 일차방정식이다.

참고 미지수가 2개인 일차방정식 찾기

❶ 등식인지 확인한 후 등식이면 모든 항을 좌변으로 이항하여 정리한다.

❷ 미지수가 2개인지 확인한다.

❸ 두 미지수의 차수가 모두 1인지 확인한다.

1-1

다음 중 미지수가 2개인 일차방정식인 것에는 '○'를, 아닌 것에는 '×'를 (　　) 안에 써넣으시오.

(1) $3x-5y+6=0$ (　　)

(2) $5x+y^2=2y+y^2-8$ (　　)

(3) $y=\frac{3}{x}$ (　　)

(4) $x+2y=x-5$ (　　)

1-2

다음 중 미지수가 2개인 일차방정식인 것을 모두 고르면? (정답 2개)

① $x+y=6$

② $x^2+3x=-7$

③ $6x+5y=-2$

④ $4x+y-2$

⑤ $x+2y=x-2y+1$

1-3

다음 중 등식 $ax-y=3x+2y+5$가 미지수가 2개인 일차방정식이 되도록 하는 상수 a의 값이 될 수 없는 것은?

① 1　② 2　③ 3

④ 4　⑤ 5

미지수가 x, y로 2개인 일차방정식이 되려면 모든 항을 좌변으로 이항하여 정리하였을 때, x와 y의 계수가 모두 0이 아니어야 해.

개념 02 미지수가 2개인 일차방정식의 해의 뜻을 알고, 구할 수 있는가?

x, y의 순서쌍 (m, n)이 일차방정식 $ax+by+c=0$의 해이다.

➡ $x=m$, $y=n$을 일차방정식 $ax+by+c=0$에 대입하면 등식이 성립한다. 즉 $am+bn+c=0$

2-1

다음 중 일차방정식 $x+2y=12$의 해가 아닌 것은?

① $(2, 5)$　② $\left(3, \frac{9}{2}\right)$　③ $(4, 4)$

④ $(6, 3)$　⑤ $(8, 5)$

2-2

다음 일차방정식 중 $x=1$, $y=2$가 해인 것은?

① $x+y=5$　② $3x-y=4$　③ $2x-3y=5$

④ $x+4y=-3$　⑤ $-2x+y=0$

2-3

아래 표는 x, y가 자연수일 때, 일차방정식 $2x+3y=13$의 해를 구하기 위해 그린 것이다. 다음 중 옳은 것은?

x	1	2	3	4	5	6	7	$\cdots$
y	$\frac{11}{3}$	A	B	$\frac{5}{3}$	C	$\frac{1}{3}$	D	$\cdots$

① $A=2$ ② $B=\frac{8}{3}$
③ $C=\frac{4}{3}$ ④ $D=-\frac{1}{3}$
⑤ 해는 6개이다.

2-4

일차방정식 $3x+y=14$에 대하여 다음 표를 완성하고, x, y가 자연수일 때 그 해를 구하시오.

x	1	2	3	4	5	6
y	11					

2-5

x, y의 값이 0 또는 자연수일 때, 일차방정식 $x+2y=8$의 해는 모두 몇 개인지 구하시오.

개념 03 연립방정식의 해의 뜻을 알고, 구할 수 있는가?

x, y에 대한 연립방정식의 해
➡ 각각의 일차방정식의 공통인 해
➡ 두 일차방정식을 동시에 만족하는 x, y의 값 또는 그 순서쌍 (x, y)
➡ 해를 두 일차방정식에 각각 대입하면 등식이 성립한다.

3-1

연립방정식 $\begin{cases} x+y=7 & \cdots ㉠ \\ x-2y=1 & \cdots ㉡ \end{cases}$에 대하여 다음 표를 완성하고, x, y가 자연수일 때 해를 구하시오.

㉠

x	1	2	3	4	5	6	7
y							

㉡

x							
y	1	2	3	4	5	6	7

3-2

다음 중 연립방정식 $\begin{cases} x+y=9 \\ x-3y=-11 \end{cases}$의 해는?

① $x=1, y=8$ ② $x=2, y=7$ ③ $x=3, y=6$
④ $x=4, y=5$ ⑤ $x=5, y=4$

3-3

다음 연립방정식 중 해가 $x=-4$, $y=2$인 것은?

① $\begin{cases} 4x+3y=4 \\ x+3y=2 \end{cases}$ ② $\begin{cases} x+y=-2 \\ x-y=6 \end{cases}$
③ $\begin{cases} x+y=-2 \\ 3x+4y=-4 \end{cases}$ ④ $\begin{cases} -x+3y=11 \\ 5x-4y=-28 \end{cases}$
⑤ $\begin{cases} 2x-y=10 \\ 2x+3y=-2 \end{cases}$

2주 5일

누구나 100점 테스트

01 다음 중 옳은 것은?

① $x(6x-3)=6x^2-3$

② $-3x(-2x+3y-4)=-6x^2+9xy+12x$

③ $(12x^2+4x)\div(-4x)=-3x+1$

④ $(9x^2-6x)\div\frac{3}{2}x=6x-4$

⑤ $2(x+4)+x(3x-2)=3x^2+4x+8$

02 다음 등식을 만족하는 상수 a, b, c에 대하여 $a+b-c$의 값은?

$$(12x^2-4xy+8x)\div\left(-\frac{4}{5}x\right)=ax+by+c$$

① -30　② -20　③ 0
④ 20　⑤ 30

03 다음을 계산하시오.

$$(x-3y)\times(-x)-\frac{4x^2y^2-5x^3y}{xy}$$

04 다음 중 문장을 부등식으로 나타낸 것으로 옳은 것을 모두 고르면? (정답 2개)

① x의 2배는 5에 x를 더한 값보다 크다.
➡ $2x<5+x$

② 한 개에 a원인 사과 7개의 가격은 5000원 이하이다. ➡ $7a<5000$

③ 시속 9 km로 x시간 동안 뛰어간 거리는 5 km보다 짧다. ➡ $9x<5$

④ 현재 x세인 지우의 15년 후 나이는 현재 나이의 2배보다 많다. ➡ $x+15\geq 2x$

⑤ x cm에서 8 cm 더 자라면 148 cm가 넘는다.
➡ $x+8>148$

05 다음 중 ◯ 안에 들어갈 부등호의 방향이 나머지 넷과 다른 하나는?

① $a<b$이면 $-7+a$ ◯ $-7+b$

② $a<b$이면 $5a$ ◯ $5b$

③ $a>b$이면 $4-a$ ◯ $4-b$

④ $1-a>1-b$이면 a ◯ b

⑤ $\frac{a}{3}-2>\frac{b}{3}-2$이면 a ◯ b

정답과 풀이 28쪽

06 다음 중 일차부등식인 것은?

① $x+3>x-1$　② $x^2-3\leq 0$
③ $6-3x<x$　④ $x+3=8$
⑤ $2(x-1)\geq 2x-4$

07 다음 일차부등식 중 해가 나머지 넷과 다른 하나는?

① $3x-4<2x-2$
② $3(2x-4)<-(2-x)$
③ $0.2x<-0.1x+0.6$
④ $\frac{1}{6}+\frac{x}{12}>\frac{x}{2}-\frac{2}{3}$
⑤ $1.2x+0.5>\frac{1}{5}x-\frac{1}{2}$

08 송이는 집 앞 꽃집과 꽃 도매시장의 두 곳 중 한 곳을 정해 카네이션을 사려고 한다. 다음 그림을 보고 카네이션을 몇 송이 이상 살 경우에 꽃 도매시장에서 사는 것이 유리한지 구하시오.

09 x, y가 자연수일 때, 일차방정식 $3x+2y=15$의 해는 모두 몇 개인가?

① 1개　② 2개　③ 3개
④ 4개　⑤ 5개

10 다음 연립방정식 중 x, y의 순서쌍 $(1, 3)$을 해로 갖는 것은?

① $\begin{cases} x+2y=1 \\ x-y=-2 \end{cases}$　② $\begin{cases} 2x-y=0 \\ 4x-y=2 \end{cases}$
③ $\begin{cases} x-2y=7 \\ x-y=4 \end{cases}$　④ $\begin{cases} 3x-2y=-3 \\ -x+4y=11 \end{cases}$
⑤ $\begin{cases} 4x-3y=7 \\ 3x+2y=-1 \end{cases}$

2주

특강 | 창의, 융합, 코딩

1 민성이는 친구들과 함께 동물원에 갔다. 동물원의 안내도가 다음과 같을 때, 입구에서 시작하여 계산한 결과가 옳은 곳만 들러 출구까지 가려고 한다. 이때 민성이와 친구들이 들르게 되는 곳을 모두 말하시오.

○ 정답과 풀이 29쪽

2 다음 표는 계란을 중량규격에 따라 구분한 것이다. 계란의 무게를 x g이라고 할 때, 물음에 답하시오.

구분	중량규격	부등식
왕란	68 g 이상	$x \geq 68$
특란	60 g 이상 68 g 미만	㈎
대란	㈏	$52 \leq x < 60$
중란	44 g 이상 52 g 미만	㈐
소란	㈑	$x < 44$

(1) 위의 표에서 ㈎~㈑에 알맞은 것을 구하시오.

㈎ ______________ ㈏ ______________

㈐ ______________ ㈑ ______________

(2) 다음 A~E 계란을 중량규격에 따라 왕란, 특란, 대란, 중란, 소란으로 구분하시오.

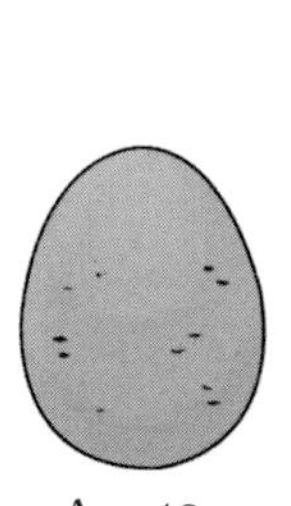
A : 43 g

B : 62 g

C : 55 g

D : 48 g

E : 68 g

2주

3 다음 그림의 각 카드에 적혀 있는 부등식의 성질이 옳으면 '예', 옳지 않으면 '아니오'를 따라 내려갈 때, 마지막에 도착하는 지역으로 가는 여행 상품권을 준다고 한다. 민수는 어느 지역으로 가는 여행 상품권을 받을 수 있는지 구하시오.

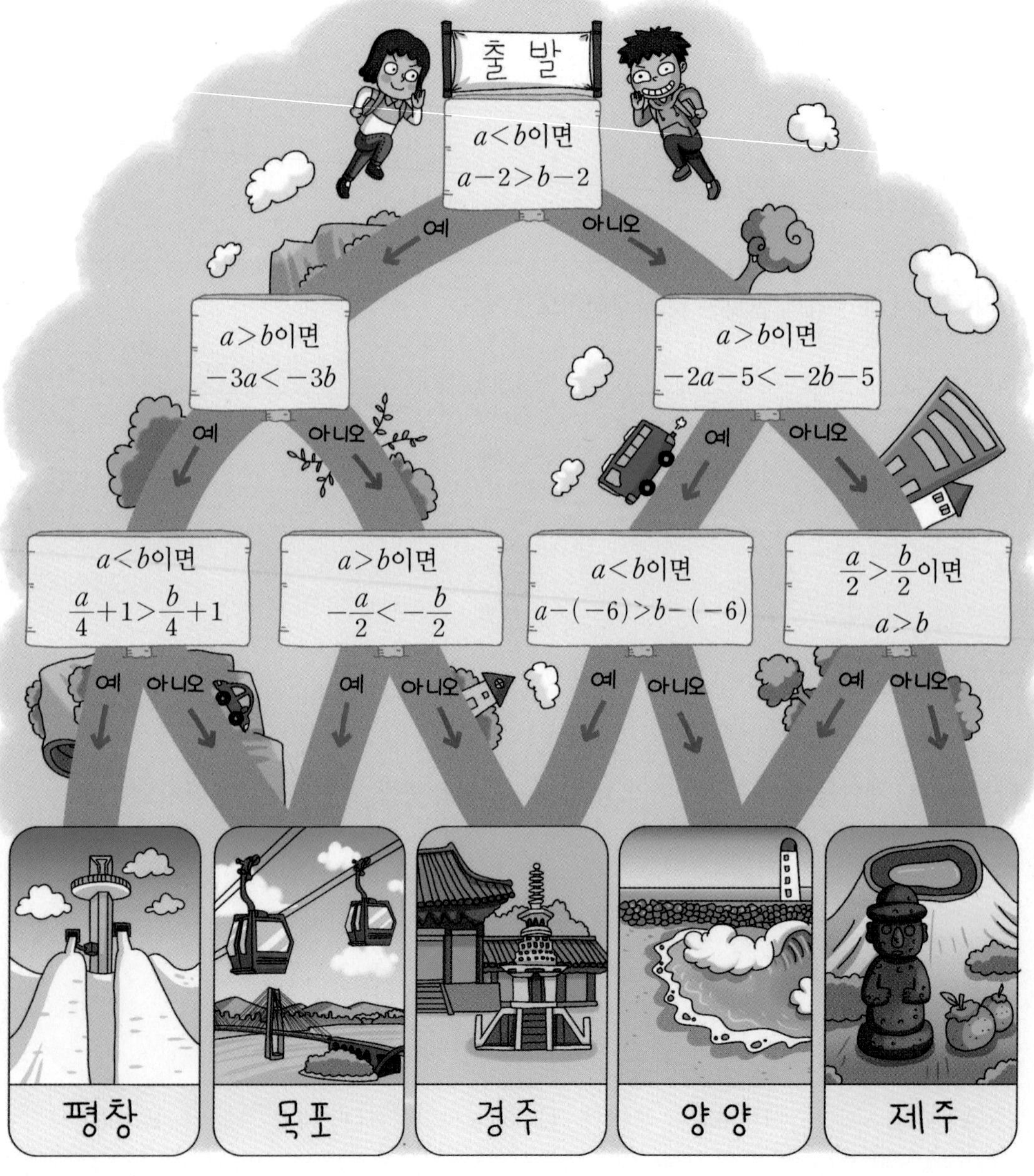

정답과 풀이 29쪽

4 **다음은 수영이가 일차부등식 $0.2x-1<0.4x$를 푼 것인데 잘못 풀어서 틀렸다. 물음에 답하시오.**

(1) ㉠~㉣ 중 수영이가 처음으로 잘못 계산한 부분을 찾고, 그 이유를 말하시오.

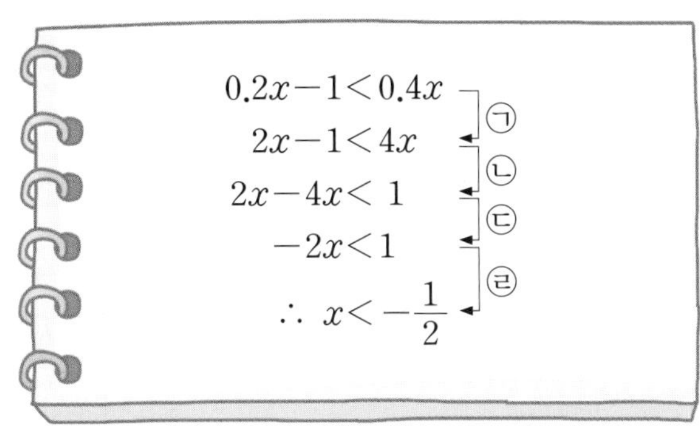

수영이가 처음으로 잘못 계산한 부분은 ______ 이야.

왜냐하면 ______

______

______ 때문이야.

(2) 주어진 일차부등식을 바르게 푸시오.

바른 풀이

5 다음은 어느 만화 대여점에서 가게를 정리하면서 만화책을 싸게 파는 내용을 안내하는 문구를 보고 민수가 생각하는 모습이다. 물음에 답하시오.

(1) 만화책을 총 x권 산다고 할 때, ☐ 안에 알맞은 것을 써넣으시오.

➡ 5권의 가격 : ☐원

$(x-5)$권의 가격 : ☐ $\times(x-5)$원

(2) 총비용이 15000원 이하가 되게 하려고 한다. 이를 부등식으로 나타내시오.

➡ ☐ + ☐ $\times(x-5)\leq 15000$

(3) (2)의 부등식을 풀어 총비용이 15000원 이하가 되게 하려면 만화책을 최대 몇 권까지 살 수 있는지 구하시오.

○ 정답과 풀이 29쪽

6 강아지, 양, 고양이, 너구리는 다음과 같이 사다리에 있는 연립방정식을 선택하였다. 각 동물들이 사다리를 다음과 같은 규칙으로 이동한다고 할 때, 도착한 곳에 있는 x, y의 값이 연립방정식의 해가 되는 동물을 모두 찾으시오.

> **규칙 1** 위에서 아래로 움직인다.
> **규칙 2** 가로줄을 만나면 그 가로줄을 따라 바로 옆의 세로줄로 이동한다.

2주

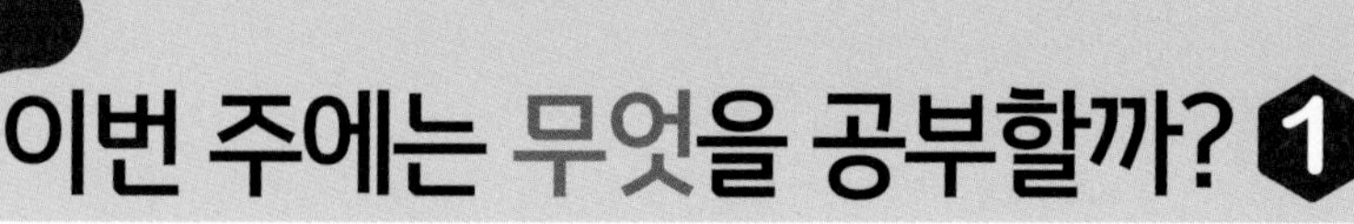

• 이번 주에 공부할 내용

연립방정식의 풀이 / 일차함수의 그래프 / 일차함수의 기울기와 절편

1일 연립 방정식의 풀이

다음 연립방정식의 해를 구한 자만 들어갈 수 있다.

$\begin{cases} x+2y=8 \\ -x+3y=7 \end{cases}$

미지수가 2개인 일차방정식이 2개? 어떻게 풀지?

우리 미지수를 1개로 만들어 보자.

$x+2y=8$
$-x+3y=7$

가감법 → 두 식을 더하면 $5y=15$

대입법 → $x=-2y+8$로 바꿔 다른 식에 대입하면 $-(-2y+8)+3y=7$

미지수가 1개로 되니 이제 풀 수 있겠어.

어서 와. 오랫동안 들어오는 사람이 없어서 너무 심심했어. 우리 같이 놀자.

2일 연립 방정식의 활용

좋아. 가위바위보를 해서 이기면 3칸 올라가고, 지면 1칸 내려오는 거야.

가위바위보!

난 목마른데…. 계단이 끝이 없어. 지금까지 가위바위보를 몇 판 한 거야?

3일
함수란?
아, 목말라. 자판기에서 음료수를 뽑아 먹자.
좋아!
이건 함수 자판기야. 버튼을 하나 누르면 음료수가 하나씩 나올 거야.
함수 자판기
이건 왜 안 나와?
No함수 자판기
이건 함수 자판기가 아니라서 안 나올 수 있어. 한번 더 눌러봐. 2개가 나올 수도 있어.
좋아. 그럼 또 놀아 볼까?
일차함수
y = ax + b
미끄럼틀
(a는 0이 될 수 없어요)
좌표 평면 놀이공원
4일
일차함수의 그래프
야호. 신난다.
걱정마. 우리는 평행해서 절대 부딪치지 않아.
으악 ~ 부딪치면 어떻게 해.
y
x
O
y = ax + b (b>0)
y = ax + b (b<0)
y = ax
범퍼카장
5일
일차함수의 기울기와 절편
으악. 난 y축 벽에 부딪쳤어.
x축 벽에 부딪쳤어.
난 우회로로 돌아가야지.
기울기 우회로
쾅
y₂ - y₁
x₂ - x₁
y절편
x절편
우리도 재미있었어.
어~ 떨어진다.
오랫만에 신나게 놀았어. 또 놀러와.

이전 학년 내용

이번 주에는 무엇을 공부할까? ❷

일차방정식을 풀 수 있는가?

1-1

다음은 일차방정식 $0.5x+0.8=0.3$을 푸는 과정이다. ☐ 안에 알맞은 수를 써넣으시오.

> 계수가 정수가 되도록 양변에 ☐을 곱하면
> ☐ $\times(0.5x+0.8)=$ ☐ $\times 0.3$
> 괄호를 풀면 $5x+$ ☐ $=3$
> 이항하여 정리하면 ☐ $x=$ ☐ $\therefore x=$ ☐

일차방정식의 풀이

❶ 계수가 소수 또는 분수이면 계수를 정수로 고친다.
➡ 소수 : 양변에 10, 100, 1000, …을 곱한다.
  분수 : 양변에 분모의 최소공배수를 곱한다.
❷ 괄호가 있으면 분배법칙을 이용하여 괄호를 푼다.
❸ 이항하여 $ax=b(a\neq 0)$ 꼴로 만든다.
❹ 양변을 x의 계수 a로 나누어 해를 구한다.

1-2

다음 일차방정식을 푸시오.

(1) $2x-6=3x+5$

(2) $5(x-1)+3x=11$

(3) $0.3x-0.2=1$

(4) $\frac{1}{4}x-2=\frac{1}{6}x-1$

좌표평면을 알고 있는가?

2-1

오른쪽 좌표평면 위의 점 A, B, C, D, E의 좌표를 각각 기호로 나타내시오.

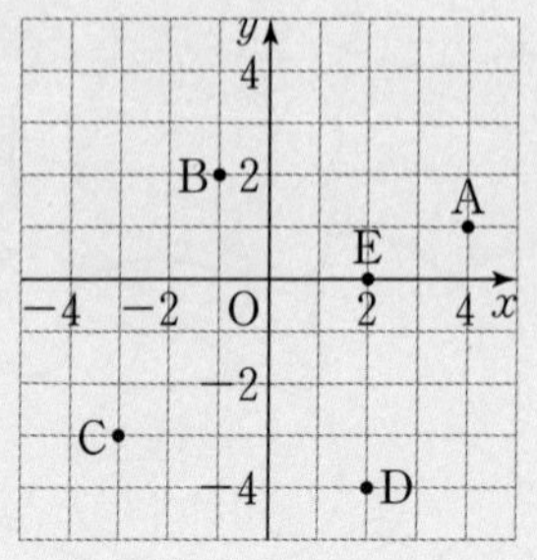

좌표평면

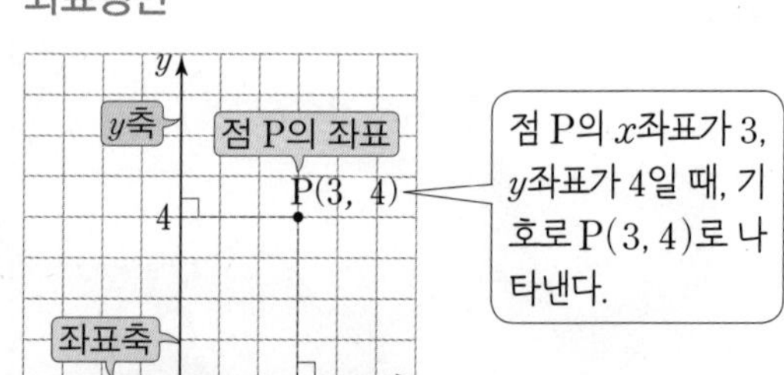

2-2

다음 점을 좌표평면 위에 나타내시오.

(1) A(4, 3) (2) B(−2, 2)

(3) C(−4, −1) (4) D(1, −3)

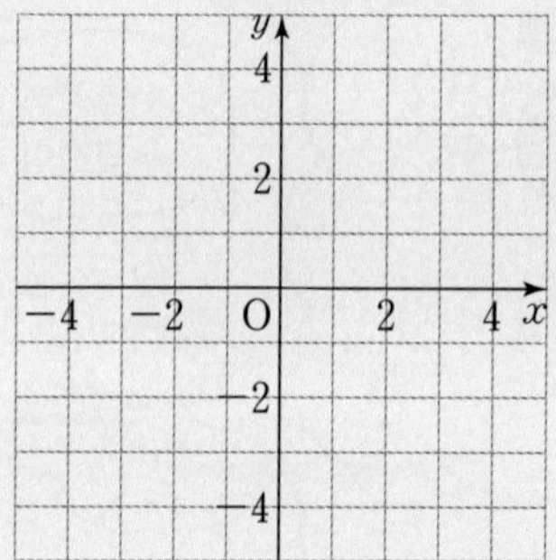

○ 정답과 풀이 31쪽

정비례 관계를 나타낼 수 있는가?

3-1

한 권에 800원인 공책 x권의 가격을 y원이라고 할 때, 다음 물음에 답하시오.

(1) 아래 표를 완성하시오.

x(권)	1	2	3	4	⋯
y(원)					⋯

(2) x와 y 사이의 관계식을 구하시오.

- 정비례 : 두 변수 x와 y 사이에 x의 값이 2배, 3배, 4배, ⋯가 될 때, y의 값도 2배, 3배, 4배, ⋯가 되는 관계가 있으면 y는 x에 정비례한다고 한다.
- 정비례 관계식 : y가 x에 정비례하면 관계식은 $y=ax$($a \neq 0$인 상수) 꼴이다.

3-2

시속 3 km로 x시간 동안 걸어간 거리를 y km라고 할 때, 다음 물음에 답하시오.

(1) 아래 표를 완성하시오.

x(시간)	1	2	3	4	⋯
y (km)					⋯

(2) x와 y 사이의 관계식을 구하시오.

3 주

정비례 관계의 그래프를 그릴 수 있는가?

4-1

다음은 정비례 관계의 그래프가 지나는 두 점의 좌표를 나타낸 것이다. ☐ 안에 알맞은 수를 써넣고, 아래의 좌표평면 위에 그래프를 그리시오.

(1) $y=2x$ ➡ (0, ☐), (1, ☐)

(2) $y=-\frac{1}{3}x$ ➡ (0, ☐), (3, ☐)

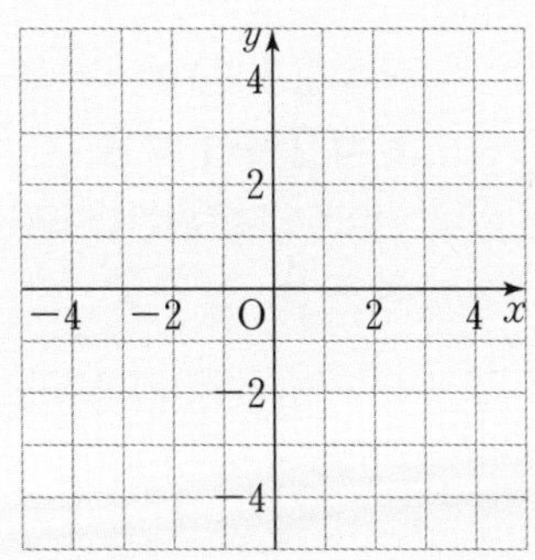

정비례 관계 $y=ax$의 그래프를 그리는 방법
❶ 원점 이외에 그래프가 지나는 한 점의 좌표를 구한다.
❷ 두 점을 좌표평면 위에 나타내고 직선으로 연결한다.

4-2

다음은 정비례 관계의 그래프가 지나는 두 점의 좌표를 나타낸 것이다. ☐ 안에 알맞은 수를 써넣고, 아래의 좌표평면 위에 그래프를 그리시오.

(1) $y=3x$ ➡ (0, ☐), (1, ☐)

(2) $y=\frac{1}{3}x$ ➡ (0, ☐), (3, ☐)

(3) $y=-2x$ ➡ (0, ☐), (1, ☐)

(4) $y=-\frac{1}{4}x$ ➡ (0, ☐), (4, ☐)

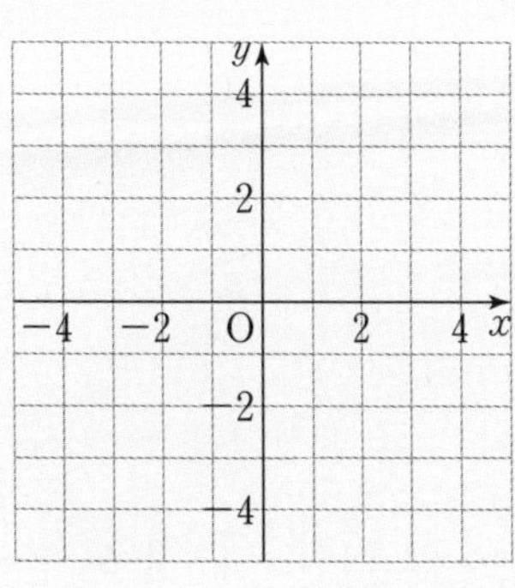

1. 대입하는 방법으로 연립방정식 풀기

한 방정식을 다른 방정식에 바로 대입하는 경우

$$\begin{cases} x=5-3y & \cdots ㉠ \\ 2x-3y=1 & \cdots ㉡ \end{cases}$$

㉠을 ㉡에 대입하면

$2(5-3y)-3y=1$

$10-6y-3y=1$

$-9y=-9$

$\therefore y=1$

→ $y=1$을 ㉠에 대입하면 $x=5-3\times1=2$

따라서 연립방정식의 해는 $x=2,\ y=1$

한 방정식을 변형하여 다른 방정식에 대입하는 경우

두 방정식 중에서 한 방정식을 $x=$(y에 대한 식) 또는 $y=$(x에 대한 식)으로 바꾸어 대입한다.

$$\begin{cases} x-y=1 \\ 2x+y=8 \end{cases} \rightarrow \begin{cases} x=y+1 & \cdots ㉠ \\ 2x+y=8 & \cdots ㉡ \end{cases}$$

(대입)

㉠을 ㉡에 대입하면

$2(y+1)+y=8$

$2y+2+y=8$

$3y=6 \quad \therefore y=2$

$y=x-1$로 바꾸어 대입해도 연립방정식의 해는 같아.

→ $y=2$를 ㉠에 대입하면 $x=2+1=3$

따라서 연립방정식의 해는 $x=3,\ y=2$

회색 글씨를 따라 쓰면서 개념을 정리해 보세요.

연립방정식에서 한 방정식을 $x=$(y에 대한 식) 또는 $y=$(x에 대한 식)으로 바꾸어 이를 다른 방정식에 대입하여 한 미지수를 없앤 후 해를 구할 수 있다.

개념 원리 확인

정답과 풀이 32쪽

한 방정식을 다른 방정식에 바로 대입하는 경우

1-1 다음은 연립방정식 $\begin{cases} x+y=30 & \cdots ㉠ \\ y=x+2 & \cdots ㉡ \end{cases}$를 대입하는 방법을 이용하여 푼 것이다. ☐ 안에 알맞은 것을 써넣으시오.

> ㉡을 ㉠에 대입하면
> $x+(\square)=30$
> $2x=\square \quad \therefore x=\square$
> $x=\square$를 ㉡에 대입하면
> $y=\square+2=\square$

1-2 다음 연립방정식을 대입하는 방법을 이용하여 푸시오.

(1) $\begin{cases} x=y-1 & \cdots ㉠ \\ x+y=3 & \cdots ㉡ \end{cases}$

(2) $\begin{cases} 2x+y=7 & \cdots ㉠ \\ y=2x-1 & \cdots ㉡ \end{cases}$

(3) $\begin{cases} y=-2x+3 & \cdots ㉠ \\ 3x-2y=15 & \cdots ㉡ \end{cases}$

(4) $\begin{cases} 3x-y=2 & \cdots ㉠ \\ x=3y-2 & \cdots ㉡ \end{cases}$

한 방정식을 변형하여 다른 방정식에 대입하는 경우

2-1 다음은 연립방정식 $\begin{cases} 5x+y=2 & \cdots ㉠ \\ 7x+2y=10 & \cdots ㉡ \end{cases}$을 대입하는 방법을 이용하여 푼 것이다. ☐ 안에 알맞은 것을 써넣으시오.

> ㉠에서 y를 x에 대한 식으로 나타내면
> $y=\square \quad \cdots ㉢$
> ㉢을 ㉡에 대입하면
> $7x+2(\square)=10$
> $\square x=6 \quad \therefore x=\square$
> $x=\square$를 ㉢에 대입하면 $y=\square$

2-2 다음 연립방정식을 대입하는 방법을 이용하여 푸시오.

(1) $\begin{cases} 2x+y=5 & \cdots ㉠ \\ 3x-2y=4 & \cdots ㉡ \end{cases}$

(2) $\begin{cases} x-3y=7 & \cdots ㉠ \\ 5x+2y=1 & \cdots ㉡ \end{cases}$

(3) $\begin{cases} 5x+6y=4 & \cdots ㉠ \\ -x+4y=-6 & \cdots ㉡ \end{cases}$

(4) $\begin{cases} 2x-3y=5 & \cdots ㉠ \\ 3x-y=4 & \cdots ㉡ \end{cases}$

3주 1일

없애려는 미지수의 계수의 절댓값이 같은 경우

두 방정식을 변끼리 더하거나 빼어서 한 미지수를 없애 연립방정식을 푼다.

$$\begin{cases} 2x-y=5 & \cdots ㉠ \\ x+y=4 & \cdots ㉡ \end{cases}$$

미지수 y를 없애 보자.

㉠+㉡을 하면

$$\begin{array}{rr} & 2x-y=5 \\ +) & x+y=4 \\ \hline & 3x \quad =9 \end{array}$$

$\therefore x=3$

→ $x=3$을 ㉡에 대입하면

$3+y=4 \quad \therefore y=1$

따라서 연립방정식의 해는

$x=3$, $y=1$

없애려는 미지수의 계수의 절댓값이 다른 경우

각 방정식에 적당한 수를 곱하여 없애려는 미지수의 계수의 절댓값을 같게 하여 연립방정식을 푼다.

$$\begin{cases} 2x-3y=5 & \cdots ㉠ \\ 5x+2y=3 & \cdots ㉡ \end{cases}$$

미지수 y를 없애기 위해 ㉠에 2를 곱하고, ㉡에 3을 곱하면

$$\begin{cases} 4x-6y=10 & \cdots ㉢ \\ 15x+6y=9 & \cdots ㉣ \end{cases}$$

㉢+㉣을 하면

$$\begin{array}{rr} & 4x-6y=10 \\ +) & 15x+6y=9 \\ \hline & 19x \quad =19 \end{array}$$

$\therefore x=1$

→ $x=1$을 ㉠에 대입하면

$2\times1-3y=5$, $-3y=3$

$\therefore y=-1$

따라서 연립방정식의 해는

$x=1$, $y=-1$

y를 먼저 없애도, x를 먼저 없애도 연립방정식의 해는 같아.

회색 글씨를 따라 쓰면서 개념을 정리해 보세요.

연립방정식에서 두 일차방정식을 변끼리 [더하거나 빼어서] 한 미지수를 없앤 후 [해]를 구할 수 있다.

개념 원리 확인

정답과 풀이 33쪽

없애려는 미지수의 계수의 절댓값이 같은 경우

3-1 다음은 연립방정식 $\begin{cases} x+y=8 & \cdots ㉠ \\ x-y=4 & \cdots ㉡ \end{cases}$를 더하거나 빼는 방법을 이용하여 푼 것이다. □ 안에 알맞은 수를 써넣으시오.

> 미지수 y를 없애기 위해 ㉠+㉡을 하면
>
> $\begin{array}{rl} & x+y=8 \\ +) & x-y=4 \\ \hline & \square x = \square \end{array}$ $\quad\therefore x=\square$
>
> $x=\square$을 ㉠에 대입하면
>
> $\square+y=8 \quad \therefore y=\square$

3-2 다음 연립방정식을 더하거나 빼는 방법을 이용하여 푸시오.

(1) $\begin{cases} x+y=5 & \cdots ㉠ \\ x-y=-1 & \cdots ㉡ \end{cases}$

(2) $\begin{cases} x-y=-2 & \cdots ㉠ \\ x+3y=6 & \cdots ㉡ \end{cases}$

(3) $\begin{cases} 5x-3y=9 & \cdots ㉠ \\ 2x+3y=12 & \cdots ㉡ \end{cases}$

(4) $\begin{cases} 2x+5y=19 & \cdots ㉠ \\ 2x+y=7 & \cdots ㉡ \end{cases}$

3주 1일

없애려는 미지수의 계수의 절댓값이 다른 경우

4-1 다음은 연립방정식 $\begin{cases} x-y=6 & \cdots ㉠ \\ 3x+2y=-2 & \cdots ㉡ \end{cases}$를 더하거나 빼는 방법을 이용하여 푼 것이다. □ 안에 알맞은 수를 써넣으시오.

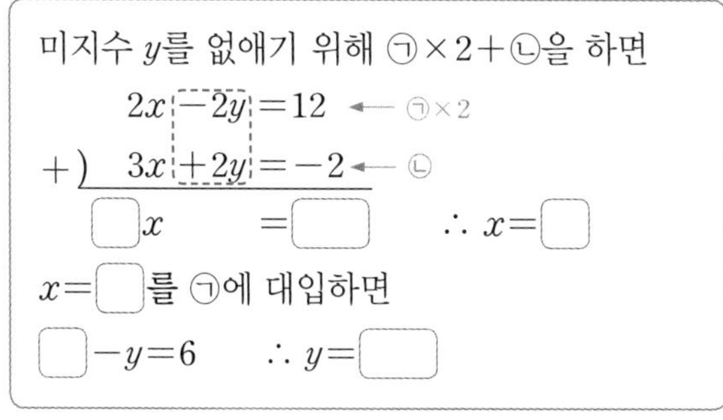

미지수 y를 없애기 위해 ㉠×2+㉡을 하면

$\begin{array}{rl} & 2x-2y=12 \leftarrow ㉠\times 2 \\ +) & 3x+2y=-2 \leftarrow ㉡ \\ \hline & \square x = \square \end{array}$ $\quad\therefore x=\square$

$x=\square$를 ㉠에 대입하면

$\square-y=6 \quad \therefore y=\square$

4-2 다음 연립방정식을 더하거나 빼는 방법을 이용하여 푸시오.

(1) $\begin{cases} x+y=7 & \cdots ㉠ \\ 2x-3y=-6 & \cdots ㉡ \end{cases}$

(2) $\begin{cases} 3x-4y=6 & \cdots ㉠ \\ x-y=3 & \cdots ㉡ \end{cases}$

(3) $\begin{cases} 2x+7y=1 & \cdots ㉠ \\ -5x-3y=12 & \cdots ㉡ \end{cases}$

(4) $\begin{cases} -3x+2y=-4 & \cdots ㉠ \\ 8x+3y=19 & \cdots ㉡ \end{cases}$

3주 1일 기초 집중 연습

○ 정답과 풀이 33쪽

개념 01 대입하는 방법을 이용하여 연립방정식을 풀 수 있는가?

어느 한 일차방정식을
$x=(y$에 대한 식$)$ 또는 $y=(x$에 대한 식$)$
의 꼴로 고친 후 다른 일차방정식에 대입한다.

예 $\begin{cases} 2x-y=7 & \cdots ㉠ \\ x-3y=1 & \cdots ㉡ \end{cases}$ → (㉡을 정리) $\begin{cases} 2x-y=7 & \cdots ㉠ \\ x=3y+1 & \cdots ㉢ \end{cases}$

→ (㉢을 ㉠에 대입) $2(3y+1)-y=7$

1-1

다음은 연립방정식 $\begin{cases} x-2y=1 & \cdots ㉠ \\ 2x-5y=3 & \cdots ㉡ \end{cases}$을 푸는 과정이다. (가)~(라)에 알맞은 것을 구하시오.

㉠에서 x를 y에 대한 식으로 나타내면
$x=$ (가) $\cdots$ ㉢
㉢을 ㉡에 대입하면 $2($ (가) $)-5y=3$
$-y=$ (나) $\therefore y=$ (다)
$y=$ (다) 을 ㉢에 대입하면 $x=$ (라)

1-2

다음 연립방정식을 대입하는 방법을 이용하여 푸시오.

(1) $\begin{cases} y=3x \\ 2x+y=5 \end{cases}$

(2) $\begin{cases} 3y=x+7 \\ 2x-3y=-5 \end{cases}$

(3) $\begin{cases} -x+2y=18 \\ 5x-y=0 \end{cases}$

(4) $\begin{cases} 3x+y=2 \\ x-3y=4 \end{cases}$

1-3

연립방정식 $\begin{cases} y=x-3 & \cdots ㉠ \\ 3x+2y=9 & \cdots ㉡ \end{cases}$를 풀기 위해 ㉠을 ㉡에 대입하였더니 $ax=15$가 되었다. 이때 상수 a의 값은?

① -3 ② -1 ③ 1
④ 3 ⑤ 5

1-4

연립방정식 $\begin{cases} 4x-3y=11 & \cdots ㉠ \\ x=8-2y & \cdots ㉡ \end{cases}$를 풀기 위해 ㉡을 ㉠에 대입하였더니 $-11y=a$가 되었다. 이때 상수 a의 값은?

① -21 ② -15 ③ 3
④ 15 ⑤ 21

1-5

연립방정식 $\begin{cases} x=3y-5 \\ 2x-5y=-9 \end{cases}$의 해가 x, y의 순서쌍 (a, b)일 때, $b-a$의 값은?

① -3 ② 1 ③ 0
④ 1 ⑤ 3

개념 02 더하거나 빼는 방법을 이용하여 연립방정식을 풀 수 있는가?

없애려는 미지수의 계수의 절댓값을 같게 만든 후 부호가 같으면 두 식을 빼고, 다르면 두 식을 더한다.

예 $\begin{cases} x+y=1 & \cdots ㉠ \\ 2x+3y=-1 & \cdots ㉡ \end{cases}$ $\xrightarrow{㉠\times 2}$ $\begin{array}{r} 2x+2y=2 \\ -)\ 2x+3y=-1 \\ \hline -y=3 \end{array}$

x의 계수의 부호가 같으므로 뺀다.

2-1

다음은 연립방정식 $\begin{cases} x+3y=1 & \cdots ㉠ \\ 2x-y=9 & \cdots ㉡ \end{cases}$를 푸는 과정이다. (가)~(마)에 알맞은 수를 써넣으시오.

x의 계수의 절댓값을 같게 하기 위해
㉠×2를 하면
(가) $x+$ (나) $y=2$ ⋯ ㉢
미지수 x를 없애기 위해 ㉡−㉢을 하면
$-7y=$ (다) ∴ $y=$ (라)
$y=$ (라) 을 ㉠에 대입하면 $x=$ (마)

2-2

다음 연립방정식을 더하거나 빼는 방법을 이용하여 푸시오.

(1) $\begin{cases} x+y=-4 \\ x-y=10 \end{cases}$ (2) $\begin{cases} 3x+2y=9 \\ 3x-y=18 \end{cases}$

(3) $\begin{cases} x+y=1 \\ 3x-2y=13 \end{cases}$ (4) $\begin{cases} -2x+3y=4 \\ 5x+2y=28 \end{cases}$

2-3

연립방정식 $\begin{cases} 3x+2y=1 & \cdots ㉠ \\ 4x-3y=7 & \cdots ㉡ \end{cases}$에서 미지수 y를 없애기 위해 다음 중 필요한 식은?

① ㉠+㉡ ② ㉠×4−㉡×3
③ ㉠×4+㉡×3 ④ ㉠×3−㉡×2
⑤ ㉠×3+㉡×2

2-4

다음 연립방정식 중 해가 나머지 넷과 다른 하나는?

① $\begin{cases} 2x+3y=-1 \\ x-y=2 \end{cases}$ ② $\begin{cases} 3x-2y=5 \\ x+y=0 \end{cases}$

③ $\begin{cases} 7x-y=8 \\ x+9y=-8 \end{cases}$ ④ $\begin{cases} 3x+y=0 \\ 3x+2y=9 \end{cases}$

⑤ $\begin{cases} x+y=0 \\ 2x-5y=7 \end{cases}$

2-5

연립방정식 $\begin{cases} 2x+3y=-4 \\ 5x+2y=1 \end{cases}$의 해가 x, y의 순서쌍 (a, b)일 때, $a-3b$의 값은?

① -5 ② 0 ③ 7
④ 10 ⑤ 12

괄호가 있는 연립방정식의 풀이

괄호가 나오면 **분배법칙을 이용하여 괄호를 풀고** 동류항끼리 간단히 정리한 후 연립방정식을 푼다.

$$\begin{cases} 2(x-y)+3x=2 \\ 7x-3(2x-y)=14 \end{cases} \xrightarrow{\text{괄호를 푼다.}} \begin{cases} 2x-2y+3x=2 \\ 7x-6x+3y=14 \end{cases} \xrightarrow{\text{동류항끼리 간단히 정리한다.}} \begin{cases} 5x-2y=2 \\ x+3y=14 \end{cases} \rightarrow x=2,\ y=4$$

계수가 소수 또는 분수인 연립방정식의 풀이

$$\begin{cases} 0.2x-0.5y=-0.8 \\ \dfrac{x}{3}+\dfrac{y}{2}=4 \end{cases} \begin{matrix} \xrightarrow{\text{양변에 10을 곱한다.}} \\ \xrightarrow[\text{6을 곱한다.}]{\text{양변에 분모의 최소공배수}} \end{matrix} \begin{cases} 2x-5y=-8 \\ 2x+3y=24 \end{cases} \rightarrow x=6,\ y=4$$

회색 글씨를 따라 쓰면서 개념을 정리해 보세요.

1 괄호가 있는 연립방정식의 풀이 : 분배법칙 을 이용하여 괄호를 풀고 동류항 끼리 정리한 후 푼다.

2 계수가 소수 또는 분수인 연립방정식의 풀이 : 계수가 소수이면 양변에 10, 100, 1000, …과 같이 적당한 수를 곱하고, 계수가 분수이면 양변에 분모의 최소공배수 를 곱하여 계수를 정수 로 바꾸어 푼다.

개념 원리 확인

○ 정답과 풀이 35쪽

괄호가 있는 연립방정식의 풀이

1-1 다음은 연립방정식 $\begin{cases} 4x-2(x-y)=-1 & \cdots ㉠ \\ 2x+y=3 & \cdots ㉡ \end{cases}$ 을 푸는 과정이다. ☐ 안에 알맞은 수를 써넣으시오.

> ㉠의 괄호를 풀면 $4x-2x+\square y=-1$
> $2x+\square y=-1$ $\cdots$ ㉢
> ㉡, ㉢을 연립하여 풀면
> $x=\square$, $y=\square$

1-2 다음 연립방정식을 푸시오.

(1) $\begin{cases} 3(x-1)=y+1 & \cdots ㉠ \\ x+1=y-1 & \cdots ㉡ \end{cases}$

(2) $\begin{cases} 2x+y=6 & \cdots ㉠ \\ 4(2x+y)+y=10 & \cdots ㉡ \end{cases}$

계수가 소수인 연립방정식의 풀이

2-1 다음은 연립방정식 $\begin{cases} 0.4x+0.1y=0.2 & \cdots ㉠ \\ 0.7x+0.2y=0.5 & \cdots ㉡ \end{cases}$ 를 푸는 과정이다. ☐ 안에 알맞은 수를 써넣으시오.

> ㉠$\times 10$을 하면 $\square x+y=2$ $\cdots$ ㉢
> ㉡$\times 10$을 하면 $7x+\square y=5$ $\cdots$ ㉣
> ㉢, ㉣을 연립하여 풀면
> $x=\square$, $y=\square$

2-2 다음 연립방정식을 푸시오.

(1) $\begin{cases} 0.1x-0.5y=-0.3 & \cdots ㉠ \\ 0.2x+0.3y=0.7 & \cdots ㉡ \end{cases}$

(2) $\begin{cases} 0.2x-0.5y=0.8 & \cdots ㉠ \\ 0.08x+0.01y=-0.1 & \cdots ㉡ \end{cases}$

계수가 분수인 연립방정식의 풀이

3-1 다음은 연립방정식 $\begin{cases} \frac{1}{2}x-\frac{1}{3}y=1 & \cdots ㉠ \\ \frac{1}{5}x-\frac{1}{4}y=-1 & \cdots ㉡ \end{cases}$ 을 푸는 과정이다. ☐ 안에 알맞은 수를 써넣으시오.

> ㉠$\times 6$을 하면 $\square x-2y=\square$ $\cdots$ ㉢
> ㉡$\times\square$을 하면 $4x-5y=\square$ $\cdots$ ㉣
> ㉢, ㉣을 연립하여 풀면
> $x=\square$, $y=\square$

3-2 다음 연립방정식을 푸시오.

(1) $\begin{cases} \frac{x}{5}+\frac{y}{4}=2 & \cdots ㉠ \\ y=-x+9 & \cdots ㉡ \end{cases}$

(2) $\begin{cases} \frac{3}{2}x+\frac{1}{4}y=-2 & \cdots ㉠ \\ \frac{2}{3}x-\frac{5}{6}y=1 & \cdots ㉡ \end{cases}$

지호는 미술 시간 준비물로 붓 3개와 물감 8개를 구입하고 12400원을 지불하였다. 붓 1개가 물감 2개의 가격보다 400원 더 비싸다고 할 때, 붓 1개와 물감 1개의 가격을 각각 구하시오.

1단계 미지수 정하기

붓 1개의 가격을 x원, 물감 1개의 가격을 y원이라고 하자.

2단계 연립방정식 세우기

붓 3개와 물감 8개의 가격은 12400원이므로 $3x+8y=12400$

붓 1개가 물감 2개의 가격보다 400원 더 비싸므로 $x=2y+400$

연립방정식을 세우면 $\begin{cases} 3x+8y=12400 & \cdots ㉠ \\ x=2y+400 & \cdots ㉡ \end{cases}$

3단계 연립방정식 풀기

㉡을 ㉠에 대입하면 $3(2y+400)+8y=12400$

$14y=11200 \qquad \therefore y=800$

㉡에 $y=800$을 대입하면 $x=2\times800+400=2000$

따라서 붓 1개의 가격은 2000원, 물감 1개의 가격은 800원이다.

4단계 확인하기

붓 1개의 가격 2000원이 물감 2개의 가격 $2\times800=1600$(원)보다 400원 더 비싸고, 붓 3개와 물감 8개의 가격은 $3\times2000+8\times800=12400$(원)이므로 구한 해가 문제의 뜻에 맞다.

회색 글씨를 따라 쓰면서 개념을 정리해 보세요.

❖ 연립방정식의 활용 문제를 푸는 순서

1단계 문제의 뜻을 파악하고 구하려는 것을 미지수 x, y로 놓는다.

2단계 문제의 뜻에 맞게 x, y에 대한 연립방정식을 세운다.

3단계 연립방정식을 푼다.

4단계 구한 해가 문제의 뜻에 맞는지 확인한다.

개념 원리 확인

정답과 풀이 36쪽

연립방정식의 활용 - 가격 문제

4-1 800원짜리 과자와 600원짜리 빵을 합하여 14개를 샀더니 10000원이었다. 다음 물음에 답하시오.

(1) 과자의 개수를 x, 빵의 개수를 y로 놓고, 연립방정식을 세우시오.

	과자	빵
개수	x	y
총가격	$800x$원	□원

(물건의 총가격) =(한 개당 가격) ×(물건의 개수)

연립방정식 : ________

(2) (1)에서 세운 연립방정식을 풀어 과자와 빵은 각각 몇 개씩 샀는지 구하시오.

4-2 250원짜리 연필과 500원짜리 지우개를 합하여 11개를 샀더니 5000원이었다. 다음 물음에 답하시오.

(1) 연필의 개수를 x, 지우개의 개수를 y로 놓고, 연립방정식을 세우시오.

	연필	지우개
개수	x	y
총가격	□원	□원

연립방정식 : ________

(2) (1)에서 세운 연립방정식을 풀어 연필과 지우개는 각각 몇 개씩 샀는지 구하시오.

연립방정식의 활용 - 속력 문제

5-1 강준이는 집에서 2 km 떨어진 학교에 가는데 처음에는 시속 3 km로 걸어가다가 A 지점부터는 시속 6 km로 뛰어서 총 30분이 걸렸다. 다음 물음에 답하시오.

(30분 → $\frac{1}{2}$시간)

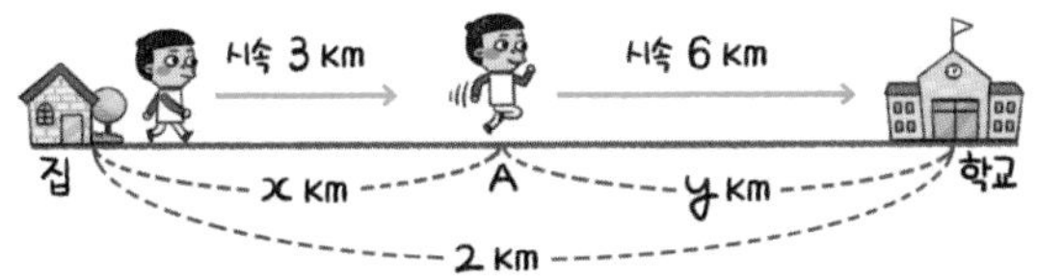

(1) 걸어간 거리를 x km, 뛰어간 거리를 y km로 놓고, 연립방정식을 세우시오.

	걸어갈 때	뛰어갈 때
거리	x km	y km
속력	시속 □ km	시속 6 km
시간	$\frac{x}{3}$시간	□시간

$(시간)=\frac{(거리)}{(속력)}$

연립방정식 : ________

(2) (1)에서 세운 연립방정식을 풀어 강준이가 걸어간 거리와 뛰어간 거리를 각각 구하시오.

5-2 은지는 집에서 5 km 떨어진 영화관에 가는데 처음에는 시속 6 km로 뛰어가다가 중간에 시속 4 km로 걸어서 1시간이 걸려 도착하였다. 다음 물음에 답하시오.

(1) 뛰어간 거리를 x km, 걸어간 거리를 y km로 놓고, 연립방정식을 세우시오.

	뛰어갈 때	걸어갈 때
거리		
속력		
시간		

연립방정식 : ________

(2) (1)에서 세운 연립방정식을 풀어 은지가 뛰어간 거리와 걸어간 거리를 각각 구하시오.

3주 2일 기초 집중 연습

정답과 풀이 37쪽

개념 01 여러 가지 연립방정식을 풀 수 있는가?

(1) 괄호가 있는 경우 : 분배법칙을 이용하여 괄호를 풀고 동류항끼리 정리한 후 푼다.
(2) 계수가 소수인 경우 : 양변에 10, 100, 1000, …과 같이 적당한 수를 곱하여 계수를 정수로 바꾸어 푼다.
(3) 계수가 분수인 경우 : 양변에 분모의 최소공배수를 곱하여 계수를 정수로 바꾸어 푼다.

1-1

다음 연립방정식을 푸시오.

(1) $\begin{cases} 3(x+y)-4y=5 \\ x+2(x-y)=1 \end{cases}$

(2) $\begin{cases} 3x-2(2x-y)=x-10 \\ 2(y-2x)+y=-7-3x \end{cases}$

(3) $\begin{cases} 0.2x-0.3y=-1 \\ 0.4x-5y=6.8 \end{cases}$

(4) $\begin{cases} \frac{1}{2}x-\frac{1}{3}y=\frac{1}{2} \\ \frac{1}{5}x-\frac{1}{4}y=-\frac{1}{2} \end{cases}$

(5) $\begin{cases} \frac{1}{2}x-y=2 \\ 0.3x-1.2y=0.6 \end{cases}$

(6) $\begin{cases} \frac{x}{6}-\frac{y}{4}=\frac{2}{3} \\ 0.4x+0.3y=-0.2 \end{cases}$

1-2

다음은 연립방정식 $\begin{cases} 1.5x+0.2y=0.7 & \cdots ㉠ \\ 0.18x-0.04y=0.1 & \cdots ㉡ \end{cases}$을 푸는 과정이다. ☐ 안에 알맞은 것으로 옳지 않은 것은?

㉠×10을 하면 [①] … ㉢
㉡×100을 하면 [②] … ㉣
㉢×2+㉣을 하면
[③]$x=24$ ∴ $x=$[④]
$x=$[④]을 ㉣에 대입하면 $y=$[⑤]

① $15x+2y=7$ ② $18x-4y=1$ ③ 48
④ $\frac{1}{2}$ ⑤ $-\frac{1}{4}$

1-3

연립방정식 $\begin{cases} \frac{1}{2}x-\frac{1}{4}y=2 \\ x+\frac{1}{3}y=\frac{2}{3} \end{cases}$의 해가 $x=a$, $y=b$일 때, $a+b$의 값은?

① -2 ② -1 ③ 0
④ 1 ⑤ 2

1-4

연립방정식 $\begin{cases} 0.3x+y=0.6 \\ \frac{1}{2}x-\frac{2}{3}y=-6 \end{cases}$의 해가 x, y의 순서쌍 (a, b)일 때, $3a-2b$의 값을 구하시오.

개념 02 연립방정식의 활용 문제를 풀 수 있는가?

① 미지수 정하기 ➡ ② 연립방정식 세우기 ➡ ③ 연립방정식 풀기 ➡ ④ 확인하기

참고 (1) **수에 대한 문제** ➡ 십의 자리의 숫자가 x, 일의 자리의 숫자가 y인 두 자리의 자연수
① 처음 수 : $10x+y$
② 십의 자리의 숫자와 일의 자리의 숫자를 바꾼 수 : $10y+x$
(2) **나이에 대한 문제** ➡ 현재 나이가 x세일 때
a년 후의 나이 : $(x+a)$세
a년 전의 나이 : $(x-a)$세

2-1

입장료가 어린이는 500원, 어른은 1200원인 대공원에 어린이와 어른을 합하여 46명이 27200원을 내고 입장하였다. 입장한 어린이의 수를 x명, 어른의 수를 y명이라고 할 때, 다음 물음에 답하시오.

(1) 연립방정식을 세우시오.

(2) (1)에서 세운 연립방정식을 푸시오.

(3) 입장한 어린이의 수를 구하시오.

2-2

두 수의 합은 28이고, 작은 수의 3배에서 큰 수를 빼면 20이다. 큰 수를 x, 작은 수를 y라고 할 때, 다음 물음에 답하시오.

(1) 연립방정식을 세우시오.

(2) (1)에서 세운 연립방정식을 푸시오.

(3) 두 수 중 큰 수를 구하시오.

2-3

두 자리의 자연수가 있다. 각 자리의 숫자의 합은 11이고, 십의 자리의 숫자와 일의 자리의 숫자를 서로 바꾼 수는 처음 수보다 27만큼 크다고 할 때, 처음 수를 구하시오.

2-4

다음 그림을 보고, 현재 아버지와 아들의 나이를 각각 구하시오.

2-5

민준이는 집에서 12 km 떨어진 친구네 집까지 가는데 처음에는 자전거를 타고 시속 12 km로 가다가 도중에 자전거가 고장이 나서 시속 3 km로 걸었더니 1시간 30분이 걸렸다. 이때 자전거를 타고 간 거리를 구하시오.

3주 2일

음료수 자동판매기의 버튼을 x, 음료수를 y라고 하자. 정상적인 음료수 자동판매기의 버튼과 나오는 음료수의 관계를 그림으로 나타내면 다음과 같다.

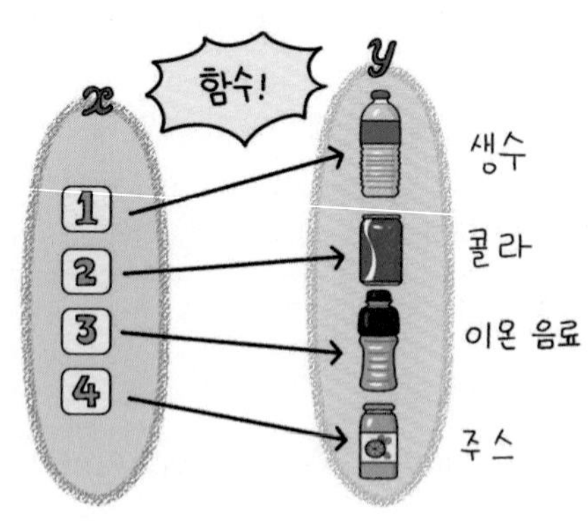

이렇게 **x의 값이 변함에 따라 y의 값이 하나씩 정해지는 대응 관계**가 있을 때, **y를 x의 함수**라 하고 기호로 $\boldsymbol{y=f(x)}$와 같이 나타낸다.

그런데 다음과 같은 경우에는 함수가 아니다.

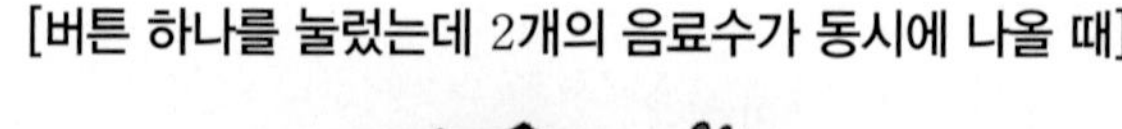

[버튼 하나를 눌렀지만 음료수가 나오지 않을 때] **[버튼 하나를 눌렀는데 2개의 음료수가 동시에 나올 때]**

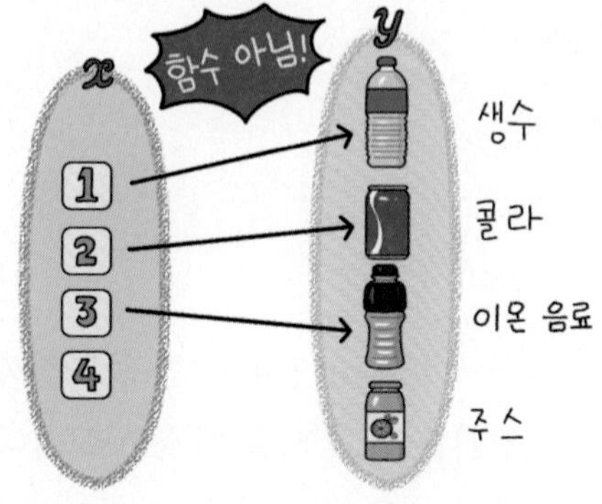

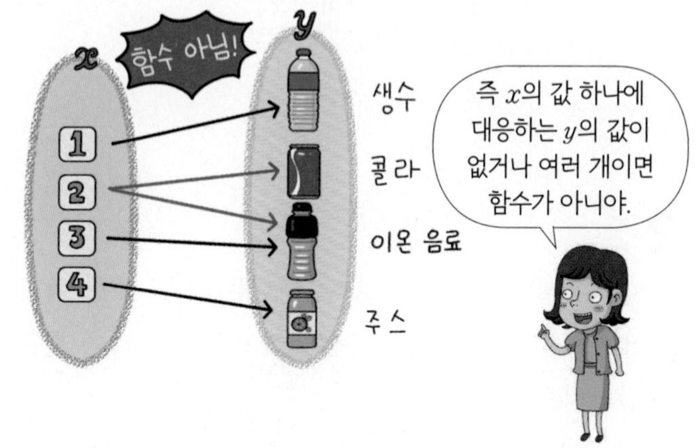

회색 글씨를 따라 쓰면서 개념을 정리해 보세요.

두 변수 x, y에 대하여 x의 값이 변함에 따라 y의 값이 하나씩 [정해지는] 대응 관계가 있을 때, y를 x의 [함수]라 하고 이것을 기호로 [$y=f(x)$]로 나타낸다.

➡ x의 값 하나에 y의 값이
- 오직 하나씩 대응하면 [함수이다].
- 대응하지 않거나 2개 이상 대응하면 [함수가 아니다].

개념 원리 확인

정답과 풀이 39쪽

함수인지 판단하기

1-1 다음 표를 완성하고, 알맞은 것에 ○표를 하시오.

(1) 한 개에 700원인 아이스크림 x개의 가격 y원

x(개)	1	2	3	4	…
y(원)	700	1400			…

➡ x의 값 하나에 y의 값이 하나로
(정해지므로, 정해지지 않으므로)
y는 x의 (함수이다, 함수가 아니다).

(2) 자연수 x의 약수 y

x	1	2	3	4	…
y	1		1, 3		…

➡ x의 값 하나에 y의 값이 하나로
(정해지므로, 정해지지 않으므로)
y는 x의 (함수이다, 함수가 아니다).

1-2 다음 표를 완성하고, y가 x의 함수인 것에는 '○'를, 함수가 아닌 것에는 '×'를 (　　) 안에 써넣으시오.

(1) 한 개에 5 g인 물건 x개의 무게 y g (　　)

x(개)	1	2	3	4	…
y (g)					…

(2) 합이 3인 두 정수 x와 y (　　)

x	1	2	3	4	…
y					…

(3) 자연수 x보다 작은 소수 (　　)

x	1	2	3	4	…
y					…

함수의 관계식 구하기

2-1 한 변의 길이가 x cm인 정삼각형의 둘레의 길이 y cm에 대하여 다음 물음에 답하시오.

(1) 아래 표를 완성하시오.

x (cm)	1	2	3	4	…
y (cm)					…

(2) y는 x의 함수인지 말하시오.

(3) x와 y 사이의 관계식을 구하시오.

➡ (정삼각형의 둘레의 길이)
$=\square\times$(한 변의 길이)
이므로 $y=\square x$

2-2 두 변수 x, y 사이의 관계가 다음과 같을 때, 표를 완성하고 물음에 답하시오.

(1) 넓이가 24 cm^2인 직사각형의 가로의 길이 x cm와 세로의 길이 y cm

x (cm)	1	2	3	4	…
y (cm)					…

① y가 x의 함수인지 말하시오.
② x와 y 사이의 관계식을 구하시오.

(2) 길이가 30 cm인 테이프를 x cm 사용하고 남은 테이프의 길이 y cm

x (cm)	1	2	3	4	…
y (cm)					…

① y가 x의 함수인지 말하시오.
② x와 y 사이의 관계식을 구하시오.

함숫값

함수 $y=f(x)$에서 **x의 값에 따라 정해지는 y의 값 $f(x)$**를 x에 대한 **함숫값**이라고 한다.

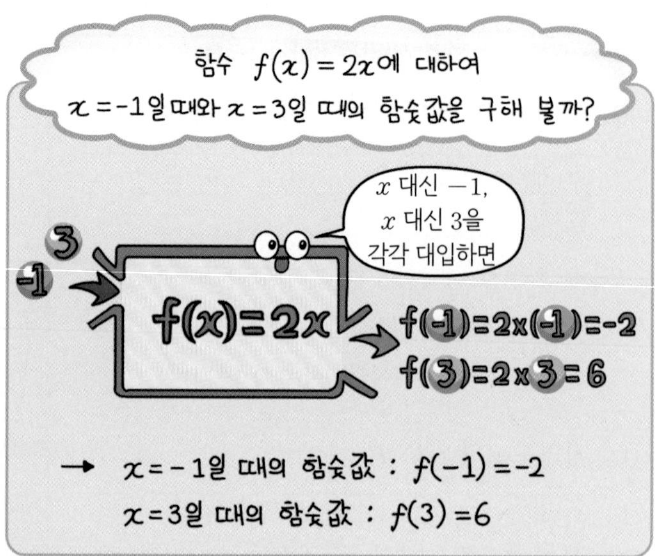

일차함수

함수 $y=f(x)$에서 y가 x에 대한 일차식, 즉

$\boldsymbol{y=ax+b}$(a, b는 상수, $a\neq 0$)

로 나타내어질 때, 이 함수를 일차함수라고 한다.

우리와 같은 모양을 가지면 일차함수야!

$y=ax+b$

단, a와 b는 상수이고 a는 0이 아니야!

일차함수의 예

① $y=3x-1$ ➡ $a=3$, $b=-1$
② $y=5x$ ➡ $a=5$, $b=0$
③ $y=\dfrac{x}{3}+2$ ➡ $a=\dfrac{1}{3}$, $b=2$

↓

$y=ax+b(a\neq 0)$의 꼴로 나타난다.

일차함수가 아닌 예

① $y=\dfrac{1}{x}$ ➡ x가 분모에 있다.
② $y=x^2+3$ ➡ x^2이 있다. (일차식이 아니다.)
③ $y=3$ ➡ x의 계수가 0이다.

↓

$y=ax+b(a\neq 0)$의 꼴로 나타나지 않는다.

회색 글씨를 따라 쓰면서 개념을 정리해 보세요.

1 함수 $y=f(x)$에서 $f(a)$의 의미 : ① $x=a$일 때의 함숫값
② $x=a$일 때의 y의 값
③ $f(x)$에 x 대신 a를 대입한 값

2 일차함수 : $y=ax+b$ ($a\neq 0$, a, b는 상수) ➡ $y=$(x에 대한 일차식)

개념 원리 확인

○ 정답과 풀이 40쪽

함숫값 구하기

3-1 함수 $f(x)=5x$에 대하여 다음 함숫값을 구하려고 한다. ☐ 안에 알맞은 수를 써넣으시오.

(1) $x=1$일 때, 함숫값

➡ $f(1)=5\times\square=\square$

(2) $x=-2$일 때, 함숫값

➡ $f(-2)=5\times(\square)=\square$

(3) $x=\frac{2}{5}$일 때, 함숫값

➡ $f\left(\frac{2}{5}\right)=5\times\left(\square\right)=\square$

3-2 주어진 함수에 대하여 다음을 구하시오.

(1) $f(x)=4x$

① $f(0)$

② $f(-2)$

③ $f\left(\frac{3}{4}\right)$

(2) $f(x)=\frac{12}{x}$

① $f(3)$

② $f(-4)$

③ $f(12)$

3주
3일

일차함수인지 판단하기

4-1 다음 ☐ 안에 알맞은 것을 써넣고, 옳은 것에 ○표를 하시오.

(1) $y=5x-30$

➡ $y=$(x에 대한 ☐)이므로

일차함수(이다, 가 아니다).

(2) $y=\frac{1}{x}+2$

➡ x가 분모에 있으므로

일차함수(이다, 가 아니다).

(3) $y+x^2=x^2+3x+5$

➡ y항을 제외한 나머지 항을 우변으로 이항하면 $y=x^2+3x+5-x^2$

즉 $y=\square$이므로

일차함수(이다, 가 아니다).

4-2 다음 중 일차함수인 것에는 '○'를, 일차함수가 아닌 것에는 '×'를 (　) 안에 써넣으시오.

(1) $y=3x$ (　)

(2) $y=\frac{4}{x}$ (　)

(3) $y=x^2-3x+2$ (　)

(4) $y=x^2-x(x+1)$ (　)

3주 3일 기초 집중 연습

○ 정답과 풀이 40쪽

개념 01 함수의 뜻을 알고 있는가?

x의 값이 정해짐에 따라 y의 값이
(1) 오직 하나씩 정해질 때 ➡ y는 x의 함수이다.
(2) 없거나 두 개 이상으로 정해질 때 ➡ y는 x의 함수가 아니다.

예 자연수 x의 약수 y
➡ $x=4$일 때, 4의 약수는 1, 2, 4로 3개이므로 y는 x의 함수가 아니다.

참고 **대표적인 함수의 예**
두 변수 x, y 사이가
① 정비례 관계, 즉 $y=ax\,(a\neq0)$ 꼴인 경우
② 반비례 관계, 즉 $y=\frac{a}{x}\,(a\neq0)$ 꼴인 경우
③ 관계식이 $y=(x$의 일차식$)$ 꼴인 경우

1-1

다음 중 y가 x의 함수가 아닌 것은?

① 합이 5인 두 수 x와 y
② 자연수 x의 배수 y
③ 한 자루에 x원 하는 연필 10자루의 가격 y원
④ 반지름의 길이가 x cm인 원의 둘레의 길이 y cm
⑤ 자연수 x를 3으로 나누었을 때의 나머지 y

1-2

다음에서 x와 y 사이의 관계를 식으로 나타내고, y가 x의 함수인지 아닌지 말하시오.

(1) 시속 4 km로 x시간 동안 달린 거리 y km

(2) 10 L의 주스를 x명이 똑같이 나누어 마실 때, 한 사람이 마신 주스의 양 y L

개념 02 함숫값을 구할 수 있는가?

함수 $y=f(x)$에 대하여 $f(a)$는
(1) $x=a$일 때의 함숫값
(2) $x=a$일 때, y의 값
(3) $f(x)$에 x 대신 a를 대입하여 얻은 값

예 함수 $f(x)=4x$에 대하여 $f(2)=4\times2=8$ (대입)

2-1

$f(x)=-\frac{6}{x}$에 대하여 $f(-2)$, $f(6)$의 값을 각각 구하시오.

2-2

함수 $f(x)=-5x$에 대하여 $f(1)+f(-2)$의 값을 구하시오.

2-3

함수 $f(x)=\frac{a}{x}$에 대하여 $f(2)=9$일 때, 물음에 답하시오.

(1) 다음은 상수 a의 값을 구하는 과정이다. □ 안에 알맞은 것을 써넣으시오.

> $f(x)=\frac{a}{x}$에서 $f(2)=\frac{a}{2}$이므로
> $\frac{a}{2}=$□ $\therefore a=$□

(2) $f(-3)$의 값을 구하시오.

개념 03 일차함수의 뜻을 알고 있는가?

(1) 함수 $y=f(x)$에서 y가 x에 대한 일차식, 즉

$y=ax+b$(a, b는 상수, $a\neq0$)

꼴로 나타내어질 때, 이 함수를 x에 대한 일차함수라고 한다.

참고 **일차함수가 아닌 예**

① x의 계수가 0인 경우 ➡ $y=0\times x+1$

② x가 분모에 있는 경우 ➡ $y=\frac{1}{x}+1$

(2) 일차함수 찾기

y가 있는 항은 좌변으로, 나머지는 모두 우변으로 이항하여 정리한 식이 $y=ax+b$ $(a\neq0)$ 꼴인 것을 찾는다.

└ $y=$(x에 대한 일차식)

3-1

다음 보기 에서 일차함수인 것을 모두 고르시오.

보기

㉠ $y=-2x$　㉡ $y=3x+x^2$　㉢ $x=3$

㉣ $y=\frac{5}{x}$　㉤ $y=4(x-1)$　㉥ $y+2x$

3-2

다음 중 x와 y 사이의 관계가 일차함수인 것을 모두 고르면? (정답 2개)

① 낮의 길이가 x시간일 때, 밤의 길이는 y시간이다.

② 가로와 세로의 길이가 각각 x cm, y cm인 직사각형의 넓이는 120 cm^2이다.

③ 900원짜리 사과 x개와 1200원짜리 배 y개를 사고 15000원을 지불하였다.

④ 한 변의 길이가 x cm인 정사각형의 넓이는 y cm^2이다.

⑤ 시속 x km로 달리는 자동차가 y시간 동안 달린 거리는 240 km이다.

개념 04 일차함수의 함숫값을 구할 수 있는가?

일차함수 $f(x)=ax+b$에 대하여 $x=$▲일 때의 함숫값 $f($▲$)$의 값은 x에 ▲를 대입하여 구한다. 즉

$f($▲$)=a\times$▲$+b$

$x=$▲를 대입

예 $f(x)=3x-6$에 대하여 $f(-1)$, $f(3)$의 값은

$f(-1)=3\times(-1)-6=-9$

$f(3)=3\times3-6=3$

4-1

일차함수 $f(x)=2x-3$에 대하여 다음 중 옳은 것은?

① $f(-2)=-6$　② $f(-1)=-4$

③ $f(0)=-2$　④ $f(1)=2$

⑤ $f(4)=5$

4-2

일차함수 $y=f(x)$에 대하여 $f(x)=3x+5$일 때, $f(-3)+\frac{1}{4}f(1)$의 값은?

① -3　② -2　③ 2

④ 3　⑤ 4

4-3

일차함수 $f(x)=ax+1$에 대하여 $f(-1)=3$일 때, 상수 a의 값은?

① -2　② -1　③ 0

④ 1　⑤ 2

7. 일차함수 $y=ax$의 그래프

일차함수 $y=ax$의 그래프

일차함수 $y=ax$의 그래프의 성질

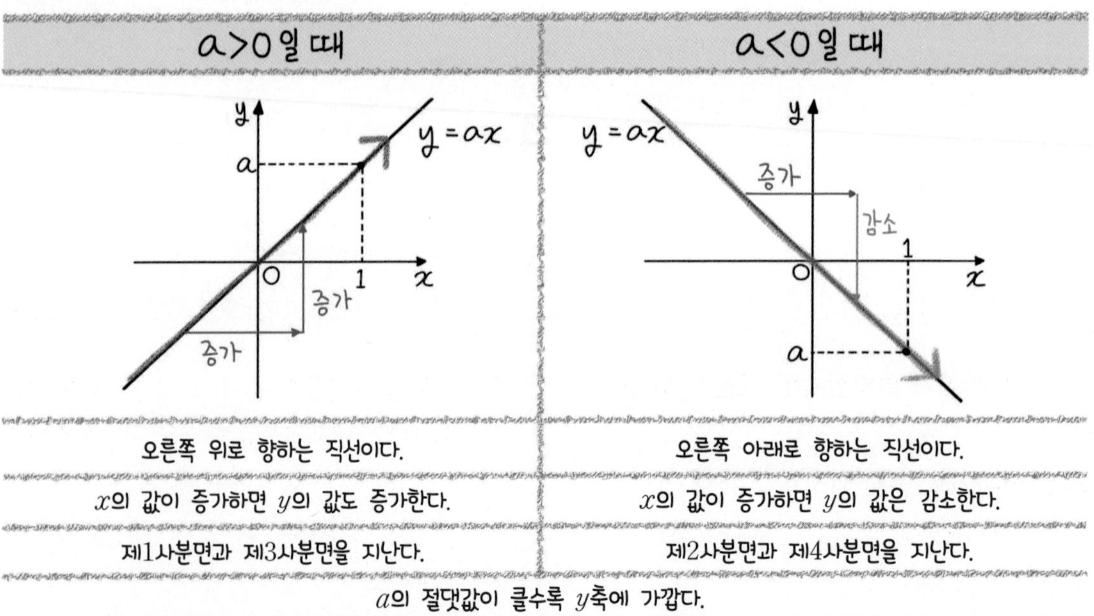

$a>0$일 때	$a<0$일 때
오른쪽 위로 향하는 직선이다.	오른쪽 아래로 향하는 직선이다.
x의 값이 증가하면 y의 값도 증가한다.	x의 값이 증가하면 y의 값은 감소한다.
제1사분면과 제3사분면을 지난다.	제2사분면과 제4사분면을 지난다.
a의 절댓값이 클수록 y축에 가깝다.	

회색 글씨를 따라 쓰면서 개념을 정리해 보세요.

일차함수 $y=ax$의 그래프 : 원점 (0, 0)을 지나는 직선이다.

$a>0$일 때	$a<0$일 때
그래프는 제 1, 3 사분면을 지난다.	그래프는 제 2, 4 사분면을 지난다.
그래프는 오른쪽 위로 향한다.	그래프는 오른쪽 아래로 향한다.

개념 원리 확인

○ 정답과 풀이 41쪽

일차함수 $y=ax$의 그래프 그리기

1-1 다음은 일차함수의 그래프가 지나는 두 점의 좌표를 나타낸 것이다. ☐ 안에 알맞은 수를 써넣고, 두 점을 이용하여 좌표평면 위에 그래프를 그리시오.

(1) $y=3x$ ➡ $(0, 0)$, $(1, \square)$

(2) $y=\frac{1}{2}x$ ➡ $(0, \square)$, $(2, \square)$

(3) $y=-2x$ ➡ $(0, \square)$, $(1, \square)$

1-2 다음은 일차함수의 그래프가 지나는 두 점의 좌표를 나타낸 것이다. ☐ 안에 알맞은 수를 써넣고, 두 점을 이용하여 좌표평면 위에 그래프를 그리시오.

(1) $y=x$ ➡ $(0, \square)$, $(1, \square)$

(2) $y=\frac{1}{3}x$ ➡ $(0, \square)$, $(3, \square)$

(3) $y=-4x$ ➡ $(0, \square)$, $(1, \square)$

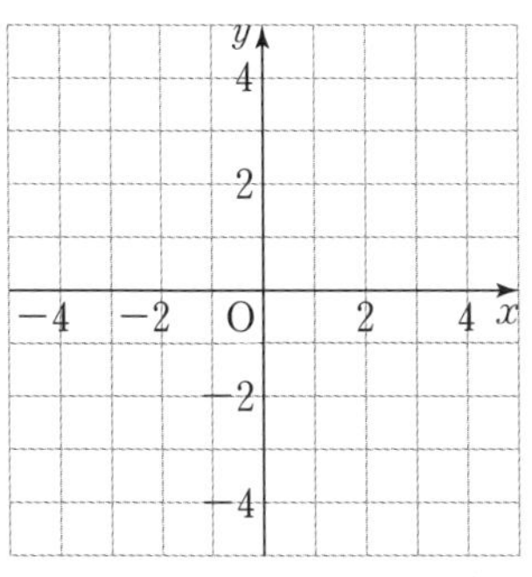

일차함수 $y=ax$의 그래프의 성질

2-1 다음 중 일차함수 $y=\frac{2}{3}x$의 그래프에 대한 설명으로 옳은 것에는 '○'를, 옳지 않은 것에는 '×'를 (　　) 안에 써넣으시오.

(1) 원점을 지나는 직선이다. (　　)

(2) 오른쪽 위로 향하는 직선이다. (　　)

(3) 제2, 4사분면을 지난다. (　　)

(4) 점 $(3, 2)$를 지난다. (　　)

(5) x의 값이 증가하면 y의 값은 감소한다. (　　)

2-2 다음 중 일차함수 $y=-5x$의 그래프에 대한 설명으로 옳은 것에는 '○'를, 옳지 않은 것에는 '×'를 (　　) 안에 써넣으시오.

(1) 원점을 지나는 직선이다. (　　)

(2) 오른쪽 위로 향하는 직선이다. (　　)

(3) 제2, 4사분면을 지난다. (　　)

(4) 점 $(-1, -5)$를 지난다. (　　)

(5) x의 값이 증가하면 y의 값은 감소한다. (　　)

평행이동

한 도형을 일정한 방향으로 일정한 거리만큼 이동하는 것을 평행이동이라고 한다.

평행이동을 이용하여 일차함수의 그래프 그리기

좌표평면 위에 두 일차함수 $y=2x$, $y=2x+3$의 그래프를 그려 보자.

x	$\cdots$	-2	-1	0	1	2	$\cdots$
$y=2x$	$\cdots$	-4	-2	0	2	4	$\cdots$
$y=2x+3$	$\cdots$	-1	1	3	5	7	$\cdots$

(각 값에 $+3$)

같은 x의 값에 대하여 $2x+3$의 값은 $2x$의 값보다 항상 3만큼 크다.

➡ 일차함수 $y=2x+3$의 그래프는 일차함수 $y=2x$의 그래프를 y축의 방향으로 3만큼 평행하게 이동한 것과 같다.

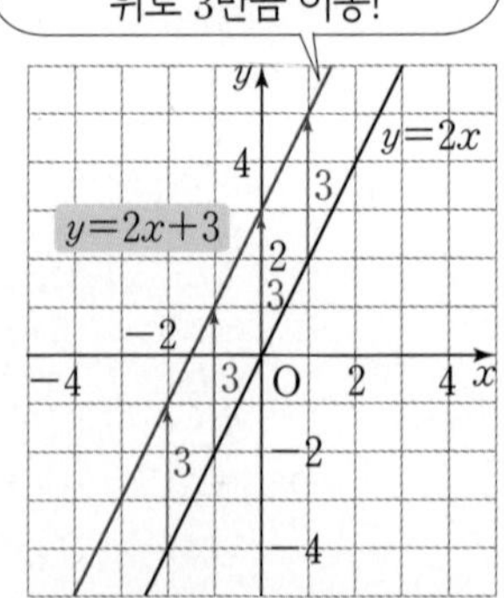

일차함수 $y=ax+b$의 그래프는 **일차함수 $y=ax$의 그래프를 y축의 방향으로 b만큼 평행이동**한 직선이다.

$y=ax$ $\xrightarrow[\text{b만큼 평행이동}]{\text{y축의 방향으로}}$ $y=ax+b$

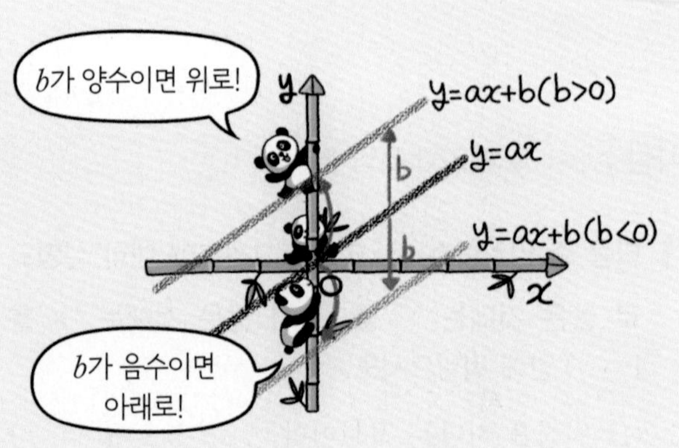

회색 글씨를 따라 쓰면서 개념을 정리해 보세요.

일차함수 $y=ax+b$의 그래프 : $y=ax$ $\xrightarrow[b\text{만큼 평행이동}]{y\text{축의 방향으로}}$ $y=ax+b$

y축의 방향으로
-3만큼 평행이동

개념 원리 확인

○ 정답과 풀이 42쪽

평행이동을 이용한 $y=ax+b$의 그래프 그리기

3-1 다음 ☐ 안에 알맞은 것을 써넣고, 주어진 일차함수의 그래프를 좌표평면 위에 그리시오.

(1) $y=x+2$

➡ $y=x$ $\xrightarrow[\square \text{만큼 평행이동}]{y\text{축의 방향으로}}$ $y=x+2$

(2) $y=x-3$

➡ $y=x$ $\xrightarrow[\square \text{만큼 평행이동}]{y\text{축의 방향으로}}$ $y=x-3$

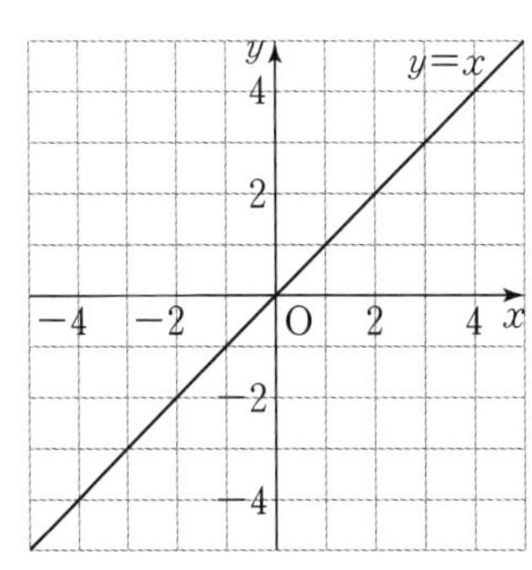

3-2 다음 일차함수의 그래프를 좌표평면 위에 그리시오.

(1) $y=-\frac{1}{2}x+1$

(2) $y=-\frac{1}{2}x-4$

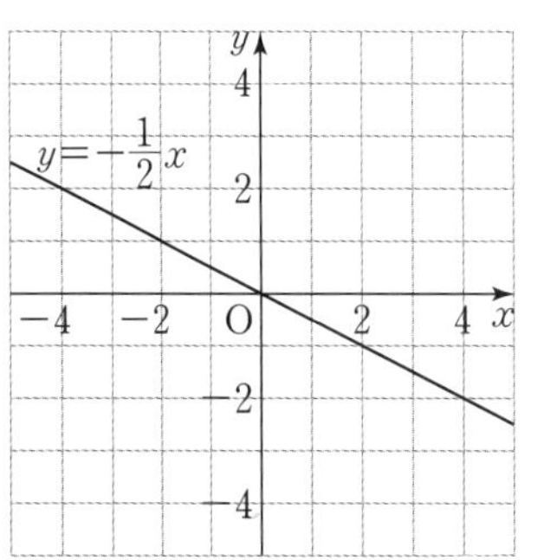

그래프를 보고 평행이동 이해하기

4-1 다음 그래프를 보고 물음에 답하시오.

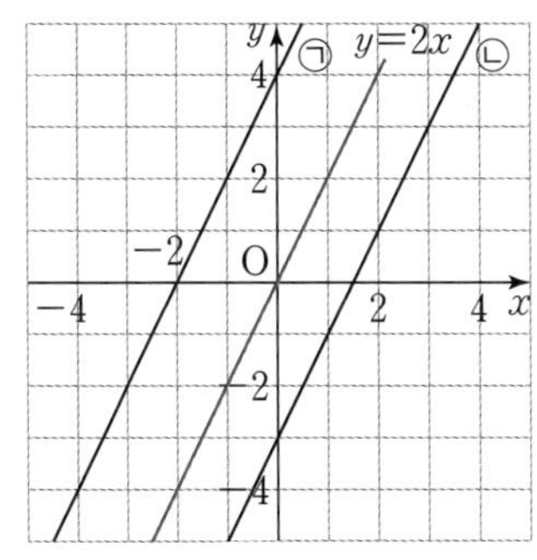

(1) 두 그래프 ㉠, ㉡은 일차함수 $y=2x$의 그래프를 y축의 방향으로 얼마만큼 평행이동한 것인지 각각 구하시오.

(2) 두 그래프 ㉠, ㉡을 나타내는 일차함수의 식을 각각 구하시오.

4-2 다음 그래프를 보고 물음에 답하시오.

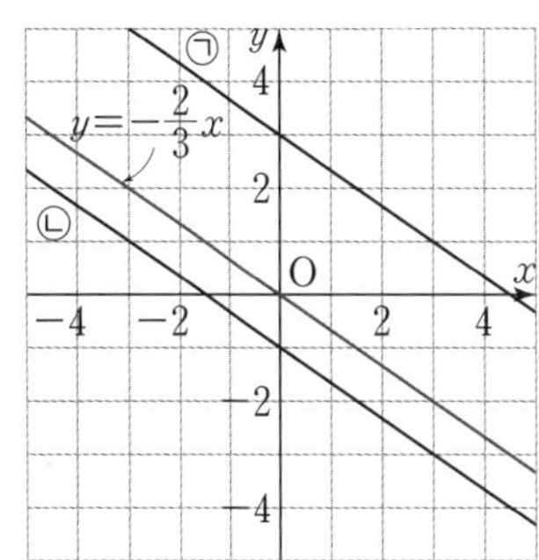

(1) 두 그래프 ㉠, ㉡은 일차함수 $y=-\frac{2}{3}x$의 그래프를 y축의 방향으로 얼마만큼 평행이동한 것인지 각각 구하시오.

(2) 두 그래프 ㉠, ㉡을 나타내는 일차함수의 식을 각각 구하시오.

3 주
4일

정답과 풀이 42쪽

개념 01 일차함수 $y=ax$의 그래프를 그릴 수 있고, 그 성질을 알고 있는가?

(1) 일차함수 $y=ax$의 그래프 그리기

❶ 원점 (0, 0) 이외에 이 그래프가 지나는 다른 한 점의 좌표를 구한다.

❷ 두 점을 좌표평면 위에 나타내고 직선으로 연결한다.

(2) 일차함수 $y=ax$의 그래프

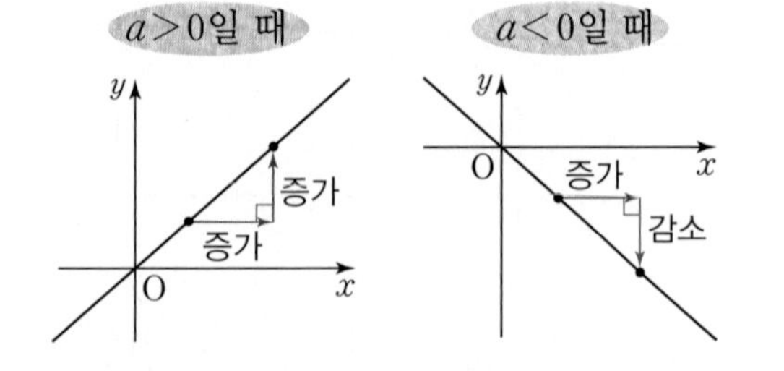

1-1

다음은 일차함수의 그래프가 지나는 두 점의 좌표를 나타낸 것이다. ☐ 안에 알맞은 수를 써넣고, 두 점을 이용하여 그래프를 좌표평면 위에 그리시오.

(1) $y=4x$ ➡ (0, ☐), (1, ☐)

(2) $y=\frac{2}{3}x$ ➡ (0, ☐), (3, ☐)

(3) $y=-\frac{3}{4}x$ ➡ (0, ☐), (4, ☐)

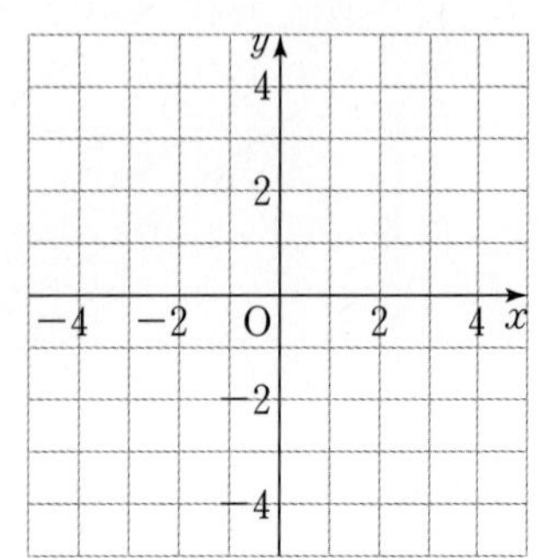

1-2

주어진 일차함수의 그래프 ㉠~㉣에 대하여 다음을 모두 구하시오.

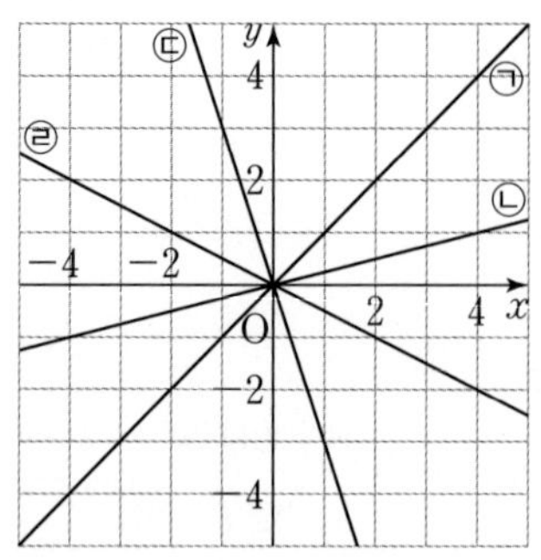

(1) 오른쪽 위로 향하는 그래프

(2) y축에 가장 가까운 그래프

(3) x의 값이 증가할 때, y의 값은 감소하는 그래프

(4) 점 $(-1, 3)$을 지나는 그래프

(5) 제1, 3사분면을 지나는 그래프

1-3

다음 중 일차함수 $y=-\frac{3}{2}x$의 그래프에 대한 설명으로 옳지 않은 것은?

① 제2, 4사분면을 지난다.

② 오른쪽 위로 향하는 직선이다.

③ 점 $(2, -3)$을 지난다.

④ x의 값이 증가하면 y의 값은 감소한다.

⑤ $y=-x$의 그래프보다 y축에 더 가깝다.

개념 02 평행이동을 이용하여 일차함수 $y=ax+b$의 그래프를 그릴 수 있는가?

일차함수 $y=ax+b$의 그래프 : 일차함수 $y=ax$의 그래프를 y축의 방향으로 b만큼 평행이동한 직선이다.

$y=ax$ —(y축의 방향으로 b만큼 평행이동)→ $y=ax+b$

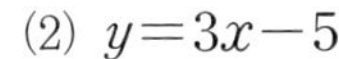
참고 ① $b>0$이면 y축을 따라 위로 평행이동한다.
② $b<0$이면 y축을 따라 아래로 평행이동한다.

2-1

다음 일차함수 $y=3x$의 그래프를 이용하여 주어진 일차함수의 그래프를 좌표평면 위에 그리시오.

(1) $y=3x+4$

(2) $y=3x-5$

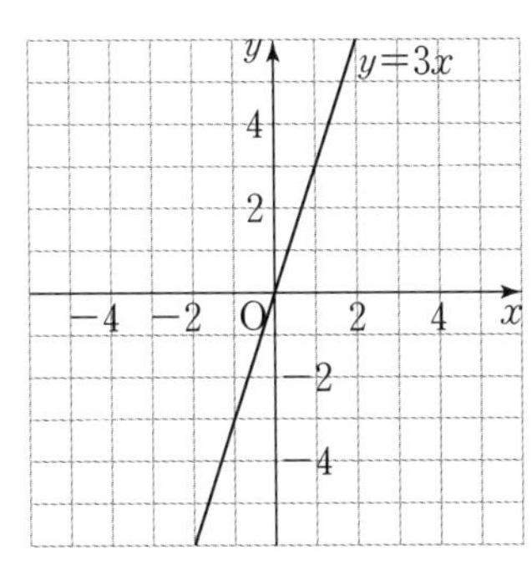

2-2

아래 그림과 같이 일차함수 $y=x$의 그래프를 평행이동하여 직선 ㉠~㉢을 그렸을 때, 다음 물음에 답하시오.

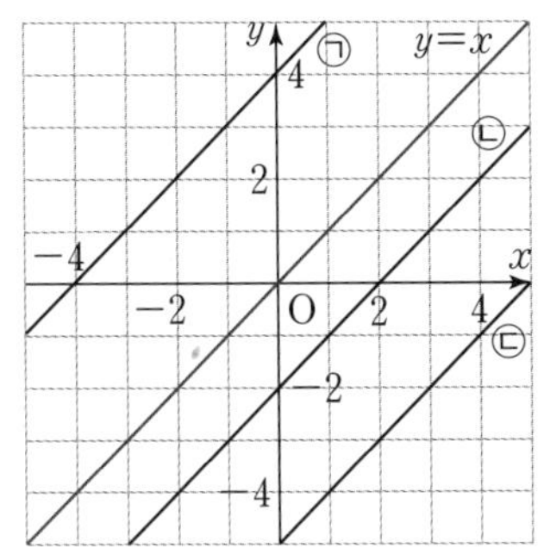

(1) 일차함수 $y=x$의 그래프를 y축의 방향으로 -2만큼 평행이동한 그래프를 찾으시오.

(2) 일차함수 $y=x+4$의 그래프를 찾으시오.

2-3

다음 일차함수의 그래프를 y축의 방향으로 [ ] 안의 수만큼 평행이동한 그래프를 나타내는 일차함수의 식을 구하시오.

(1) $y=3x$ [2]

(2) $y=\frac{1}{4}x$ [-1]

(3) $y=-2x$ [5]

(4) $y=-\frac{3}{2}x$ [-4]

2-4

다음 일차함수의 그래프 중 일차함수 $y=-5x$의 그래프를 평행이동하면 겹쳐지는 것은?

① $y=-\frac{1}{4}x+2$ ② $y=-\frac{1}{5}x$

③ $y=-5x+\frac{1}{2}$ ④ $y=x+5$

⑤ $y=5x-2$

2-5

다음 중 일차함수 $y=2x-5$의 그래프 위의 점이 아닌 것은?

① $(-3,\ -11)$ ② $(-1,\ -7)$

③ $(1,\ -3)$ ④ $(3,\ -1)$

⑤ $(5,\ 5)$

3주 4일

9. 일차함수의 그래프의 x절편과 y절편

x절편과 y절편

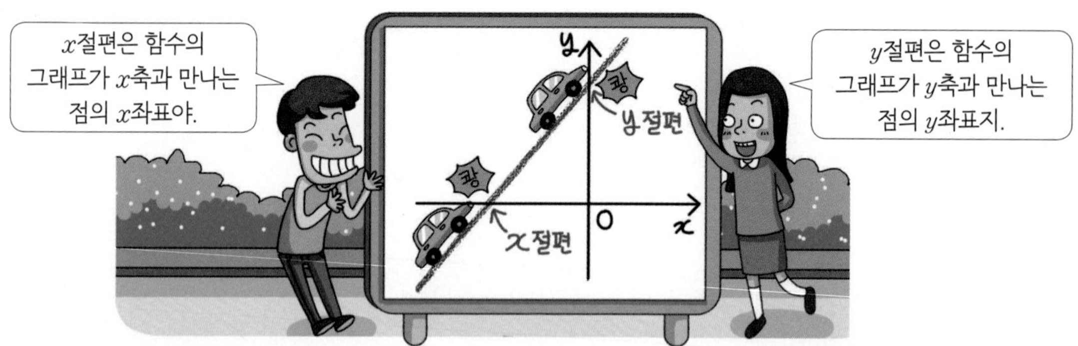

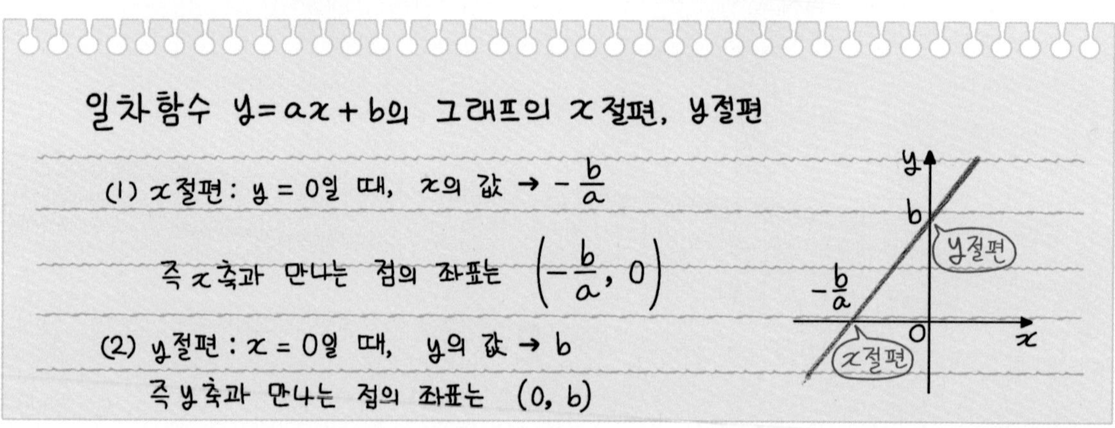

x절편과 y절편을 이용하여 일차함수 $y=-2x+2$의 그래프 그리기

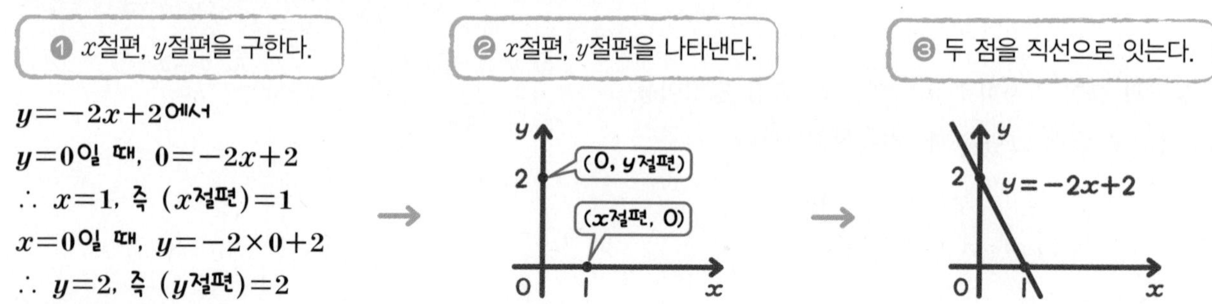

회색 글씨를 따라 쓰면서 개념을 정리해 보세요.

1 x절편과 y절편 : 일차함수 $y=ax+b$에서

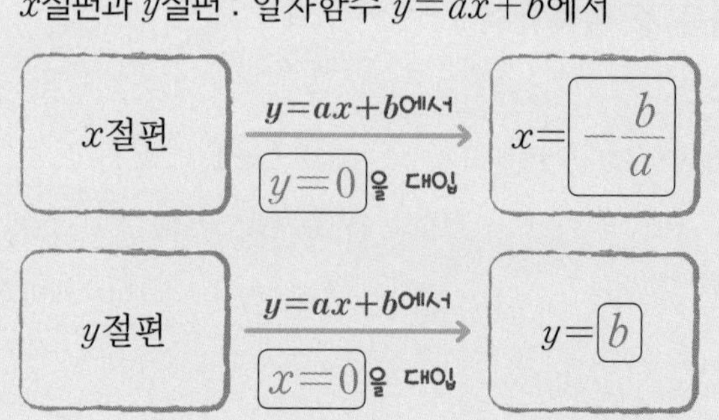

2 x절편과 y절편을 이용하여 일차함수의 그래프 그리기

❶ x절편, y절편을 구한다.

❷ 두 점 (x절편, 0), (0, y절편)을 좌표평면 위에 나타낸 후, 직선으로 연결한다.

개념 원리 확인

정답과 풀이 43쪽

그래프에서 x절편, y절편 구하기

1-1 다음 ☐ 안에 알맞은 것을 써넣으시오.

(1) 일차함수의 그래프가 x축과 만나는 점의 x좌표를 ☐절편, y축과 만나는 점의 y좌표를 ☐절편이라고 한다.

(2) 일차함수 $y=ax+b(a\neq0)$의 그래프에서 x절편은 ☐일 때의 x의 값이고, y절편은 ☐일 때의 y의 값이다.

1-2 일차함수 ㉠, ㉡의 그래프가 오른쪽 그림과 같을 때, 다음을 각각 구하시오.

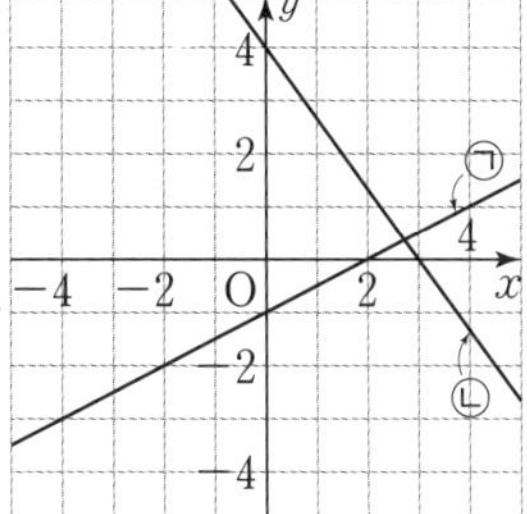

(1) x축과 만나는 점의 좌표

(2) x절편

(3) y축과 만나는 점의 좌표

(4) y절편

3주

5일

일차함수의 식에서 x절편, y절편 구하기

2-1 일차함수 $y=-2x+6$의 그래프의 x절편과 y절편을 구하려고 한다. ☐ 안에 알맞은 것을 써넣으시오.

> $y=-2x+6$에 $y=$☐을 대입하면
> ☐$=-2x+6$　　$\therefore x=$☐
> $y=-2x+6$에 $x=$☐을 대입하면
> $y=-2\times$☐$+6=$☐
> 따라서 x절편은 ☐, y절편은 ☐이다.

2-2 다음 일차함수의 그래프의 x절편과 y절편을 각각 구하시오.

(1) $y=x-2$　　(2) $y=\frac{2}{3}x-4$

(3) $y=-2x+5$　　(4) $y=-\frac{1}{2}x-1$

x절편, y절편을 이용하여 그래프 그리기

3-1 x절편과 y절편을 이용하여 일차함수 $y=x+3$의 그래프를 좌표평면 위에 그리시오.

x절편 : ________

y절편 : ________

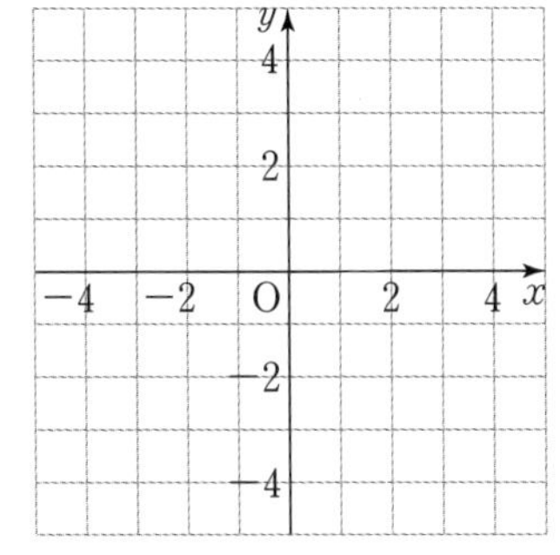

3-2 x절편과 y절편을 이용하여 다음 일차함수의 그래프를 좌표평면 위에 그리시오.

(1) $y=\frac{1}{3}x-1$

(2) $y=-2x-4$

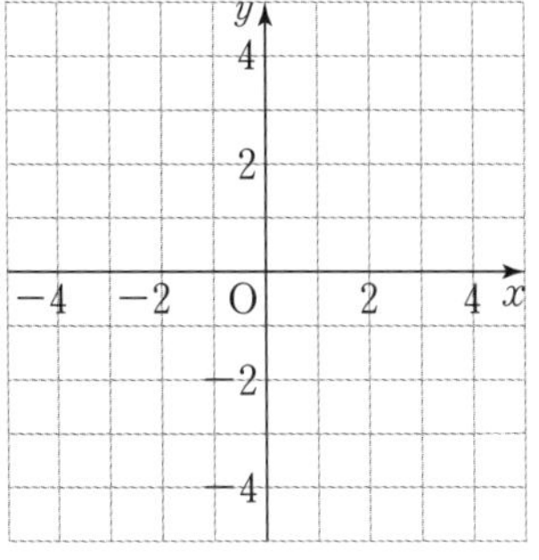

일차함수의 그래프의 기울기

일차함수 $y=ax+b(a\neq0)$의 그래프에서 x의 값의 증가량에 대한 y의 값의 증가량의 비율은 항상 a로 일정해.

이 증가량의 비율 a를 일차함수 $y=ax+b$의 그래프의 기울기라고 하지.

(기울기) $=\dfrac{(y\text{의 값의 증가량})}{(x\text{의 값의 증가량})}=a$ (일정)

일차함수의 그래프의 기울기 구하기

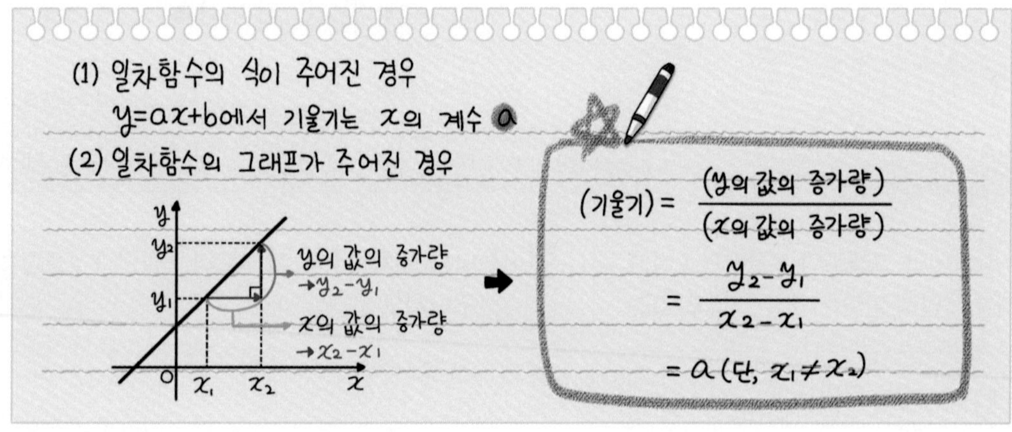

기울기와 y절편을 이용하여 일차함수 $y=-2x+4$의 그래프 그리기

❶ 기울기, y절편을 구한다.

❷ 점 $(0, y$절편$)$을 나타낸다.

❸ 그래프가 지나는 한 점을 찍는다.

❹ 두 점을 직선으로 잇는다.

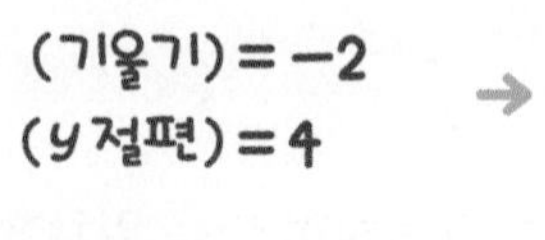

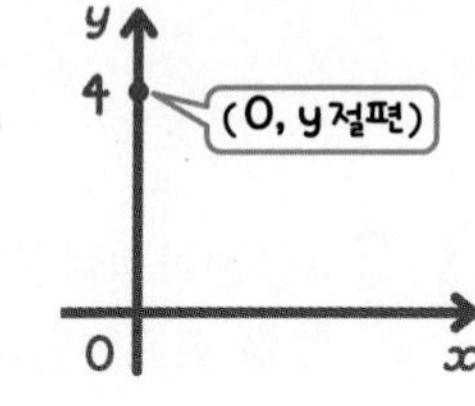

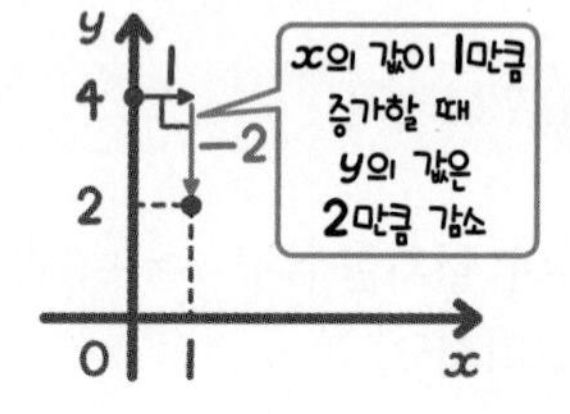

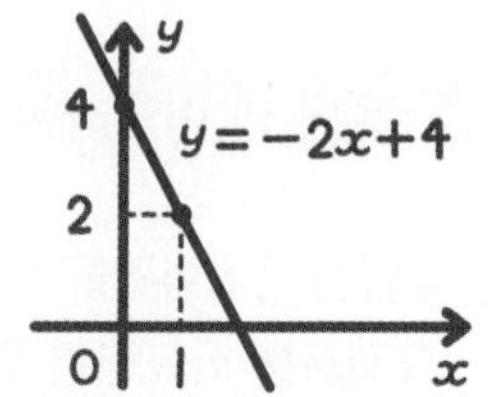

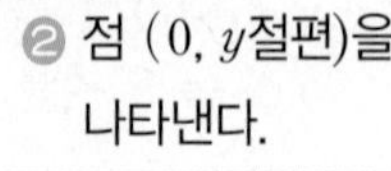

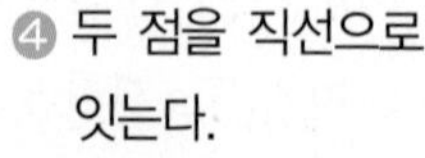

회색 글씨를 따라 쓰면서 개념을 정리해 보세요.

1 일차함수 $y=ax+b(a\neq0)$의 그래프의 기울기

➡ (기울기) $=\dfrac{(y\text{의 값의 증가량})}{(x\text{의 값의 증가량})}=a$

2 기울기와 y절편을 이용하여 일차함수의 그래프 그리기

❶ 점 $(0, y$절편$)$을 좌표평면 위에 나타낸다.

❷ 기울기를 이용하여 그래프가 지나는 다른 한 점을 좌표평면 위에 나타낸 후 두 점을 직선으로 잇는다.

개념 원리 확인

○ 정답과 풀이 44쪽

일차함수의 그래프를 보고 기울기 구하기

4-1 다음 일차함수의 그래프에서 ▢ 안에 알맞은 수를 써넣고, 기울기를 구하시오.

(1)

➡ (기울기)$=\dfrac{-3}{\square}$

$=\square$

(2)

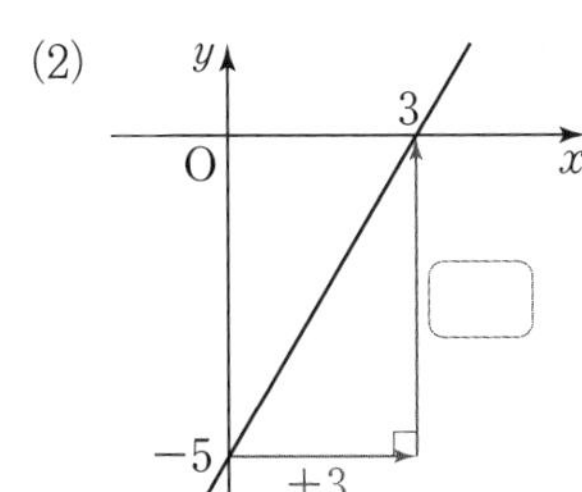

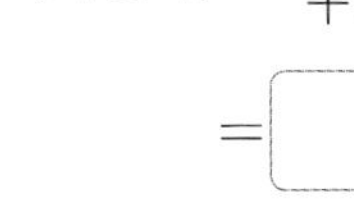

➡ (기울기)$=\dfrac{\square}{+3}$

$=\square$

4-2 다음 일차함수의 그래프의 기울기를 구하시오.

(1)

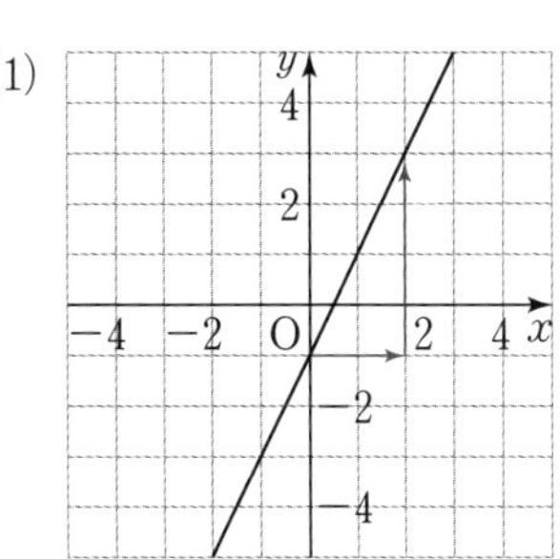

(2)

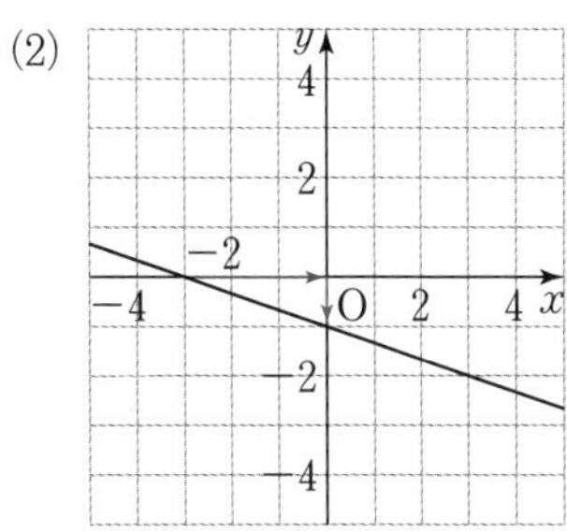

3주 5일

기울기와 y절편을 이용하여 그래프 그리기

5-1 기울기와 y절편을 이용하여 일차함수 $y=\dfrac{2}{3}x-2$의 그래프를 좌표평면 위에 그리시오.

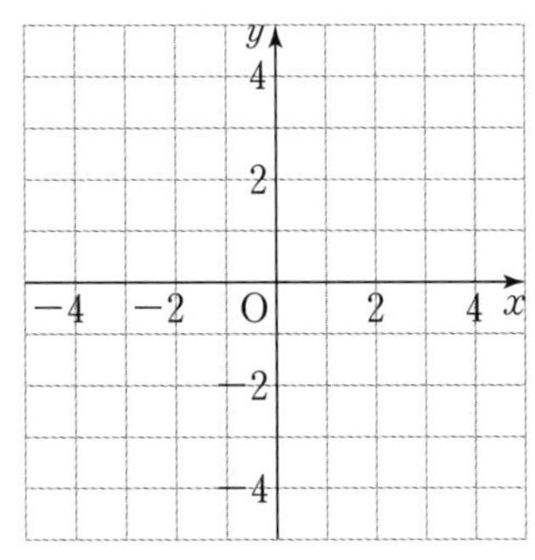

➡ 기울기는 ▢, y절편은 ▢이므로 점 $(0,\ \square)$에서 x축의 방향으로 3만큼 이동한 후 y축의 방향으로 ▢만큼 이동한 점을 찾아 두 점을 직선으로 연결한다.

5-2 기울기와 y절편을 이용하여 다음 일차함수의 그래프를 좌표평면 위에 그리시오.

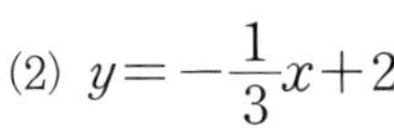

(1) $y=2x-3$

(2) $y=-\dfrac{1}{3}x+2$

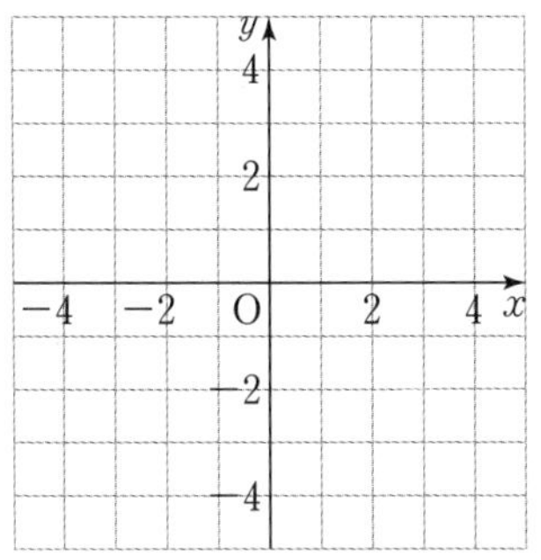

3주 5일 기초 집중 연습

○ 정답과 풀이 44쪽

개념 01 일차함수의 x절편과 y절편을 구할 수 있는가?

일차함수 $y=ax+b$의 그래프에서

(1) x절편 ➡ x축과 만나는 점의 x좌표 ➡ $-\dfrac{b}{a}$
  └▸ y좌표는 0

(2) y절편 ➡ y축과 만나는 점의 y좌표 ➡ b
  └▸ x좌표는 0   └ 상수항

1-1

일차함수 (1), (2)의 그래프가 오른쪽 그림과 같을 때, 각 그래프의 x절편과 y절편을 각각 구하시오.

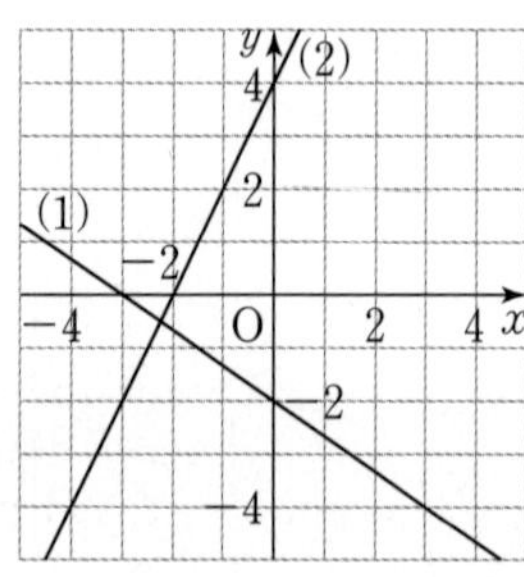

1-2

다음 일차함수의 그래프의 x절편과 y절편을 각각 구하시오.

(1) $y=2x-2$ (2) $y=-\dfrac{2}{3}x+2$

1-3

다음 일차함수 중 그 그래프의 x절편이 나머지 넷과 다른 하나는?

① $y=2x+4$ ② $y=x+2$
③ $y=-3x-6$ ④ $y=4x-8$
⑤ $y=\dfrac{5}{2}x+5$

개념 02 x절편과 y절편을 이용하여 일차함수의 그래프를 그릴 수 있는가?

x절편과 y절편을 이용하여 일차함수의 그래프를 그릴 때에는 다음 순서에 따라 그린다.

❶ x절편을 구하여 점 (x절편, 0)을 좌표평면 위에 나타낸다.
❷ y절편을 구하여 점 (0, y절편)을 좌표평면 위에 나타낸다.
❸ ❶, ❷의 두 점을 직선으로 연결한다.

2-1

다음 일차함수의 그래프를 x절편과 y절편을 이용하여 좌표평면 위에 그리시오.

(1) $y=-x+2$ (2) $y=\dfrac{3}{4}x-3$

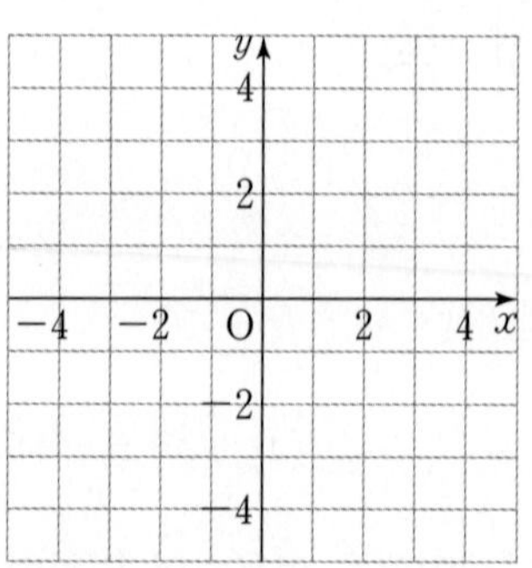

2-2

다음 중 일차함수 $y=3x-5$의 그래프는?

①
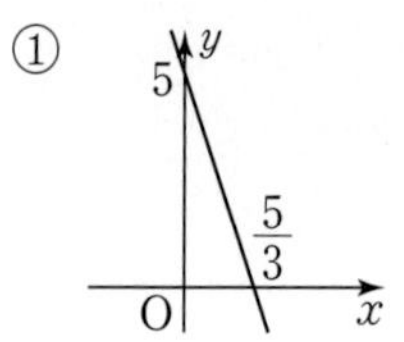

②
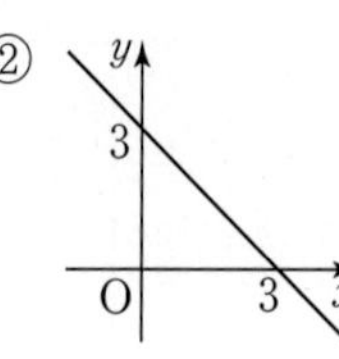

③
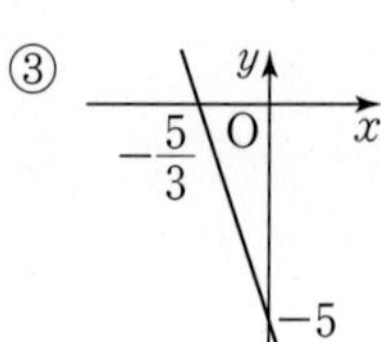

④ ⑤
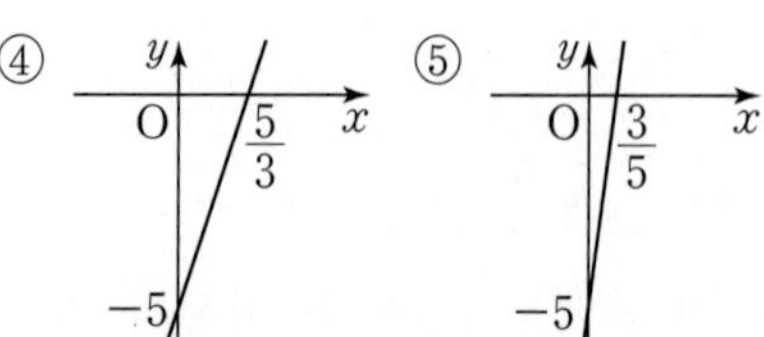

개념 03 일차함수의 그래프의 기울기를 구할 수 있는가?

일차함수 $y=ax+b$의 그래프에서

$$(\text{기울기})=\frac{(y\text{의 값의 증가량})}{(x\text{의 값의 증가량})}=a$$

$y=ax+b$ (기울기 a, y절편 b)

3-1

다음 일차함수의 그래프의 기울기를 구하시오.

(1) $y=2x-1$　　(2) $y=-5x-2$

(3) $y=\frac{1}{2}x+5$　　(4) $y=-\frac{2}{3}x+4$

3-2

일차함수의 그래프가 다음 그림과 같을 때, 각 그래프의 기울기를 구하시오.

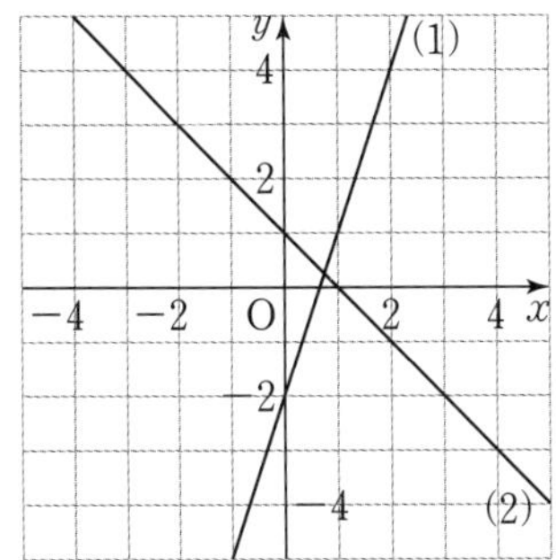

3-3

다음 일차함수의 그래프 중 x의 값이 3만큼 증가할 때, y의 값이 5만큼 감소하는 것은?

① $y=\frac{3}{5}x+3$　　② $y=-\frac{3}{5}x-3$

③ $y=3x-5$　　④ $y=\frac{5}{3}x-3$

⑤ $y=-\frac{5}{3}x-3$

개념 04 기울기와 y절편을 이용하여 그래프를 그릴 수 있는가?

기울기와 y절편을 이용하여 일차함수의 그래프를 그릴 때에는 다음 순서에 따라 그린다.

❶ y절편을 이용하여 점 $(0, y\text{절편})$을 좌표평면 위에 나타낸다.

❷ 기울기를 이용하여 다른 한 점을 찾는다.

❸ ❶, ❷의 두 점을 직선으로 연결한다.

4-1

기울기와 y절편을 이용하여 일차함수의 그래프를 좌표평면 위에 그리시오.

(1) $y=-\frac{1}{2}x+1$　　(2) $y=3x-4$

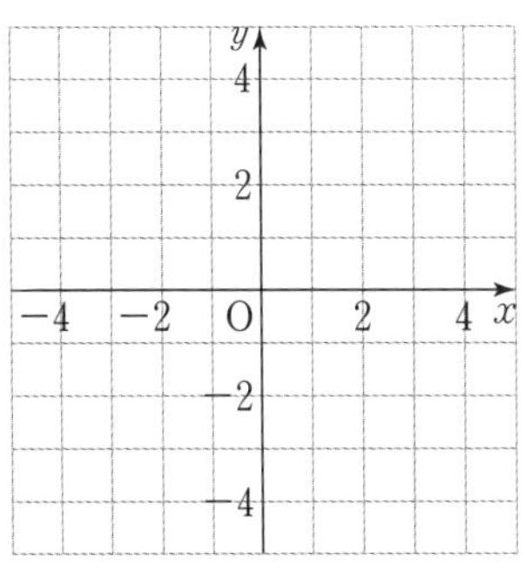

5일

4-2

다음 중 일차함수 $y=\frac{1}{3}x-1$의 그래프를 바르게 나타낸 것은?

①
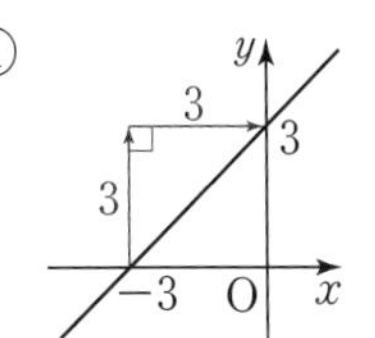

②
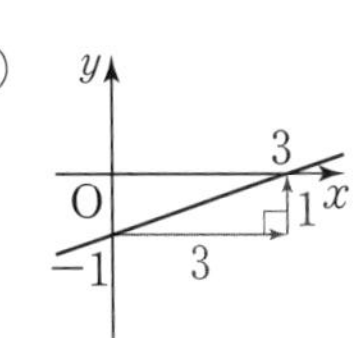

③
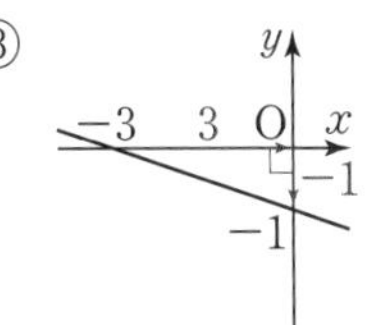

④
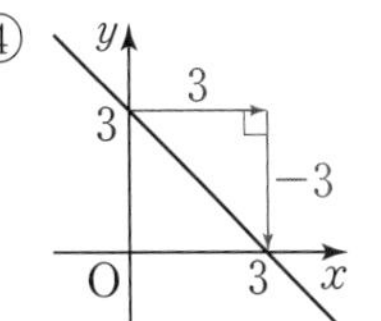

⑤
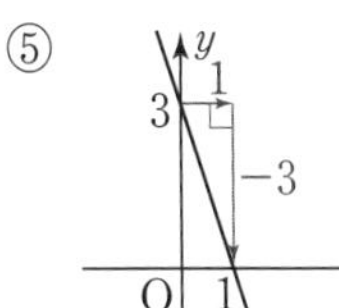

누구나 100점 테스트

01 다음은 연립방정식 $\begin{cases} y=4x-5 & \cdots ㉠ \\ 2x+y=7 & \cdots ㉡ \end{cases}$의 해를 구하는 과정이다. ①~⑤에 들어갈 것으로 옳은 것은?

> 미지수 [①]를 없애기 위해
> ㉠을 ㉡에 대입하면 $2x+($[②]$)=7$
> $6x=$[③]　　$\therefore x=$[④]
> $x=$[④]를 ㉠에 대입하면 $y=$[⑤]

① x　　② $4x-5$　　③ 18
④ 3　　⑤ 7

02 다음 연립방정식 중 해가 나머지 넷과 다른 하나는?

① $\begin{cases} x+y=-3 \\ 2x-y=-9 \end{cases}$　② $\begin{cases} x-y=-5 \\ x+2y=-2 \end{cases}$

③ $\begin{cases} 2x+3y=-5 \\ 3x+y=-11 \end{cases}$　④ $\begin{cases} x=-2y \\ 5x+y=-9 \end{cases}$

⑤ $\begin{cases} -4x+y=17 \\ y=x+5 \end{cases}$

03 연립방정식 $\begin{cases} 0.4x+0.3(y-1)=3.2 \\ \frac{x+1}{6}-\frac{y+1}{2}=-2 \end{cases}$의 해가 x, y의 순서쌍 (a, b)일 때, $a-b$의 값을 구하시오.

04 두 자리의 자연수가 있다. 각 자리의 숫자의 합은 9이고 십의 자리의 숫자와 일의 자리의 숫자를 바꾼 수는 처음 수보다 45만큼 작을 때, 처음 자연수를 구하시오.

05 승현이가 주말에 등산을 하는데 올라갈 때는 시속 3 km로 걷고, 내려올 때는 올라갈 때보다 3 km 더 먼 길을 시속 4 km로 걸었더니 총 2시간 30분이 걸렸다. 내려온 거리를 구하시오.

정답과 풀이 46쪽

06 다음 중 y가 x의 함수가 아닌 것은?

① 자연수 x의 약수의 개수 y

② 자연수 x보다 작은 짝수 y

③ 강아지 x마리의 다리의 개수 y

④ 시속 x km로 y시간 동안 달린 거리는 50 km

⑤ 전체 100쪽인 책을 x쪽 읽고 남은 쪽수 y쪽

07 한 변의 길이가 x cm인 정사각형의 둘레의 길이를 y cm라고 할 때, 다음 물음에 답하시오.

(1) 아래 표를 완성하시오.

x (cm)	1	2	3	4
y (cm)				

(2) x와 y 사이의 관계식을 구하시오.

(3) $y=f(x)$일 때, $f(10)$의 값을 구하시오.

08 다음 중 y가 x에 대한 일차함수인 것은?

① $xy=1$　② $y=-\frac{2}{x}+1$

③ $y=x(x+3)$　④ $y=2x^2-x(2x+5)$

⑤ $y+x^2=2x(x-6)$

09 다음 중 일차함수 $y=\frac{2}{3}x+4$의 그래프는?

①
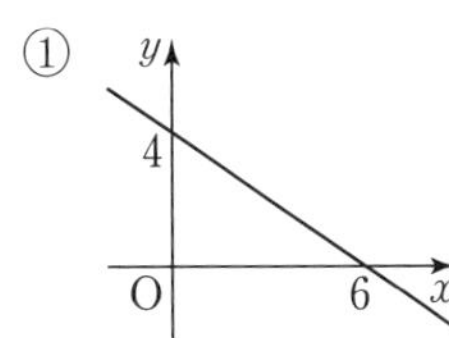

②
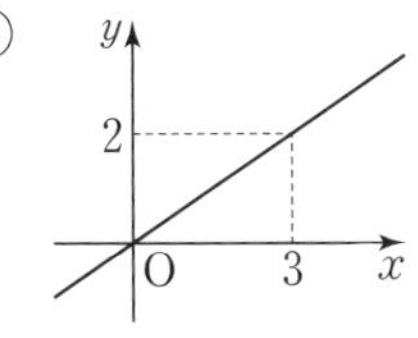

③
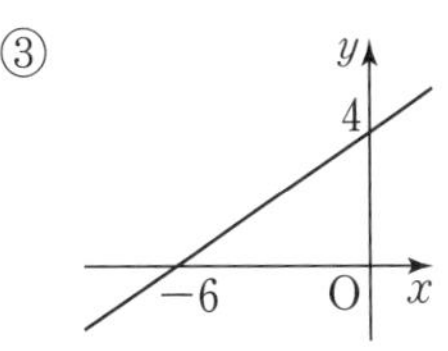

④
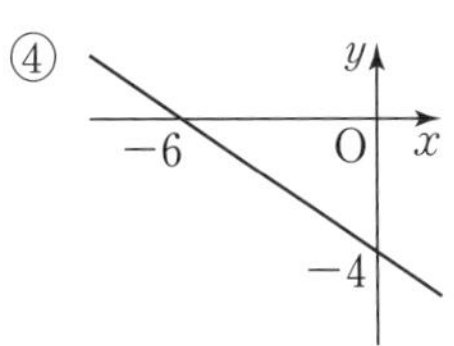

⑤
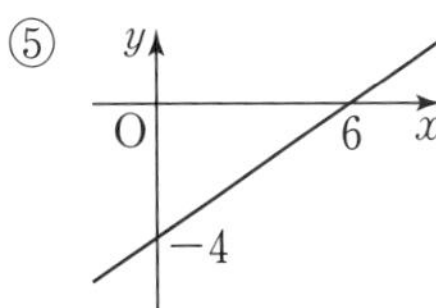

10 다음 일차함수의 그래프 중 x의 값이 6만큼 증가할 때, y의 값은 8만큼 증가하는 것은?

① $y=-\frac{5}{6}x+1$　② $y=-\frac{4}{3}x+5$

② $y=\frac{3}{4}x+6$　④ $y=\frac{4}{3}x+2$

⑤ $y=\frac{1}{4}x+1$

3주

특강 | 창의, 융합, 코딩

1 다음은 수학자에 대한 설명이다. 아래 연립방정식의 해에 해당하는 글자를 문항 번호에 맞게 써넣고, 수학자의 이름을 맞춰 보시오.

❶❷❸토스

약 3세기 후반 알렉산드리아에서 활약했던 그리스의 수학자로, 대수학의 아버지라고 불린다. 이 수학자가 지은 책 "산학"은 모두 13권의 책으로 되어 있으나 그중 6권만이 현존하고 있다. 이 책에서는 방정식을 단순화하여 설명하였고, 특히 미지수가 2개인 일차방정식을 소개하였다.

❹❺❻

조선의 가장 위대한 수학자로 18세기 초 방정식의 구성과 해법에 대하여 가장 앞선 결과를 얻어낸 "구일집(九一集)"의 저자이다.
"구일집"은 천(天), 지(地), 인(人)의 3책 9권으로 된 수학책이다. 제 2책 지(地)에는 연립방정식에 관련된 문제와 그 해를 구하는 방법까지 제시되어 있다.

❶ $\begin{cases} y=2x+5 \\ -x+y=1 \end{cases}$

$x=$
$y=$

❷ $\begin{cases} x=5-y \\ x+2y=6 \end{cases}$

$x=$
$y=$

❸ $\begin{cases} -x+2y=-3 \\ x-y=2 \end{cases}$

$x=$
$y=$

❹ $\begin{cases} 2x+5y=11 \\ x-5y=-2 \end{cases}$

$x=$
$y=$

❺ $\begin{cases} 2x-5y=4 \\ x-3y=3 \end{cases}$

$x=$
$y=$

❻ $\begin{cases} 7x+6y=11 \\ 5x-4y=-17 \end{cases}$

$x=$
$y=$

$x=3$ $y=1$	$x=1$ $y=3$	$x=1$ $y=-1$	$x=-1$ $y=3$	$x=3$ $y=-2$	$x=-3$ $y=-2$	$x=2$ $y=-1$	$x=4$ $y=1$	$x=1$ $y=4$	$x=-4$ $y=-3$
홍	카	판	하	트	정	데	오	르	디

○ 정답과 풀이 48쪽

2 다음은 유클리드의 그리스 시화집에 나오는 노새와 당나귀에 대한 이야기이다. 노새가 싣고 있는 짐의 개수를 구하려고 할 때, 물음에 답하시오.

(1) 노새의 짐의 개수를 x, 당나귀의 짐의 개수를 y라고 할 때, 노새가 당나귀에게 한 말을 연립방정식으로 나타내시오.

(2) 노새가 싣고 있는 짐의 개수를 구하시오.

3 다음 인형 뽑기 기계에서 함수가 적힌 집게는 그 함수와 알맞은 함숫값이 적힌 인형을 뽑을 수 있다. 이때 ㉠, ㉡ 집게가 뽑을 수 있는 인형을 각각 모두 구하시오.

4 다음을 보고 물음에 답하시오.

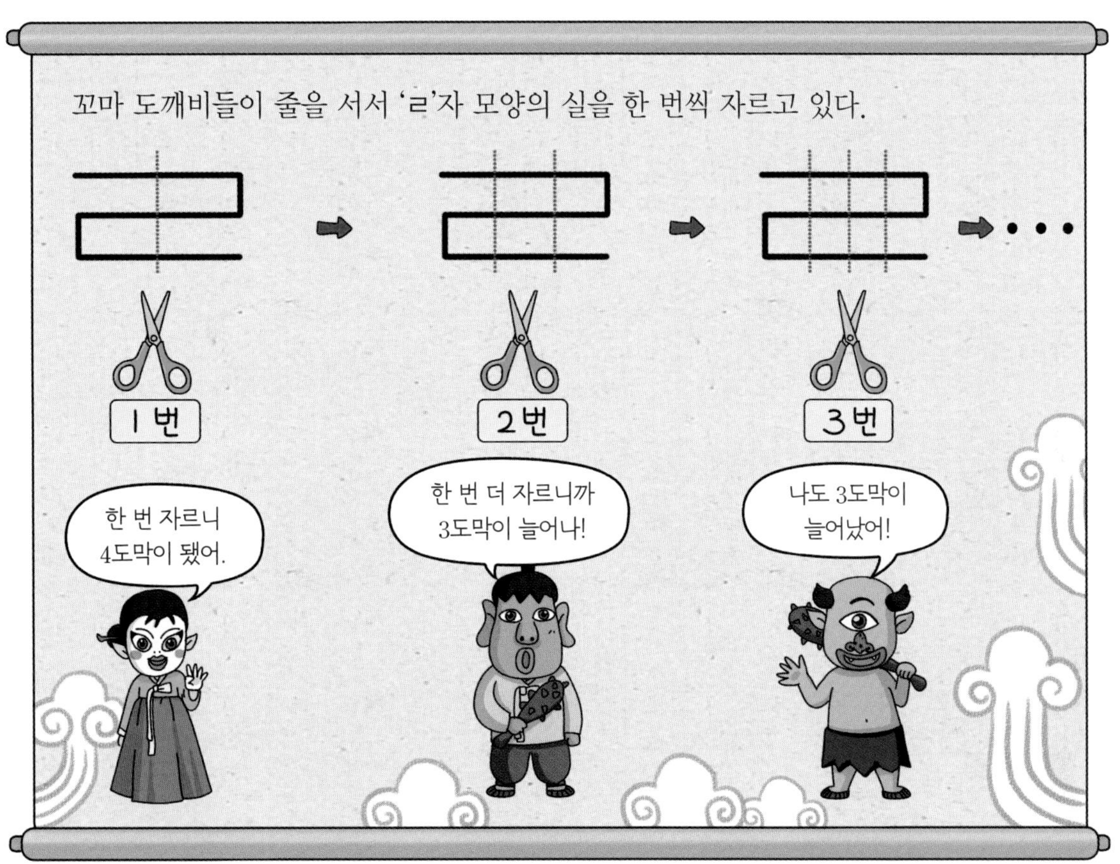

(1) 실을 자른 횟수를 x, 나누어지는 실 도막의 수를 y라고 할 때, 다음 표를 완성하고 y를 x에 대한 식으로 나타내시오.

x	1	2	3	4	5
y	4	7			

(2) (1)에서 y가 x에 대한 일차함수인지 말하시오.

(3) 실을 20번 자르면 'ㄹ'자 모양의 실은 몇 개의 도막으로 나누어지는지 구하시오.

5 다음은 일차함수 $y=\frac{2}{3}x$의 그래프를 y축의 방향으로 어떤 수만큼 평행이동하기 위한 코드이다. 물음에 답하시오.

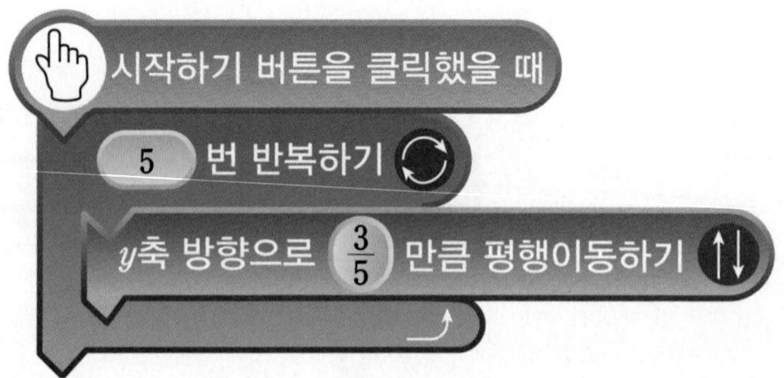

(1) 이 코드를 실행하면 일차함수 $y=\frac{2}{3}x$의 그래프가 y축의 방향으로 얼마만큼 평행이동하는지 구하시오.

(2) 이 코드를 실행하였을 때, 평행이동한 그래프의 식을 구하시오.

(3) 이 코드를 실행하였을 때, 평행이동한 그래프를 그리시오.

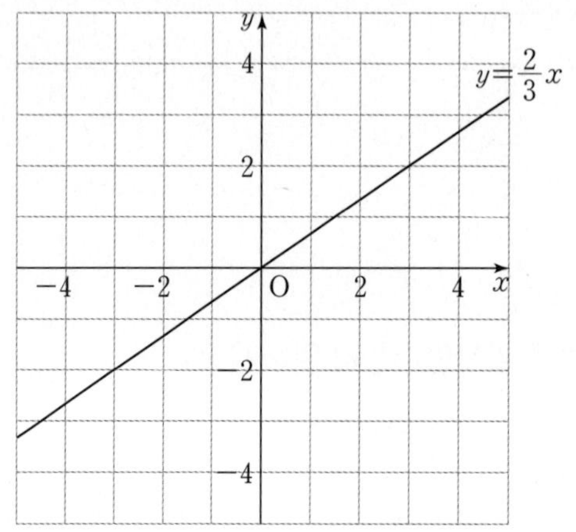

○ 정답과 풀이 48쪽

6 **다음 (1)~(8)에서 ▢ 안에 알맞은 수를 써넣고, 아래 그림에서 그 수가 있는 칸을 찾아 색칠하시오.**

(1) $y=3x-2$의 그래프의 x절편은 ▢이다.

(2) $y=-\frac{1}{4}x-2$의 y절편은 ▢이다.

(3) $y=9x-3$의 그래프의 기울기는 ▢이다.

(4) $y=\frac{4}{3}x+8$의 x절편은 ▢이다.

(5) $y=\frac{1}{5}x+3$의 y절편은 ▢이다.

(6) $y=-7x+9$의 기울기는 ▢이다.

(7) 다음 일차함수의 그래프의 기울기는 ▢이다.

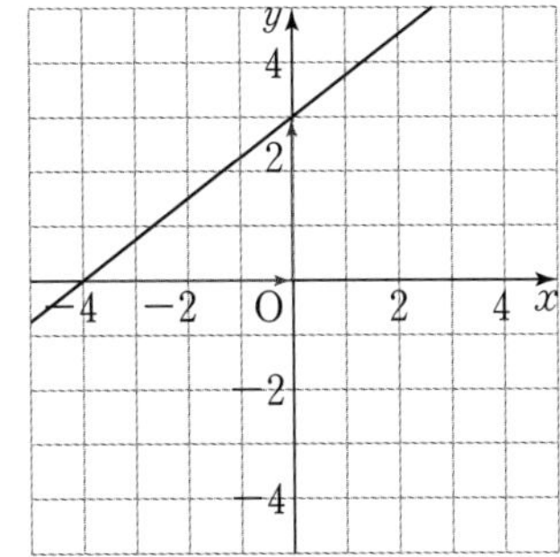

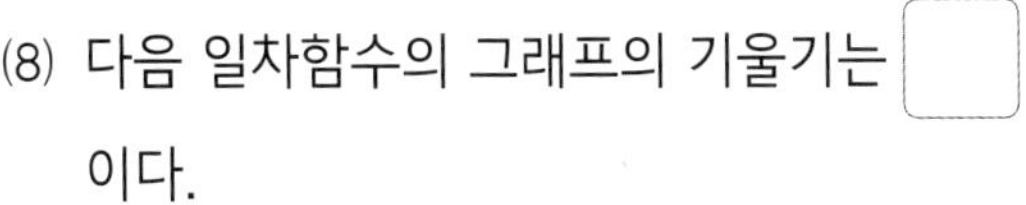
(8) 다음 일차함수의 그래프의 기울기는 ▢이다.

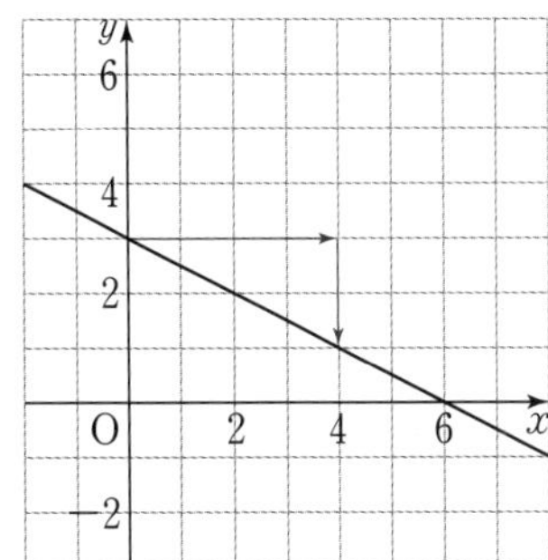

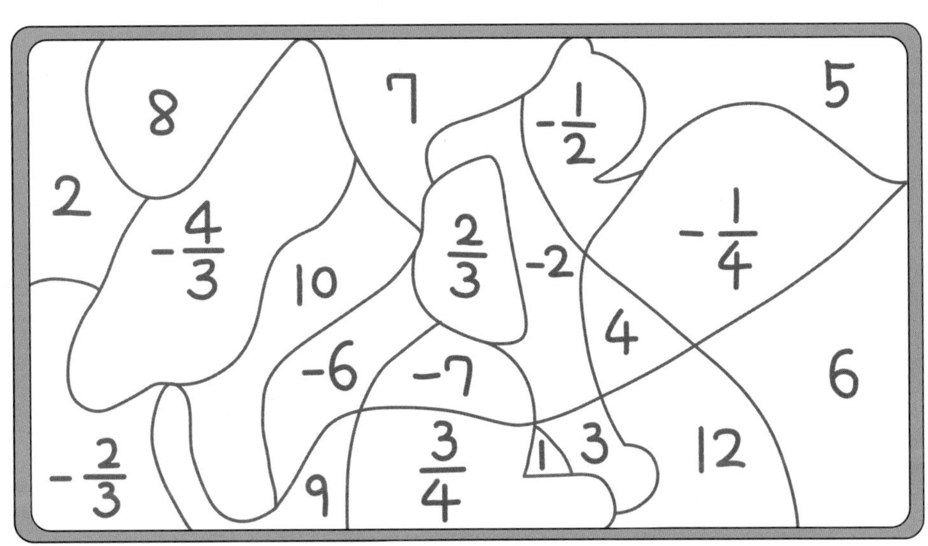

3
주

4주 이번 주에는 무엇을 공부할까? ①

• 이번 주에 공부할 내용

일차함수의 그래프의 성질 / 일차함수와 일차방정식 / 연립방정식의 해와 그래프

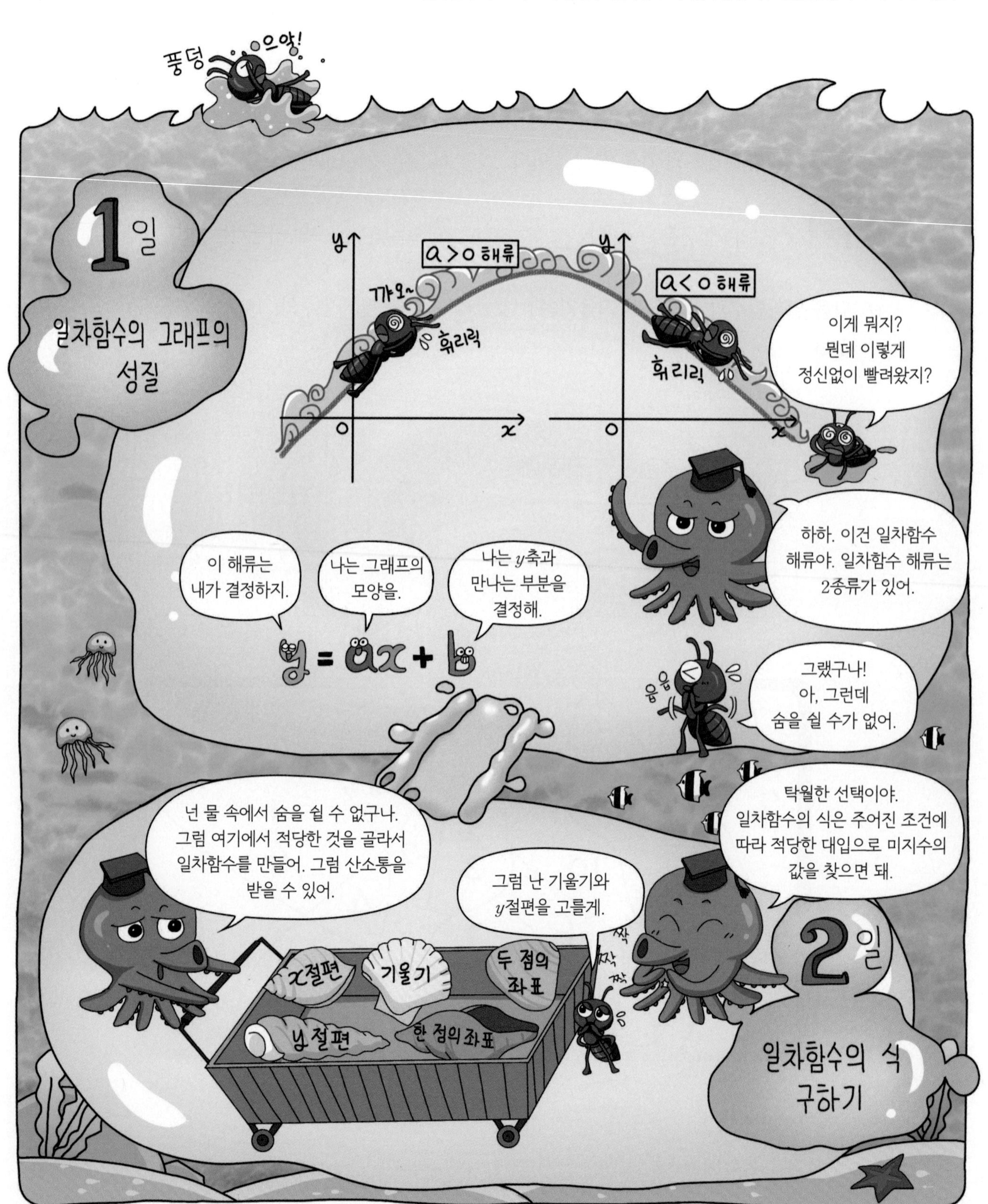

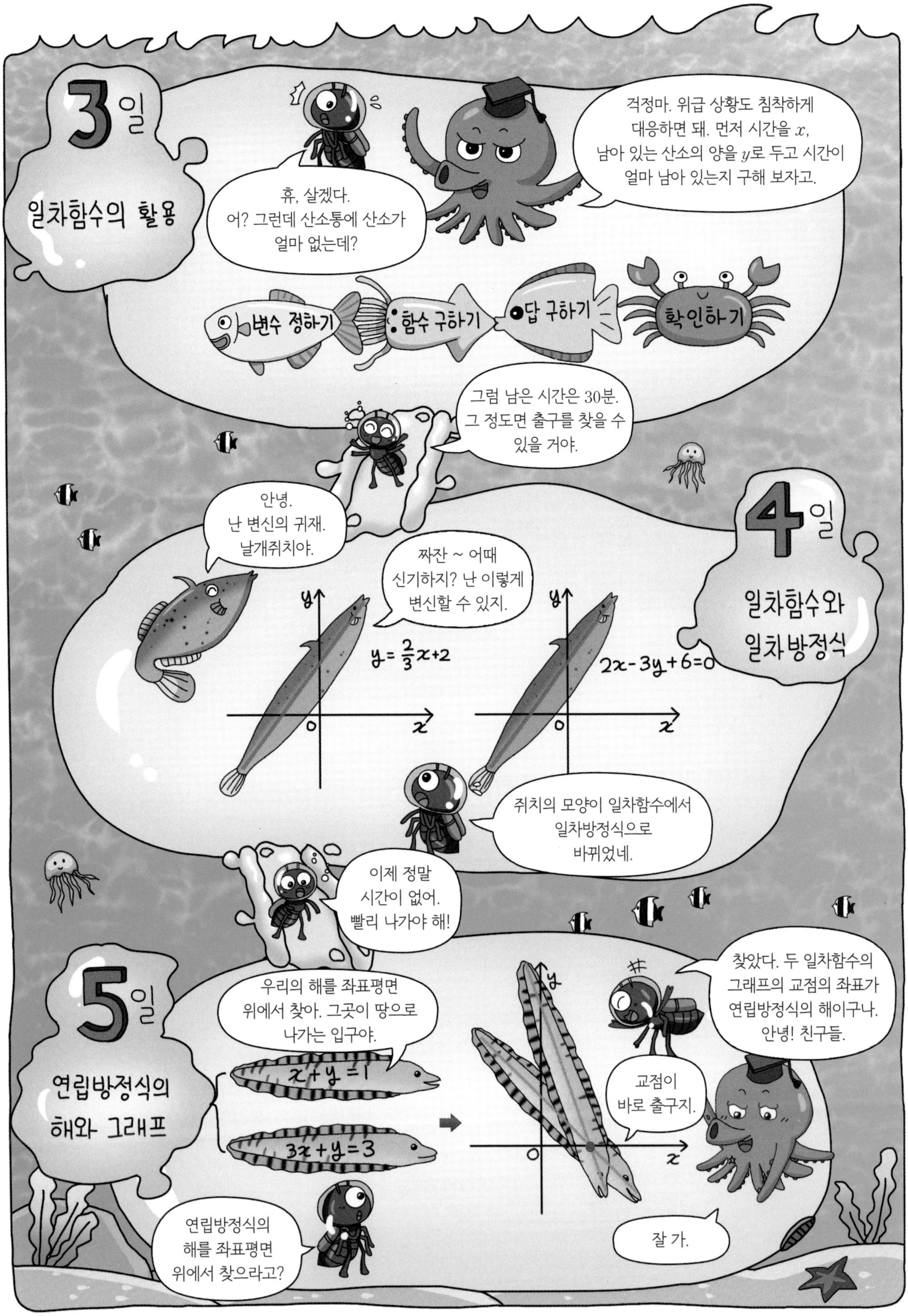

3일 일차함수의 활용

휴, 살겠다.
어? 그런데 산소통에 산소가 얼마 없는데?

걱정마. 위급 상황도 침착하게 대응하면 돼. 먼저 시간을 x, 남아 있는 산소의 양을 y로 두고 시간이 얼마 남아 있는지 구해 보자고.

변수 정하기
함수 구하기
답 구하기
확인하기

그럼 남은 시간은 30분. 그 정도면 출구를 찾을 수 있을 거야.

4일 일차함수와 일차방정식

안녕. 난 변신의 귀재. 날개쥐치야.

짜잔 ~ 어때 신기하지? 난 이렇게 변신할 수 있지.

$y=\frac{2}{3}x+2$

$2x-3y+6=0$

쥐치의 모양이 일차함수에서 일차방정식으로 바뀌었네.

이제 정말 시간이 없어. 빨리 나가야 해!

5일 연립방정식의 해와 그래프

우리의 해를 좌표평면 위에서 찾아. 그곳이 땅으로 나가는 입구야.

$x+y=1$

$3x+y=3$

연립방정식의 해를 좌표평면 위에서 찾으라고?

교점이 바로 출구지.

찾았다. 두 일차함수의 그래프의 교점의 좌표가 연립방정식의 해이구나. 안녕! 친구들.

잘 가.

이전 학년 내용

이번 주에는 무엇을 공부할까? ❷

평행이동한 그래프의 식을 구할 수 있는가?

1-1

다음 일차함수의 그래프를 y축의 방향으로 [ ] 안의 수만큼 평행이동한 그래프의 식을 구하시오.

(1) $y=\frac{2}{3}x$ [3]　　(2) $y=3x$ [-2]

- 평행이동 : 한 도형을 일정한 방향으로 일정한 거리만큼 이동한 것
- 일차함수 $y=ax+b(a\neq0)$의 그래프
  일차함수 $y=ax$의 그래프를 y축의 방향으로 b만큼 평행이동한 직선

$y=ax$ —(y축의 방향으로 b만큼 평행이동)→ $y=ax+b$

1-2

다음 일차함수의 그래프를 y축의 방향으로 [ ] 안의 수만큼 평행이동한 그래프의 식을 구하시오.

(1) $y=\frac{1}{2}x$ [3]

(2) $y=-2x$ [-4]

(3) $y=5x$ $\left[-\frac{1}{2}\right]$

(4) $y=-3x$ $\left[\frac{1}{4}\right]$

일차함수의 그래프의 기울기, x절편, y절편을 구할 수 있는가?

2-1

일차함수 $y=-2x+5$의 그래프에 대하여 다음을 구하시오.

(1) 기울기

(2) x절편

(3) y절편

일차함수 $y=ax+b$의 그래프에서 기울기, x절편, y절편

(1) 기울기 : a

(2) x절편 : $y=0$일 때, x의 값 ➡ $-\frac{b}{a}$

(3) y절편 : $x=0$일 때, y의 값 ➡ b

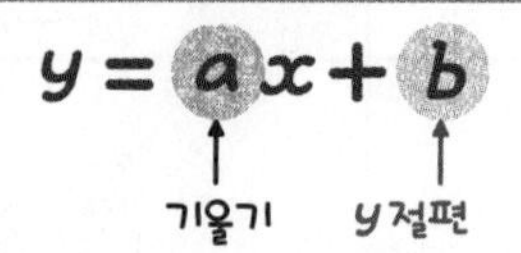

2-2

다음 일차함수의 그래프의 기울기, x절편, y절편을 각각 구하시오.

(1) $y=-x+6$

➡ 기울기 : _____, x절편 : _____, y절편 : _____

(2) $y=2x-3$

➡ 기울기 : _____, x절편 : _____, y절편 : _____

(3) $y=\frac{2}{3}x+4$

➡ 기울기 : _____, x절편 : _____, y절편 : _____

미지수가 2개인 일차방정식의 해를 구할 수 있는가?

3-1

일차방정식 $2x+y=7$에 대하여 다음 표를 완성하고, x, y가 자연수일 때 일차방정식의 해를 순서쌍 (x, y)로 나타내시오.

x	1	2	3	4
y				

일차방정식의 해 : ____________

- 미지수가 2개인 일차방정식의 해
  미지수가 2개인 일차방정식을 만족하는 x, y의 값 또는 그 순서쌍 (x, y)
- x, y가 자연수일 때, 미지수가 2개인 일차방정식의 해
  ➡ $x=1, 2, 3, \cdots$을 주어진 방정식에 대입하여 y의 값이 자연수가 되는 순서쌍 (x, y)를 찾는다.

3-2

다음 일차방정식에 대하여 표를 완성하고, x, y가 자연수일 때 일차방정식의 해를 순서쌍 (x, y)로 나타내시오.

(1) $x+y=4$

x	1	2	3	4
y				

일차방정식의 해 : ____________

(2) $3x+y=14$

x	1	2	3	4	5
y					

일차방정식의 해 : ____________

연립방정식의 해를 구할 수 있는가?

4-1

다음 연립방정식을 푸시오.

(1) $\begin{cases} y=x+3 \\ x+3y=1 \end{cases}$

(2) $\begin{cases} x+y=4 \\ 2x-3y=-2 \end{cases}$

연립방정식의 풀이 방법

(1) 대입법 : 한 방정식을 다른 방정식에 대입하여 푼다.

예 $\begin{cases} x=-y+8 & \cdots ㉠ \\ 2x+3y=5 & \cdots ㉡ \end{cases}$ ➡ $2(-y+8)+3y=5$

㉠을 ㉡에 대입

(2) 가감법 : 한 미지수의 계수의 절댓값을 같게 한 후 두 식을 변끼리 더하거나 뺀다.

예 $\begin{cases} x+y=8 & \cdots ㉠ \\ 2x+3y=5 & \cdots ㉡ \end{cases}$ ➡ $\begin{array}{r} 2x+2y=16 \\ -)\ 2x+3y=5 \\ \hline -y=11 \end{array}$

㉠×2

x의 계수의 부호가 같으므로 뺀다.

4-2

다음 연립방정식을 푸시오.

(1) $\begin{cases} y=x-2 \\ 2x-y=5 \end{cases}$

(2) $\begin{cases} x=3y-1 \\ 3x+y=7 \end{cases}$

(3) $\begin{cases} x-y=5 \\ x+y=-3 \end{cases}$

(4) $\begin{cases} 2x+3y=8 \\ x-2y=-3 \end{cases}$

4주

1. 일차함수 $y=ax+b$의 그래프의 성질

일차함수 $y=ax+b$의 그래프의 성질

a의 부호는 그래프의 모양을 결정하고, b의 부호는 그래프가 y축과의 만나는 점의 위치를 결정해.

일차함수 $y=ax+b$의 그래프에서

(1) $a>0$일 때, x의 값이 증가하면 y의 값도 증가한다.
➡ 오른쪽 위로 향하는 직선
$a<0$일 때, x의 값이 증가하면 y의 값은 감소한다.
➡ 오른쪽 아래로 향하는 직선

(2) $b>0$일 때, y축과 양의 부분에서 만난다. ➡ y절편이 양수
$b<0$일 때, y축과 음의 부분에서 만난다. ➡ y절편이 음수

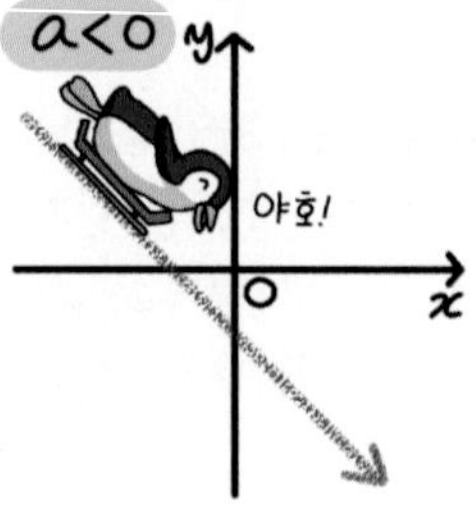

일차함수 $y=ax+b$의 그래프의 모양

일차함수 $y=ax+b$에서 기울기 a의 부호와 y절편 b의 부호만 알면 그래프의 대략적인 모양을 그릴 수 있어.

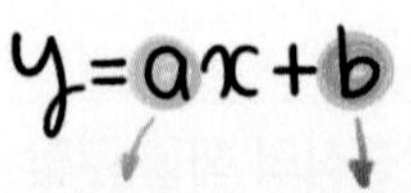

$a>0$, $b>0$일 때	$a>0$, $b<0$일 때	$a<0$, $b>0$일 때	$a<0$, $b<0$일 때
x축보다 위, 오른쪽 위	x축보다 아래, 오른쪽 위	x축보다 위, 오른쪽 아래	x축보다 아래, 오른쪽 아래
제1, 2, 3사분면을 지난다.	제1, 3, 4사분면을 지난다.	제1, 2, 4사분면을 지난다.	제2, 3, 4사분면을 지난다.

회색 글씨를 따라 쓰면서 개념을 정리해 보세요.

일차함수 $y=ax+b$의 그래프는

(1) $a>0$이면 오른쪽 위로 향하는 직선이다.

(2) $a<0$이면 오른쪽 아래로 향하는 직선이다.

개념 원리 확인

정답과 풀이 51쪽

일차함수 $y=ax+b$의 그래프의 성질 (1)

1-1 보기 의 일차함수의 그래프를 좌표평면 위에 그리고, 다음을 구하시오.

보기

ㄱ $y=-x+2$　　ㄴ $y=3x+1$

ㄷ $y=\frac{1}{2}x+1$　　ㄹ $y=-\frac{3}{2}x-1$

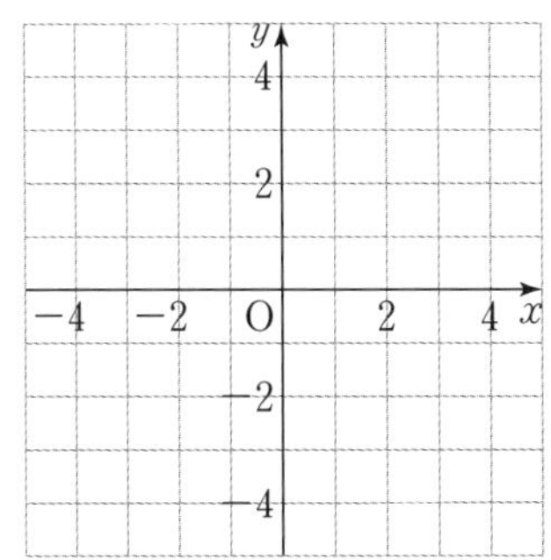

(1) 오른쪽 위로 향하는 직선

(2) x의 값이 증가하면 y의 값은 감소하는 직선

1-2 보기 의 일차함수의 그래프를 좌표평면 위에 그리고, 다음을 구하시오.

보기

ㄱ $y=2x-3$　　ㄴ $y=-2x+3$

ㄷ $y=-\frac{2}{3}x-2$　　ㄹ $y=\frac{1}{3}x+4$

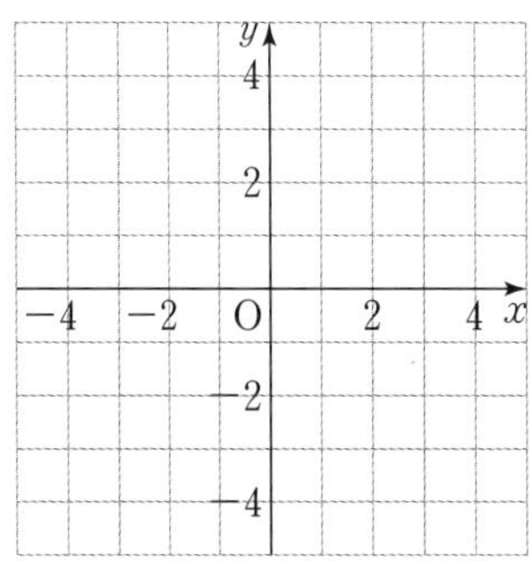

(1) 오른쪽 아래로 향하는 직선

(2) x의 값이 증가하면 y의 값도 증가하는 직선

일차함수 $y=ax+b$의 그래프의 성질 (2)

2-1 다음 중 일차함수 $y=3x-2$의 그래프에 대한 설명으로 옳은 것에는 '○'를, 옳지 않은 것에는 '×'를 (　　) 안에 써넣으시오.

(1) x절편은 $\frac{2}{3}$이다. (　　)

(2) y축과의 교점의 좌표는 $(-2, 0)$이다. (　　)

(3) 기울기는 3이다. (　　)

(4) 제3사분면을 지나지 않는다. (　　)

(5) x의 값이 증가하면 y의 값도 증가한다. (　　)

2-2 다음 중 일차함수 $y=-\frac{3}{5}x+3$의 그래프에 대한 설명으로 옳은 것에는 '○'를, 옳지 않은 것에는 '×'를 (　　) 안에 써넣으시오.

(1) x절편은 5이다. (　　)

(2) y축과 양의 부분에서 만난다. (　　)

(3) 오른쪽 위로 향하는 직선이다. (　　)

(4) 제1, 3, 4사분면을 지난다. (　　)

(5) x의 값이 증가하면 y의 값은 감소한다. (　　)

기울기가 같은 두 일차함수의 그래프의 평행과 일치

기울기가 같은 두 일차함수의 **그래프는 서로 평행**하거나 **일치**한다.

두 일차함수 $y=ax+b$, $y=cx+d$의 그래프에 대하여

(1) 기울기가 같고 $a=c$
y절편이 다르면 $b \neq d$
두 그래프는 서로 평행하다.

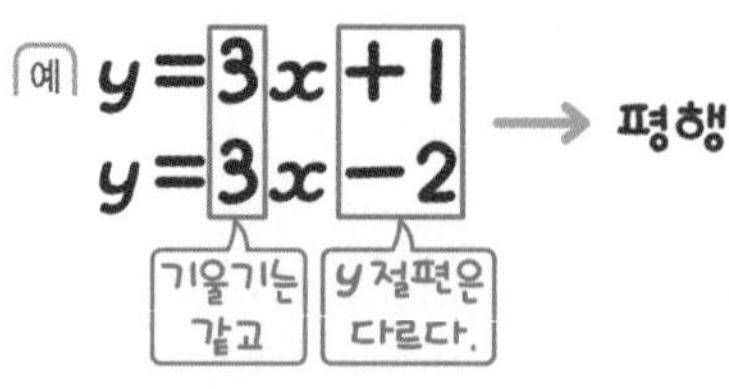

(2) 기울기가 같고 $a=c$
y절편도 같으면 $b=d$
두 그래프는 일치한다.

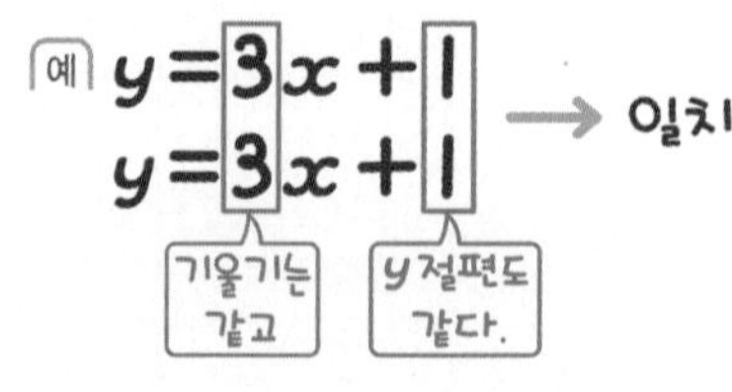

서로 평행한 두 일차함수의 기울기

서로 **평행한** 두 일차함수의 **그래프의 기울기**는 서로 **같다.**

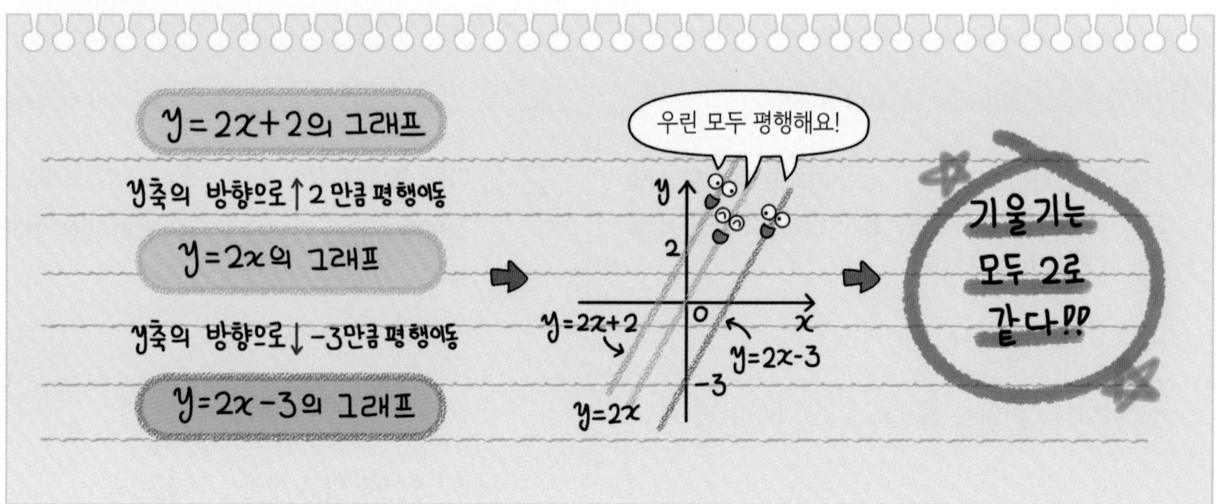

회색 글씨를 따라 쓰면서 개념을 정리해 보세요.

두 일차함수 $y=ax+b$, $y=cx+d$의 그래프에서

1 $a=c$, $b \neq d$ (기울기가 같고 y절편이 다르다.) ➡ 평행

2 $a=c$, $b=d$ (기울기가 같고 y절편도 같다.) ➡ 일치

개념 원리 확인

ㅇ정답과 풀이 51쪽

일차함수의 그래프의 평행과 일치 (1)

3-1 다음 보기 의 일차함수의 그래프에 대하여 물음에 답하시오.

보기

ㄱ $y=x-2$ ㄴ $y=-2x+1$
ㄷ $y=3x-3$ ㄹ $y=-2x-1$
ㅁ $y=\frac{4}{5}x-2$ ㅂ $y=-3(1-x)$

(1) 서로 평행한 것끼리 짝을 지으시오.

(2) 일치하는 것끼리 짝을 지으시오.

3-2 다음 보기 의 일차함수의 그래프에 대하여 물음에 답하시오.

보기

ㄱ $y=4x-2$ ㄴ $y=\frac{1}{4}x+5$
ㄷ $y=2(x+1)+5$ ㄹ $y=-3x-1$
ㅁ $y=-3x-2$ ㅂ $y=4\left(x-\frac{1}{2}\right)$

(1) 서로 평행한 것끼리 짝을 지으시오.

(2) 일치하는 것끼리 짝을 지으시오.

일차함수의 그래프의 평행과 일치 (2)

4-1 다음 ☐ 안에 알맞은 것을 써넣으시오.

(1) 두 일차함수 $y=ax+1$과 $y=5x-2$의 그래프가 서로 평행할 때, 상수 a의 값을 구하시오.

➡ 서로 평행한 두 일차함수의 그래프는 ☐가 같고 y절편이 다르므로
$a=$☐

(2) 일차함수 $y=ax+4$의 그래프와 일차함수 $y=3x+b$의 그래프가 일치할 때, 상수 a, b의 값을 각각 구하시오.

➡ 일치하는 두 일차함수의 그래프는 기울기가 같고 ☐도 같으므로
$a=$☐, $b=$☐

4-2 다음 물음에 답하시오.

(1) 두 일차함수 $y=-\frac{1}{3}x-1$과 $y=ax+4$의 그래프가 서로 평행할 때, 상수 a의 값을 구하시오.

(2) 일차함수 $y=\frac{3}{2}x+b$의 그래프와 일차함수 $y=-3ax-5$의 그래프가 일치할 때, 상수 a, b의 값을 각각 구하시오.

4주
1일

1일 기초 집중 연습

정답과 풀이 52쪽

개념 01 일차함수 $y=ax+b$의 그래프의 성질

(1) $a>0$, $b>0$일 때

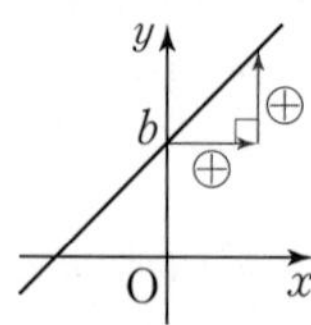

(2) $a>0$, $b<0$일 때

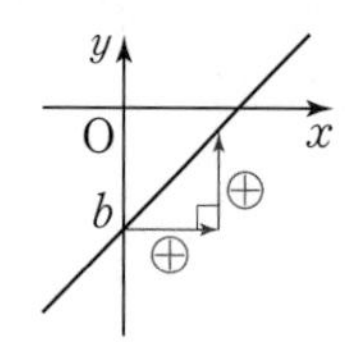

(3) $a<0$, $b>0$일 때

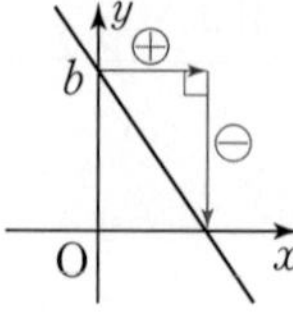

(4) $a<0$, $b<0$일 때

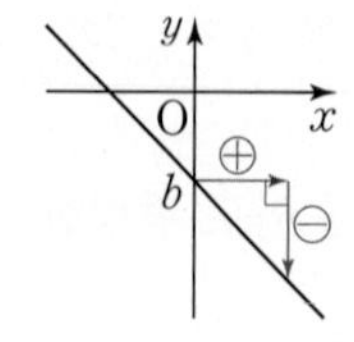

1-1

보기에서 다음 일차함수의 그래프의 모양으로 적당한 것을 고르시오.

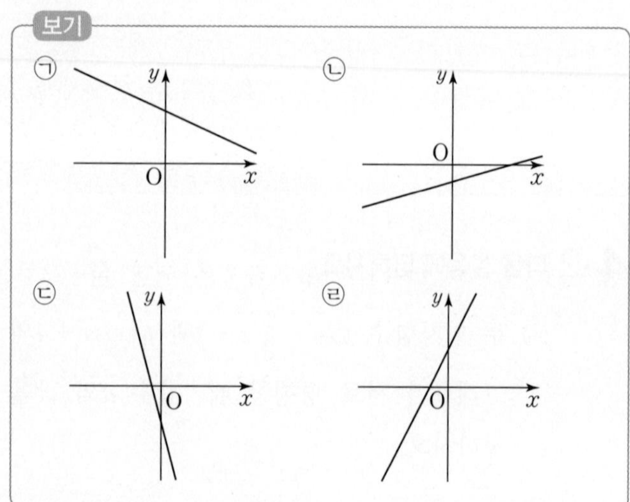

(1) $y=3x+2$

(2) $y=\frac{1}{3}x-2$

(3) $y=-4x-3$

(4) $y=-\frac{1}{2}x+4$

1-2

보기의 일차함수의 그래프 중 다음을 만족하는 일차함수를 모두 고르시오.

보기

ㄱ $y=-4x+2$

ㄴ $y=4x$

ㄷ $y=-\frac{2}{3}x-4$

ㄹ $y=\frac{3}{2}x+3$

ㅁ $y=-5x+3$

ㅂ $y=\frac{1}{4}x-5$

(1) 오른쪽 위로 향하는 직선

(2) 오른쪽 아래로 향하는 직선

(3) x의 값이 증가할 때 y의 값은 감소하는 직선

1-3

다음 중 일차함수 $y=2x-5$의 그래프에 대한 설명으로 옳은 것을 모두 고르면? (정답 2개)

① y절편은 5이다.

② 제1, 2, 3사분면을 지난다.

③ x축과 만나는 점의 좌표는 $\left(\frac{5}{2}, 0\right)$이다.

④ x의 값이 2만큼 증가할 때, y의 값은 5만큼 증가한다.

⑤ $y=2x$의 그래프를 y축의 방향으로 -5만큼 평행이동한 그래프이다.

개념 02 일차함수 $y=ax+b$의 그래프와 a, b의 부호

일차함수 $y=ax+b$의 그래프가
(1) 오른쪽 위로 향한다. ➡ $a>0$
 오른쪽 아래로 향한다. ➡ $a<0$
(2) y축과 양의 부분에서 만난다. ➡ $b>0$
 y축과 음의 부분에서 만난다. ➡ $b<0$

2-1

일차함수 $y=ax+b$의 그래프가 오른쪽 그림과 같을 때, a, b의 부호를 각각 구하시오.

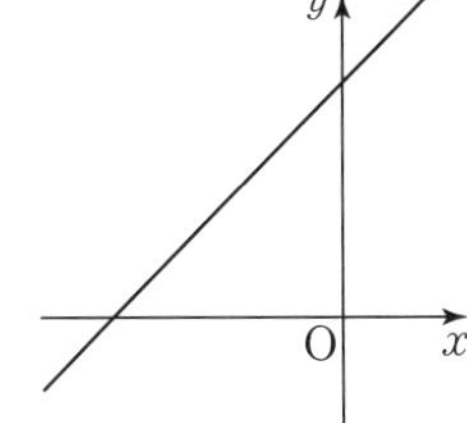

그래프가 오른쪽 위로 향하는 직선이므로 a □ 0
또 y축과 양의 부분에서 만나므로 b □ 0

2-2

일차함수 $y=ax-b$의 그래프가 오른쪽 그림과 같을 때, 상수 a, b의 부호는?

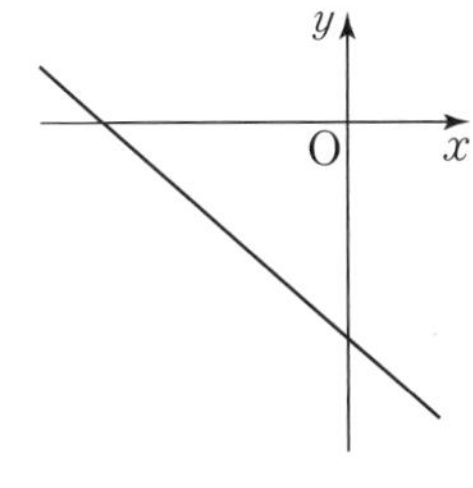

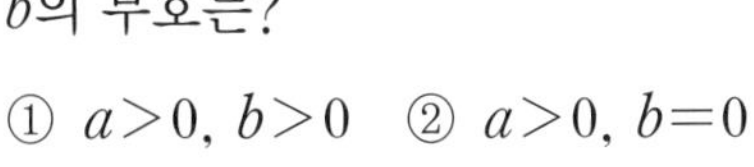

① $a>0$, $b>0$ ② $a>0$, $b=0$
③ $a>0$, $b<0$ ④ $a<0$, $b>0$
⑤ $a<0$, $b<0$

개념 03 일차함수의 그래프의 평행과 일치

두 일차함수 $y=ax+b$, $y=cx+d$의 그래프가
(1) 서로 평행하다. ➡ 만나지 않는다.
 ➡ 기울기가 같고, y절편이 다르다.
 ➡ $a=c$, $b\neq d$
(2) 일치한다. ➡ 기울기가 같고, y절편도 같다.
 ➡ $a=c$, $b=d$

3-1

다음 일차함수 중 그 그래프가 서로 평행한 것끼리 바르게 연결하시오.

(1) $y=x$ • • ㉠ $y=-x+3$

(2) $y=-(x+2)$ • • ㉡ $y=\frac{1}{2}x-1$

(3) $y=\frac{1}{2}x+5$ • • ㉢ $y=x-4$

3-2

두 일차함수 $y=3ax-5$, $y=6x-b+1$의 그래프가 일치할 때, $a-b$의 값은? (단, a, b는 상수)

① -6 ② -5 ③ -4
④ -3 ⑤ -2

3-3

다음 중 보기 의 일차함수의 그래프에 대한 설명으로 옳지 않은 것은?

보기
㉠ $y=3x+1$ ㉡ $y=3x-6$
㉢ $y=-\frac{1}{3}x+1$ ㉣ $y=-3x-9$

① ㉠과 ㉡의 그래프는 서로 평행하다.
② ㉠의 그래프는 ㉣의 그래프를 y축의 방향으로 10만큼 평행이동한 것이다.
③ ㉠과 ㉢의 그래프는 y절편이 서로 같다.
④ ㉢과 ㉣의 그래프는 x의 값이 증가하면 y의 값은 감소한다.
⑤ ㉡과 ㉣의 그래프는 x절편이 서로 다르다.

3. 일차함수의 식 구하기 (1)

기울기와 y절편이 주어질 때, 일차함수의 식 구하기

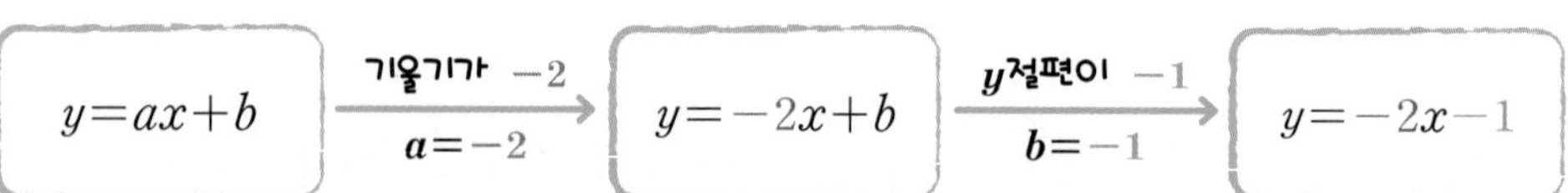

예 기울기가 -2이고 y절편이 -1인 직선을 그래프로 하는 일차함수의 식을 구해 보자.

$y=ax+b$ —(기울기가 -2, $a=-2$)→ $y=-2x+b$ —(y절편이 -1, $b=-1$)→ $y=-2x-1$

기울기와 한 점의 좌표가 주어질 때, 일차함수의 식 구하기

기울기가 a이고 한 점 (●, ▲)를 지나는 직선을 그래프로 하는 일차함수의 식은 다음과 같은 순서로 구한다.

① 일차함수의 식을 $y=ax+b$로 놓는다.

② $y=ax+b$에 $x=$●, $y=$▲를 대입하여 b의 값을 구한다.

➡ ▲$=a\times$●$+b$가 성립한다.

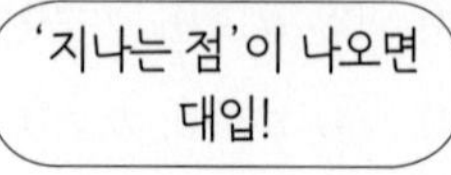

예 기울기가 3이고 점 $(1,\ -2)$를 지나는 직선을 그래프로 하는 일차함수의 식을 구해 보자.

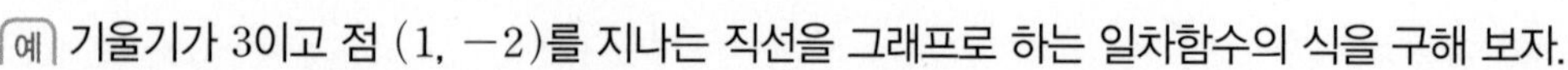

$y=ax+b$ —(기울기가 3, $a=3$)→ $y=3x+b$ —(점 $(1,\ -2)$를 지남, $x=1$, $y=-2$를 대입)→ $-2=3\times1+b$ $\therefore\ b=-5$ → $y=3x-5$

회색 글씨를 따라 쓰면서 개념을 정리해 보세요.

1 기울기와 y절편이 주어질 때, 일차함수의 식 구하기

➡ $y=$(기울기)$x+$(y절편)

2 기울기와 한 점의 좌표가 주어질 때, 일차함수의 식 구하기

➡ $y=$(기울기)$x+b$에 주어진 점의 좌표를 대입하여 b의 값을 구한다.

개념 원리 확인

정답과 풀이 53쪽

기울기와 y절편이 주어질 때, 일차함수의 식 구하기

1-1 다음 직선을 그래프로 하는 일차함수의 식을 구하시오.

(1) 기울기가 5이고 y절편이 2인 직선

(2) 기울기가 -3이고 점 $(0,\ -1)$을 지나는 직선

1-2 다음 직선을 그래프로 하는 일차함수의 식을 구하시오.

(1) 기울기가 -2이고 y절편이 4인 직선

(2) 기울기가 $\frac{1}{2}$이고 점 $(0,\ -3)$을 지나는 직선

기울기와 한 점의 좌표가 주어질 때, 일차함수의 식 구하기 (1)

2-1 다음 직선을 그래프로 하는 일차함수의 식을 구하시오.

(1) 기울기가 3이고 점 $(-2,\ 1)$을 지나는 직선

(2) 기울기가 $-\frac{2}{5}$이고 점 $(5,\ -3)$을 지나는 직선

2-2 다음 직선을 그래프로 하는 일차함수의 식을 구하시오.

(1) 기울기가 $-\frac{1}{2}$이고 점 $(4,\ -2)$를 지나는 직선

(2) 기울기가 3이고 점 $(2,\ 0)$을 지나는 직선

2일

기울기와 한 점의 좌표가 주어질 때, 일차함수의 식 구하기 (2)

3-1 일차함수 $y=3x-5$의 그래프와 평행하고, 점 $(-2,\ -6)$을 지나는 직선을 그래프로 하는 일차함수의 식을 구하시오. (→ 기울기가 같다!)

➡ ❶ 일차함수의 식을 $y=\square x+b$로 놓는다.

❷ 이 그래프가 점 $(-2,\ -6)$을 지나므로 $x=\square$, $y=\square$을 대입하면 $b=\square$

❸ 따라서 구하는 일차함수의 식은 $\square$

3-2 다음 직선을 그래프로 하는 일차함수의 식을 구하시오.

(1) 일차함수 $y=x-5$의 그래프와 평행하고, y절편이 4인 직선

(2) 일차함수 $y=-\frac{1}{3}x+1$의 그래프와 평행하고, 점 $\left(1,\ \frac{4}{3}\right)$를 지나는 직선

서로 다른 두 점 (x_1, y_1), (x_2, y_2)를 지나는 일차함수의 그래프의 기울기

$$(\text{기울기}) = \frac{(y\text{의 값의 증가량})}{(x\text{의 값의 증가량})} = \frac{y_2 - y_1}{x_2 - x_1}$$

예 두 점 $(1, 4)$, $(5, 12)$를 지나는 직선의 기울기

➡ $(\text{기울기}) = \frac{12-4}{5-1} = \frac{8}{4} = 2$

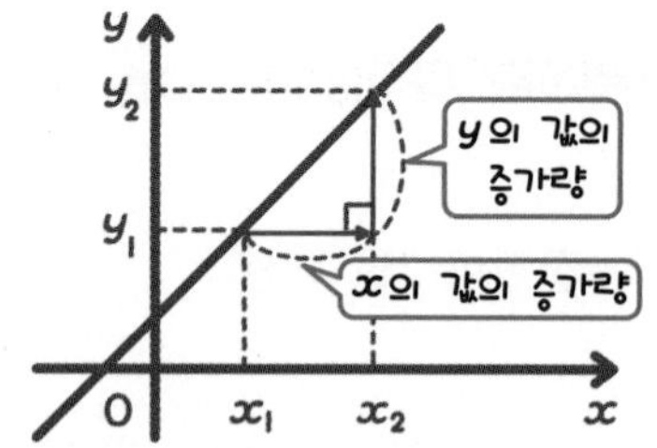

서로 다른 두 점의 좌표가 주어질 때, 일차함수의 식 구하기

예 두 점 $(1, 5)$, $(3, 9)$를 지나는 직선을 그래프로 하는 일차함수의 식을 구해 보자.

$y=ax+b$ —[$(\text{기울기})=\frac{9-5}{3-1}=2$, $a=2$]→ $y=2x+b$ —[점 $(1, 5)$를 지남, $x=1$, $y=5$를 대입]→ $5=2\times1+b$ $\therefore b=3$ → $y=2x+3$

x절편과 y절편이 주어질 때, 일차함수의 식 구하기

예 x절편이 3이고 y절편이 1인 직선을 그래프로 하는 일차함수의 식을 구해 보자.

$y=ax+b$ —[x절편이 3, y절편이 1]→ 두 점 $(3, 0)$, $(0, 1)$을 지남 —[$(\text{기울기})=\frac{1-0}{0-3}=-\frac{1}{3}$, $a=-\frac{1}{3}$]→ $y=-\frac{1}{3}x+b$ —[y절편이 1, $b=1$]→ $y=-\frac{1}{3}x+1$

회색 글씨를 따라 쓰면서 개념을 정리해 보세요.

❖ 서로 다른 두 점 (x_1, y_1), (x_2, y_2)를 지나는 직선을 그래프로 하는 일차함수의 식 구하기

❶ 기울기 a를 구한다. ➡ $a=\frac{y_2-y_1}{x_2-x_1}=\frac{y_1-y_2}{x_1-x_2}$

❷ 일차함수의 식을 $y=ax+b$로 놓는다.

❸ $y=ax+b$에 두 점 중 한 점의 좌표를 대입하여 b의 값을 구한다.

개념 원리 확인

정답과 풀이 54쪽

두 점을 지나는 일차함수의 그래프의 기울기

4-1 두 점 $(1,\ 3)$, $(6,\ 5)$를 지나는 일차함수의 그래프의 기울기를 구하시오.

➡ $(\text{기울기})=\dfrac{\square-3}{6-\square}=\square$

4-2 다음 두 점을 지나는 일차함수의 그래프의 기울기를 구하시오.

(1) $(2,\ 4)$, $(8,\ 12)$

(2) $(-3,\ 1)$, $(-2,\ -1)$

서로 다른 두 점의 좌표가 주어질 때, 일차함수의 식 구하기

5-1 두 점 $(1,\ 2)$, $(3,\ 5)$를 지나는 직선을 그래프로 하는 일차함수의 식을 구하시오.

➡ ❶ $(\text{기울기})=\dfrac{\square-2}{3-1}=\square$이므로 구하는 일차함수의 식을 $y=\square x+b$로 놓는다.

❷ 이 그래프가 점 $(1,\ 2)$를 지나므로 $x=\square$, $y=\square$를 대입하면 $b=\square$

❸ 따라서 구하는 일차함수의 식은 $y=\square$

5-2 다음 두 점을 지나는 직선을 그래프로 하는 일차함수의 식을 구하시오.

(1) $(-2,\ -6)$, $(1,\ 3)$

(2) $(-8,\ 9)$, $(-4,\ 6)$

(3) $(-3,\ 2)$, $(-1,\ 1)$

2일

x절편과 y절편이 주어질 때, 일차함수의 식 구하기

6-1 x절편이 4, y절편이 1인 직선을 그래프로 하는 일차함수의 식을 구하시오.

➡ ❶ 그래프가 두 점 $(4,\ 0)$, $(0,\ \square)$을 지나므로 $(\text{기울기})=\dfrac{\square-0}{0-4}=\square$

❷ 일차함수의 식을 $y=\square x+b$로 놓으면 y절편이 1이므로 구하는 일차함수의 식은 $y=\square$

6-2 다음 직선을 그래프로 하는 일차함수의 식을 구하시오.

(1) x절편이 -3, y절편이 -9인 직선

(2) x절편이 -2, y절편이 7인 직선

(3) x절편이 2, y절편이 -1인 직선

4주 2일 기초 집중 연습

○ 정답과 풀이 55쪽

개념 01 기울기와 y절편이 주어질 때, 일차함수의 식 구하기

기울기가 a이고 y절편이 b인 직선을 그래프로 하는 일차함수의 식은

$$y=ax+b$$

(기울기 a, y절편 b)

예 기울기가 2이고 y절편이 1인 직선을 그래프로 하는 일차함수의 식은
$y=2x+1$

1-1

기울기가 3이고 y절편이 -1인 직선을 그래프로 하는 일차함수의 식은?

① $y=3x+1$ ② $y=3x-1$ ③ $y=-x+3$ ④ $y=-x-3$ ⑤ $y=-3x-1$

1-2

일차함수 $y=\frac{7}{2}x+1$의 그래프와 평행하고, y절편이 -2인 직선을 그래프로 하는 일차함수의 식을 구하시오.

1-3

일차함수 $y=-4x+3$의 그래프와 평행하고, 점 $(0,\ 1)$을 지나는 직선을 그래프로 하는 일차함수의 식은?

① $y=-4x+1$ ② $y=-4x-1$ ③ $y=-4x+2$ ④ $y=4x-2$ ⑤ $y=4x+1$

개념 02 기울기와 한 점의 좌표가 주어질 때, 일차함수의 식 구하기

기울기가 a이고 한 점 $(x_1,\ y_1)$을 지나는 직선을 그래프로 하는 일차함수의 식은 다음과 같은 순서로 구한다.

❶ 일차함수의 식을 $y=ax+b$로 놓는다.

❷ $y=ax+b$에 $x=x_1$, $y=y_1$을 대입하여 b의 값을 구한다.

2-1

기울기가 -5이고 점 $(-1,\ 2)$를 지나는 직선을 그래프로 하는 일차함수의 식은?

① $y=-5x-7$ ② $y=-5x-3$ ③ $y=\frac{1}{5}x-7$ ④ $y=5x-3$ ⑤ $y=5x+7$

2-2

x의 값이 3만큼 증가할 때 y의 값은 1만큼 감소하고, 점 $(6,\ 3)$을 지나는 직선을 그래프로 하는 일차함수의 식은?

① $y=\frac{1}{3}x+1$ ② $y=-\frac{1}{3}x+1$ ③ $y=-\frac{1}{3}x+5$ ④ $y=-3x+5$ ⑤ $y=-3x+21$

2-3

기울기가 -2이고 점 $(1,\ 4)$를 지나는 직선의 x절편을 구하시오.

개념 03 두 점의 좌표가 주어질 때, 일차함수의 식 구하기

두 점 (x_1, y_1), (x_2, y_2)를 지나는 직선을 그래프로 하는 일차함수의 식은 다음과 같은 순서로 구한다.

❶ 기울기 a를 구한다. ➡ $a=\frac{y_2-y_1}{x_2-x_1}=\frac{y_1-y_2}{x_1-x_2}$

❷ 일차함수의 식을 $y=ax+b$로 놓는다.

❸ $y=ax+b$에 두 점 중 한 점의 좌표를 대입하여 b의 값을 구한다.

3-1

두 점 $(-2, 1)$, $(1, -1)$을 지나는 직선을 그래프로 하는 일차함수의 식을 구하시오.

3-2

오른쪽 그림의 직선을 그래프로 하는 일차함수의 식을 구하시오.

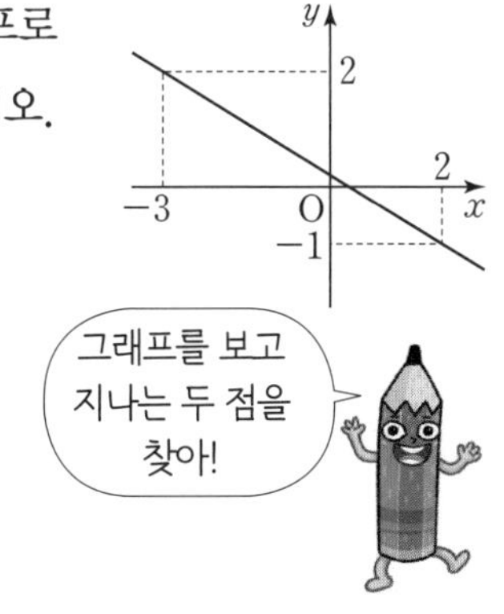

그래프를 보고 지나는 두 점을 찾아!

3-3

진원이는 다음과 같이 두 점 $(1, 5)$, $(5, 9)$를 지나는 직선을 그래프로 하는 일차함수의 식을 구하였다. 처음으로 틀린 부분을 찾고, 옳은 답을 구하시오.

x의 값이 1에서 5까지 4만큼 증가할 때
① y의 값은 5에서 9까지 4만큼 증가하므로
② (기울기)$=\frac{4}{4}=1$
이때 구하는 ③ 일차함수의 식을 $y=x+b$로 놓으면 이 그래프가 점 $(1, 5)$를 지나므로
④ $1=5+b$ $\quad\therefore b=-4$
따라서 구하는 일차함수의 식은 ⑤ $y=x-4$이다.

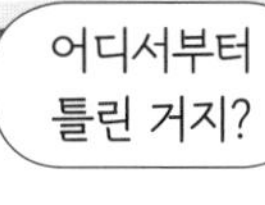

개념 04 x절편과 y절편이 주어질 때, 일차함수의 식 구하기

x절편이 m이고 y절편이 n인 직선을 그래프로 하는 일차함수의 식은 다음과 같이 구한다.

➡ 그래프가 두 점 $(m, 0)$, $(0, n)$을 지나므로

(기울기)$=\frac{n-0}{0-m}=-\frac{n}{m}$, ($y$절편)$=n$

$\therefore y=-\frac{n}{m}x+n$

4-1

다음 직선을 그래프로 하는 일차함수의 식을 구하시오.

(1) x절편이 2이고 y절편이 4인 직선

(2) x절편이 $-\frac{1}{2}$이고 y절편이 $-\frac{1}{4}$인 직선

4-2

오른쪽 그림과 같은 직선을 그래프로 하는 일차함수의 식을 구하시오.

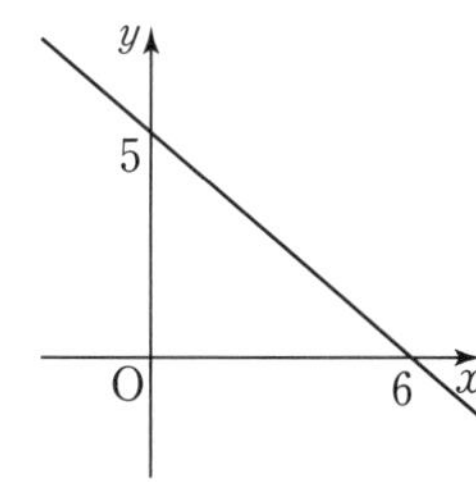

4-3

오른쪽 그림과 같은 일차함수의 그래프가 점 $(1, k)$를 지날 때, k의 값을 구하시오.

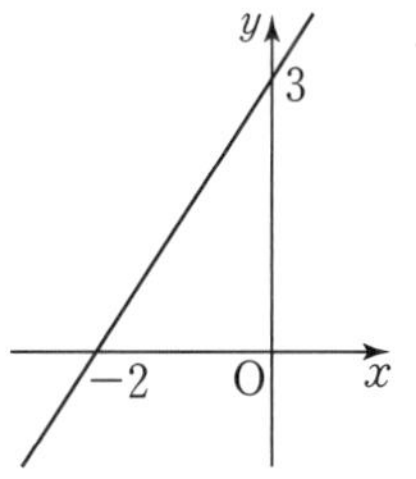

4주 2일

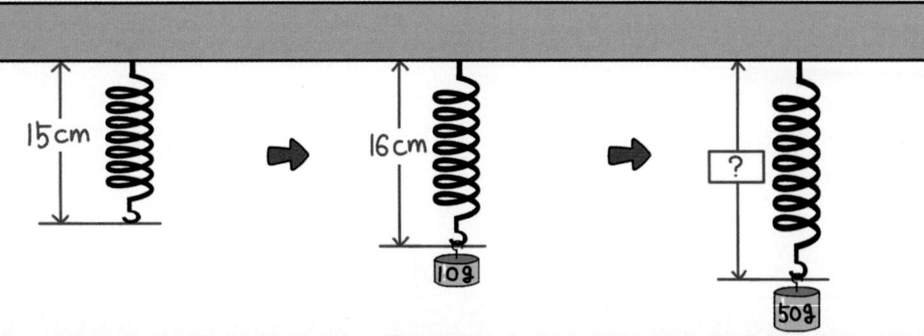

길이가 15 cm인 용수철이 있다. 이 용수철은 무게가 10 g인 추를 매달 때마다 길이가 1 cm씩 늘어난다고 한다. 이 용수철에 무게가 50 g인 추를 매달았을 때, 용수철의 길이를 구하시오.

1단계 변수 정하기

무게가 x g인 추를 매달았을 때, 용수철의 길이를 y cm라고 하자.

2단계 일차함수의 식 세우기

무게가 10 g인 추를 매달 때마다 용수철의 길이가 1 cm씩 늘어나므로 무게가 1 g인 추를 매달 때마다 용수철의 길이는 0.1 cm씩 늘어난다.
따라서 x와 y 사이의 관계식은 $y=15+0.1x$

3단계 답 구하기

$y=15+0.1x$에 $x=50$을 대입하면
$y=15+0.1\times50=20$
따라서 무게가 50 g인 추를 매달았을 때, 용수철의 길이는 20 cm이다.

4단계 확인하기

용수철의 길이가 20 cm이면 늘어난 길이는 $20-15=5$ (cm)
이때 추의 무게가 1 g 증가할 때마다 용수철의 길이는 0.1 cm씩 늘어나므로 추의 무게가 50 g이면 늘어날 용수철의 길이는 $0.1\times50=5$ (cm)
따라서 문제의 뜻에 맞는다.

회색 글씨를 따라 쓰면서 개념을 정리해 보세요.

❖ 일차함수의 활용 문제 푸는 순서

1단계 문제의 뜻을 파악하고 변화하는 두 양을 변수 x, y로 놓는다.

2단계 두 변수 x와 y 사이의 관계를 일차함수 $y=ax+b$ 꼴로 나타낸다.

3단계 함숫값이나 그래프를 이용하여 구하려는 값을 찾는다.

4단계 구한 값이 문제의 뜻에 맞는지 확인한다.

개념 원리 확인

○ 정답과 풀이 56쪽

일차함수의 활용 (1)

1-1 온도가 40 ℃인 물을 가열하면 온도가 1분에 3 ℃씩 올라간다고 한다. 가열한 지 x분 후의 물의 온도를 y ℃라고 할 때, 물음에 답하시오.

(1) 다음 표를 완성하고, y를 x의 식으로 나타내시오.

시간(분)	증가하는 물의 온도(℃)	물의 온도(℃)
0	0	40
1	3×1	$3\times1+40$
2	$3\times\square$	$3\times\square+40$
⋮	⋮	⋮
x	$3\times\square$	$3\times\square+40$

➡ $y=\square$

(2) 가열한 지 8분 후의 물의 온도를 구하시오.

$y=\square x+\square$에 $x=8$을 대입하면
$y=\square\times8+\square=\square$
따라서 가열한 지 8분 후의 물의 온도는 $\square$ ℃이다.

(3) 물의 온도가 70 ℃가 되는 것은 가열한 지 몇 분 후인지 구하시오.

$y=\square x+\square$에 $y=70$을 대입하면
$70=\square x+\square$ $\quad\therefore x=\square$
따라서 물의 온도가 70 ℃가 되는 것은 가열한 지 $\square$분 후이다.

1-2 길이가 30 cm인 양초에 불을 붙이면 양초의 길이가 1분에 2 cm씩 짧아진다고 한다. 불을 붙인 지 x분 후의 양초의 길이를 y cm라고 할 때, 물음에 답하시오.

(1) 다음 표를 완성하고, y를 x의 식으로 나타내시오.

시간(분)	줄어드는 양초의 길이 (cm)	양초의 길이 (cm)
0	0	30
1	2×1	$30-2\times1$
2	$2\times\square$	$30-2\times\square$
⋮	⋮	⋮
x	$2\times\square$	$30-2\times\square$

➡ $y=\square$

(2) 불을 붙인 지 6분 후의 양초의 길이를 구하시오.

(3) 양초가 완전히 타는 데 걸리는 시간은 몇 분인지 구하시오.

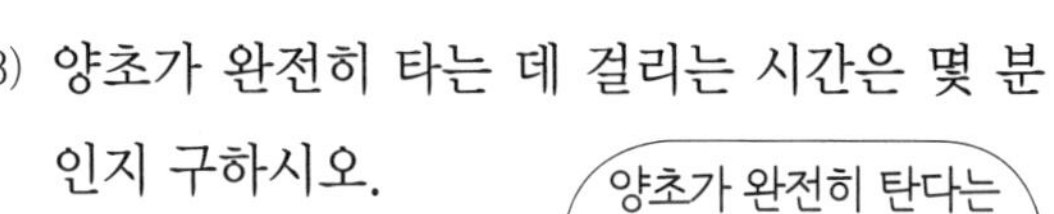

○ 정답과 풀이 56쪽

일차함수의 활용 (2) - 그래프

2-1 다음 그래프는 맑은 날 열기구를 타고 지면으로부터 높이가 상승함에 따라 일정하게 변하는 기온을 나타낸 것이다. 물음에 답하시오.

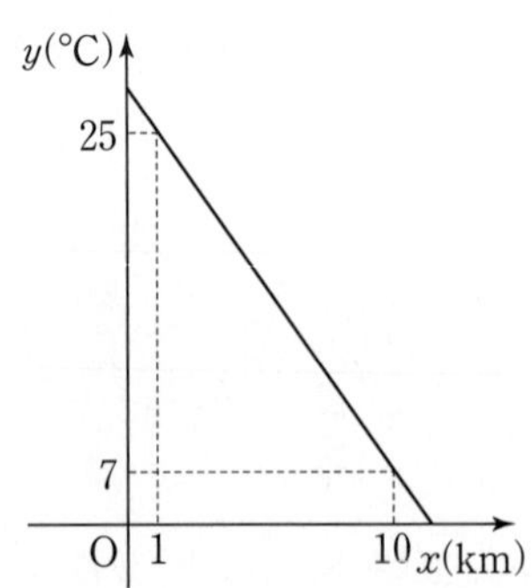

(1) 위의 그래프를 보고, y를 x의 식으로 나타내시오.

> 그래프가 두 점 (1, 25), (10, 7)을 지나므로 기울기는
> (기울기)$=\frac{7-25}{10-1}=$ ☐
> 이때 구하는 식을
> $y=$ ☐ $x+b$라고 하면
> 이 그래프가 점 (1, 25)를 지나므로
> $x=1$, $y=25$를 대입하면
> $25=$ ☐ $\times 1+b$ $\quad\therefore b=$ ☐
> 따라서 구하는 식은 $y=$ ☐

(2) 기온이 15 ℃인 곳은 지면으로부터 몇 km 높이에 있는지 구하시오.

> $y=$ ☐ $x+$ ☐ 에 $y=15$를 대입하면
> $15=$ ☐ $x+$ ☐ $\quad\therefore x=$ ☐
> 따라서 기온이 15 ℃인 곳은 지면으로부터
> ☐ km 높이에 있다.

2-2 다음 그래프는 어느 한 지점에서 지면으로부터 깊이에 따라 일정하게 변하는 땅속의 온도를 나타낸 것이다. 물음에 답하시오.

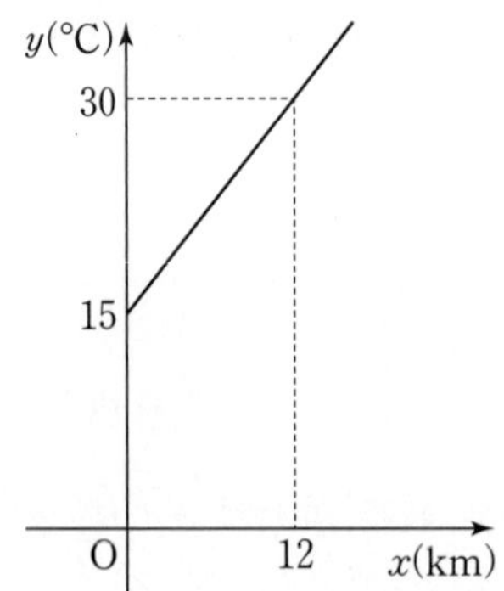

(1) 위의 그래프를 보고, y를 x의 식으로 나타내시오.

(2) 지면으로부터 깊이가 8 km인 땅속의 온도를 구하시오.

(3) 기온이 60℃인 곳은 지면으로부터 몇 km 깊이에 있는지 구하시오.

4주 3일 기초 집중 연습

개념 01 일차함수의 활용 문제를 풀 수 있는가?

① 변수 정하기 ➡ ② 일차함수의 식 세우기 ➡ ③ 답 구하기 ➡ ④ 확인하기

참고 먼저 변하는 양을 x로 놓고, x의 값에 따라 변하는 양을 y로 놓는다.

1-1

공기 중에서 소리의 속력은 기온이 0 ℃일 때, 초속 331 m이고 기온이 1 ℃ 올라갈 때마다 초속 0.6 m씩 증가한다고 한다. 기온이 x ℃일 때의 소리의 속력을 초속 y m라고 할 때, 다음 물음에 답하시오.

(1) y를 x의 식으로 나타내시오.

(2) 소리의 속력이 초속 343 m일 때의 기온을 구하시오.

1-2

20 L의 물이 들어 있는 물통에 1분마다 2 L씩 물을 넣으려고 한다. 물을 넣기 시작한 지 x분 후 물통에 들어 있는 물의 양을 y L라고 할 때, 물통에 들어 있는 물의 양이 40 L가 되는 것은 몇 분 후인지 구하시오.

1-3

1 km를 가는 데 연료를 0.2 L씩 사용하는 자동차가 있다. 이 자동차에 40 L의 휘발유를 넣고 x km를 달린 후에 남아 있는 휘발유의 양을 y L라고 할 때, 자동차가 120 km를 달린 후에 남아 있는 휘발유의 양을 구하시오.

1-4

길이가 30 cm인 용수철 저울이 있다. 이 저울은 무게가 1 g인 물건을 달 때마다 용수철의 길이가 1.5 cm씩 늘어난다. 무게가 x g인 물건을 달 때의 용수철의 길이를 y cm라고 할 때, 무게가 15 g인 물건을 달았을 때의 용수철의 길이를 구하시오.

1-5

오른쪽 그림은 길이가 40 cm인 양초에 불을 붙인 지 x시간 후의 양초의 길이를 y cm라고 할 때, x와 y 사이의 관계를 그래프로 나타낸 것이다. 양초의 길이가 15 cm가 되는 것은 불을 붙인 지 몇 시간 후인지 구하시오.

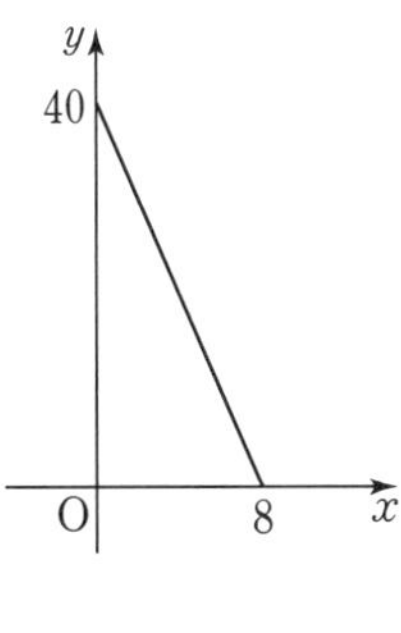

1-6

다음은 영민이네 가족이 집에서 출발하여 할머니 댁까지 가는 동안 나눈 대화이다. 출발한 지 2시간 후에 할머니 댁까지 남은 거리를 구하시오.

미지수가 2개인 일차방정식의 그래프

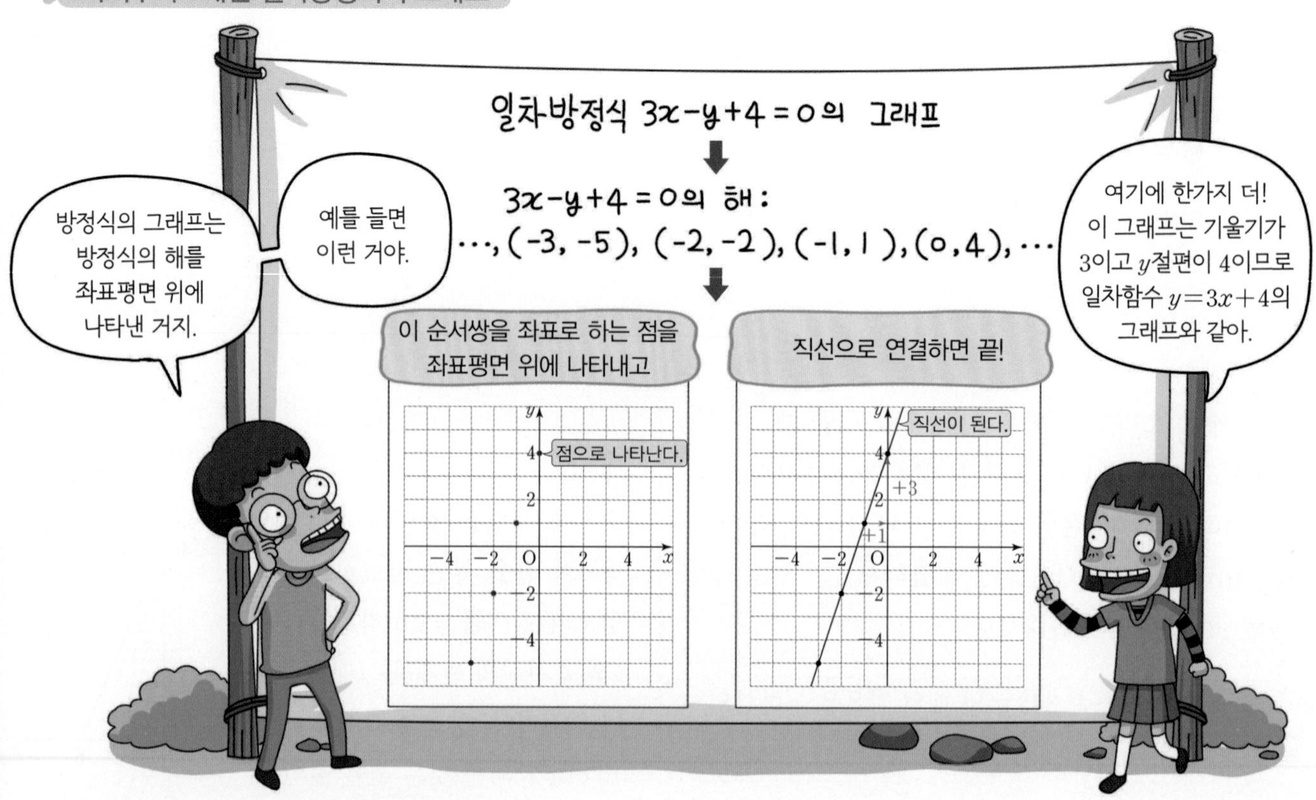

일차함수와 일차방정식 사이의 관계

미지수가 2개인 일차방정식 $ax+by+c=0$(a, b, c는 상수, $a\neq0$, $b\neq0$)의 그래프는 일차함수 $y=-\frac{a}{b}x-\frac{c}{b}$의 그래프와 같다.

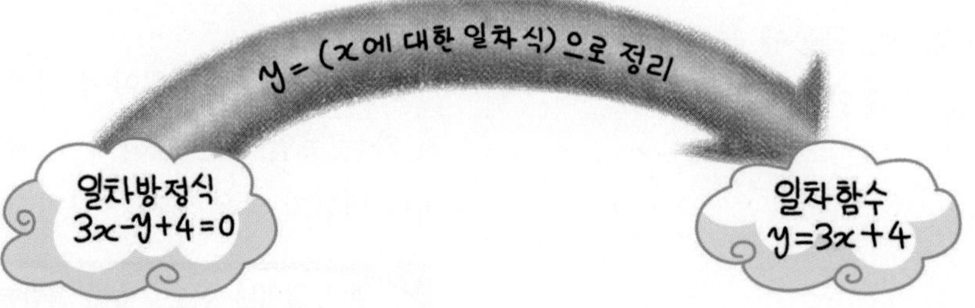

회색 글씨를 따라 쓰면서 개념을 정리해 보세요.

1 미지수가 2개인 일차방정식의 그래프 : 일차방정식 $ax+by+c=0$(a, b, c는 상수, $a\neq0$, $b\neq0$)의 해 (x, y)를 좌표평면 위에 나타낸 것을 이 일차방정식의 그래프라고 한다.

2 일차함수와 일차방정식 사이의 관계 : 미지수가 2개인 일차방정식 $ax+by+c=0$(a, b, c는 상수, $a\neq0$, $b\neq0$)의 그래프는 일차함수 $y=-\frac{a}{b}x-\frac{c}{b}$의 그래프와 같다.

개념 원리 확인

○ 정답과 풀이 58쪽

일차방정식의 그래프

1-1 일차방정식 $x+2y-4=0$에 대하여 다음 물음에 답하시오.

(1) 다음 대응표를 완성하시오.

x	⋯	-4	-2	0	2	4	⋯
y	⋯	4					⋯

(2) (1)에서 구한 해 $(x,\ y)$를 좌표로 하는 점을 아래 좌표평면 위에 나타내시오.

(3) x, y의 값의 범위가 모든 수일 때, 일차방정식 $x+2y-4=0$의 그래프를 아래 좌표평면 위에 그리시오.

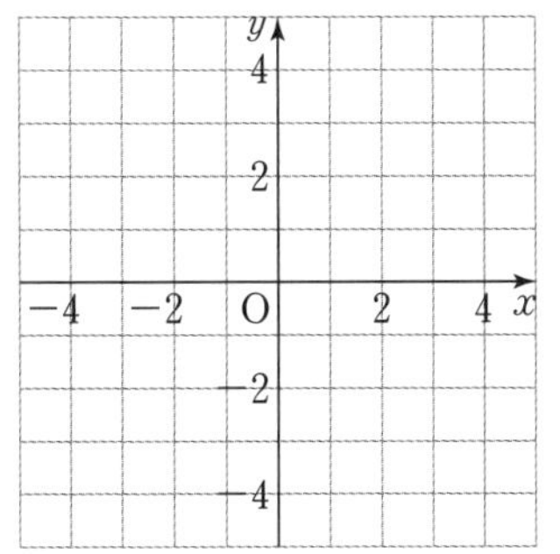

1-2 일차방정식 $2x+y-1=0$에 대하여 다음 물음에 답하시오.

(1) 다음 대응표를 완성하시오.

x	⋯	-2	-1	0	1	2	⋯
y	⋯						⋯

(2) (1)에서 구한 해 $(x,\ y)$를 좌표로 하는 점을 아래 좌표평면 위에 나타내시오.

(3) x, y의 값의 범위가 모든 수일 때, 일차방정식 $2x+y-1=0$의 그래프를 아래 좌표평면 위에 그리시오.

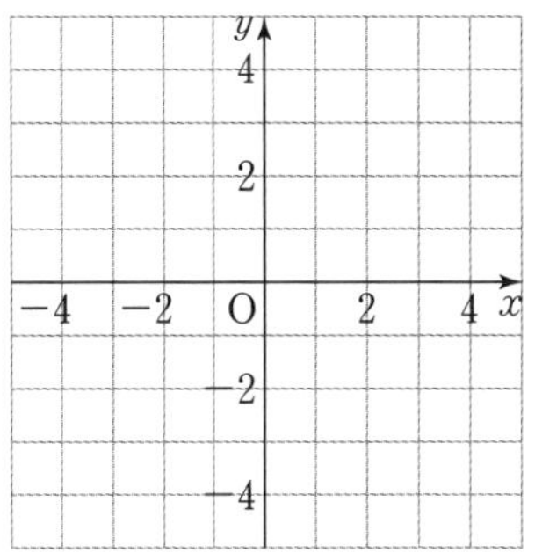

4일

일차함수와 일차방정식 사이의 관계

2-1 일차방정식 $x+4y-4=0$을 일차함수 $y=ax+b$ 꼴로 나타내고, x절편과 y절편을 이용하여 그래프를 좌표평면 위에 그리시오.

$x+4y-4=0$ ➡ $y=$ ______________

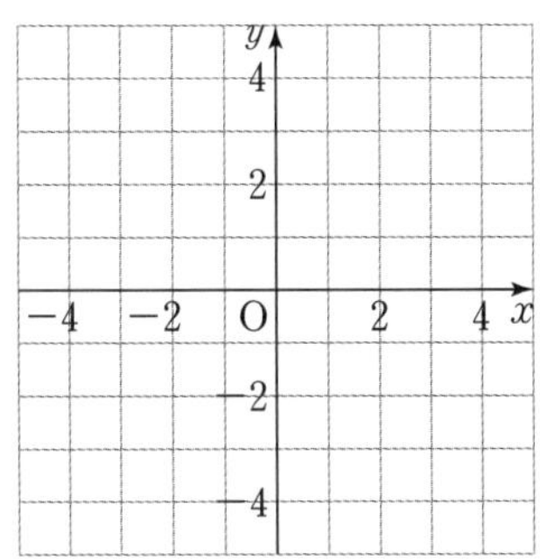

2-2 다음 일차방정식을 일차함수 $y=ax+b$ 꼴로 나타내고, x절편과 y절편을 이용하여 그래프를 좌표평면 위에 그리시오.

(1) $2x+y-4=0$　　(2) $x-3y+3=0$

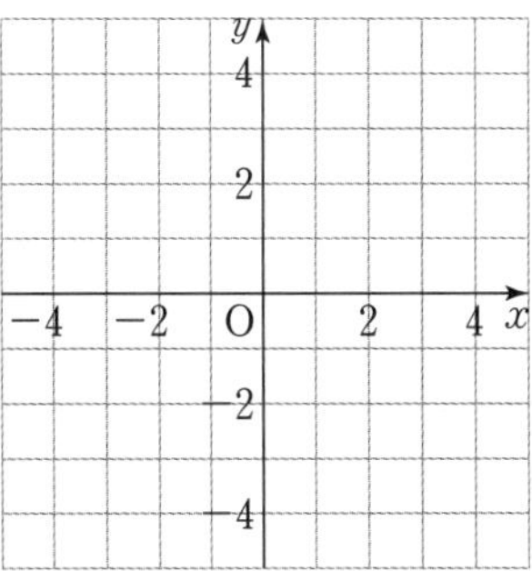

방정식 $x=p$의 그래프

방정식 $x=3$의 그래프

① 점 $(3,\ 0)$을 지나고 y축에 평행한 직선이다.

② x좌표가 항상 3이다.

③ x축에 수직인 직선이다.

참고 방정식 $x=0$의 그래프는 y축을 나타낸다.

방정식 $y=q$의 그래프

방정식 $y=2$의 그래프

① 점 $(0,\ 2)$를 지나고 x축에 평행한 직선이다.

② y좌표가 항상 2이다.

③ y축에 수직인 직선이다.

참고 방정식 $y=0$의 그래프는 x축을 나타낸다.

직선의 방정식

x, y의 값의 범위가 모든 수일 때, **방정식 $ax+by+c=0$을 직선의 방정식**이라고 한다.

참고 직선의 방정식 $ax+by+c=0$은 다음 세 가지 꼴 중의 하나이다.

① $a\neq0$, $b\neq0$인 경우 ➡ 일차함수의 그래프	② $a\neq0$, $b=0$인 경우 ➡ y축에 평행한 그래프	③ $a=0$, $b\neq0$인 경우 ➡ x축에 평행한 그래프
$x+y-1=0$	$x=1$	$y=1$

회색 글씨를 따라 쓰면서 개념을 정리해 보세요.

1 방정식 $x=p$(단, $p\neq0$)의 그래프 : 점 $(p,\ 0)$을 지나고 y축에 평행한 직선

2 방정식 $y=q$(단, $q\neq0$)의 그래프 : 점 $(0,\ q)$를 지나고 x축에 평행한 직선

3 직선의 방정식 : x, y의 값의 범위가 모든 수일 때,

방정식 $ax+by+c=0$(a, b, c는 상수, $a\neq0$ 또는 $b\neq0$)을 직선의 방정식이라고 한다.

개념 원리 확인

방정식 $x=p$, $y=q$의 그래프

3-1 다음 방정식에 대하여 ☐ 안에 알맞은 것을 써넣고, 그래프를 좌표평면 위에 그리시오.

(1) $x=-3$

➡ 점 $(-3,\ 0)$을 지나고 ☐축에 평행한 직선

(2) $y=4$

➡ 점 $(0,\ ☐)$를 지나고 x축에 평행한 직선

(3) $2x-8=0$

➡ $2x=☐$ $\therefore x=☐$

➡ 점 $(☐,\ 0)$을 지나고 y축에 평행한 직선

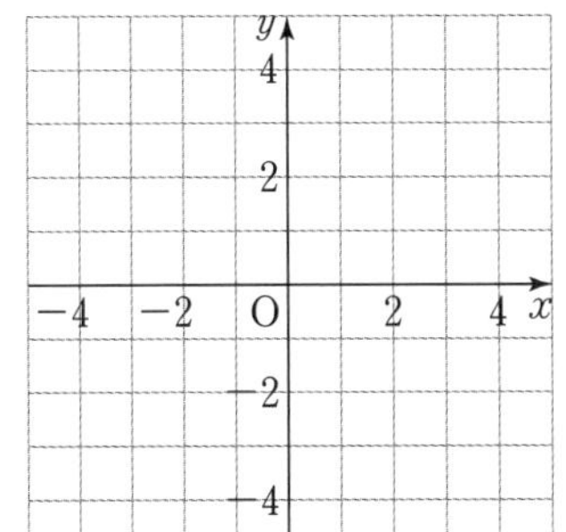

3-2 다음 방정식의 그래프를 좌표평면 위에 그리시오.

(1) $x=2$

(2) $3x+12=0$

(3) $y=-3$

(4) $4y-4=0$

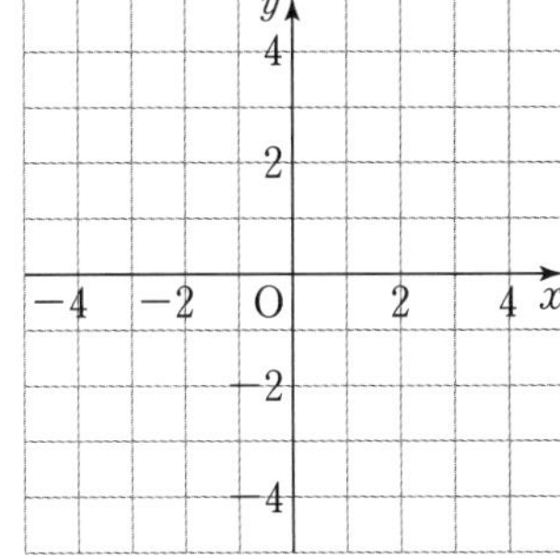

조건을 만족하는 직선의 방정식 구하기

4-1 다음은 각 조건을 만족하는 직선의 방정식을 구하는 과정이다. 옳은 것에 ○표를 하고 직선의 방정식을 구하시오.

(1) 점 $(3,\ 2)$를 지나고 x축에 평행한 직선

➡ x축에 평행하므로 $(x=p,\ y=q)$ 꼴

(2) 점 $(-1,\ 3)$을 지나고 y축에 평행한 직선

➡ y축에 평행하므로 $(x=p,\ y=q)$ 꼴

(3) 점 $(-2,\ -4)$를 지나고 x축에 수직인 직선

➡ x축에 수직이므로 $(x$축, y축$)$에 평행

➡ 구하는 직선의 방정식은 $(x=p,\ y=q)$ 꼴

4-2 다음 조건을 만족하는 직선의 방정식을 구하시오.

(1) 점 $(0,\ 6)$을 지나고 x축에 평행한 직선

(2) 점 $(1, -2)$를 지나고 y축에 평행한 직선

(3) 점 $(5,\ 3)$을 지나고 x축에 수직인 직선

(4) 점 $(2,\ -7)$을 지나고 y축에 수직인 직선

4주 4일 기초 집중 연습

○ 정답과 풀이 59쪽

개념 01 일차함수와 일차방정식 사이의 관계를 알고 있는가?

$ax+by+c=0$ $(a\neq0,\ b\neq0)$ ⇄ (일차함수 →, ← 일차방정식) $y=-\dfrac{a}{b}x-\dfrac{c}{b}$

참고 기울기 : $-\dfrac{a}{b}$, y절편 : $-\dfrac{c}{b}$

1-1

다음 일차방정식을 $y=ax+b$ 꼴로 나타내고, 일차방정식의 그래프의 기울기, x절편, y절편을 각각 구하시오.

(1) $x+3y-9=0$ (2) $3x-y+2=0$

(3) $x-4y+8=0$ (4) $\dfrac{x}{2}+\dfrac{y}{3}=1$

1-2

다음 일차함수 중 그 그래프가 일차방정식 $6x+2y-4=0$의 그래프와 같은 것은?

① $y=-3x-2$ ② $y=-3x+2$

③ $y=\dfrac{1}{3}x-2$ ④ $y=\dfrac{1}{3}x-\dfrac{2}{3}$

⑤ $y=3x-4$

1-3

일차방정식 $5x+3y-9=0$의 그래프의 기울기를 a, x절편을 b, y절편을 c라고 할 때, abc의 값을 구하시오.

1-4

다음 중 일차방정식 $6x+3y=18$의 그래프는?

① 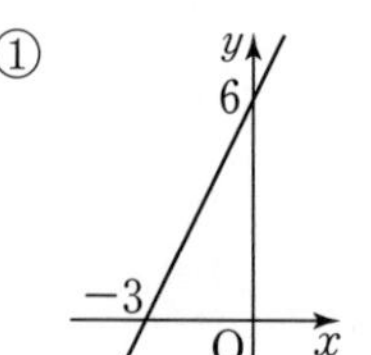

② 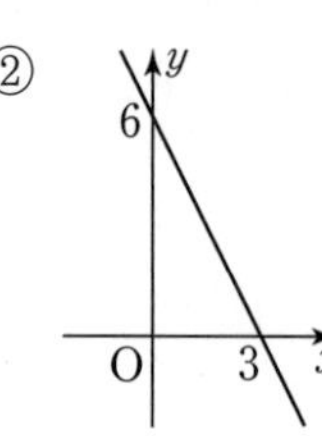

③ 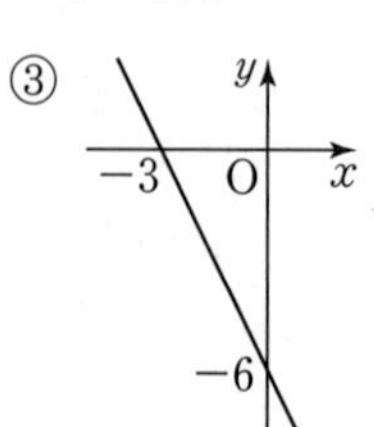

④ ⑤ 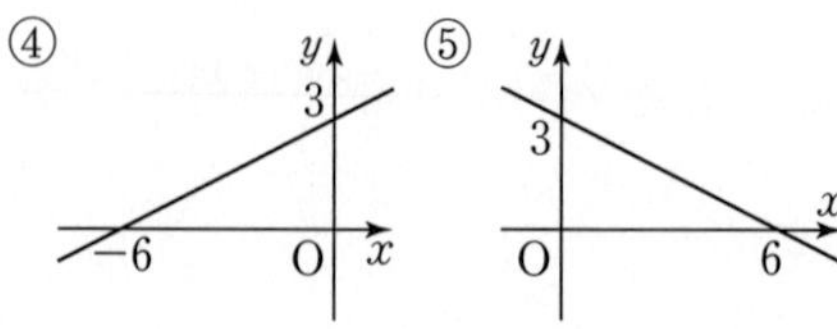

1-5

다음 중 일차방정식 $5x-y=2$의 그래프 위의 점이 아닌 것은?

① $(-3,\ -17)$ ② $(-2,\ -12)$

③ $(2,\ 8)$ ④ $(1,\ -3)$

⑤ $(3,\ 13)$

1-6

다음 중 일차방정식 $2x+4y-12=0$의 그래프에 대한 설명으로 옳지 않은 것은?

① 기울기는 $-\dfrac{1}{2}$이다.

② 점 $(4,\ 1)$을 지난다.

③ x절편은 6이고, y절편은 3이다.

④ 제3사분면을 지난다.

⑤ x의 값이 증가할 때, y의 값은 감소한다.

개념 02 좌표축에 평행 또는 수직인 직선의 방정식을 구할 수 있는가?

(1) 점 $(m,\ 0)$을 지나고 y축에 평행(x축에 수직)한 직선의 방정식 ➡ $x=m$

(2) 점 $(0,\ n)$을 지나고 x축에 평행(y축에 수직)한 직선의 방정식 ➡ $y=n$

참고 (1) 두 점 $(m,\ y_1)$, $(m,\ y_2)$를 지나는 직선의 방정식
➡ $x=m$
(2) 두 점 $(x_1,\ n)$, $(x_2,\ n)$을 지나는 직선의 방정식
➡ $y=n$

2-1

다음 방정식의 그래프로 알맞은 것을 아래 그림에서 고르시오.

(1) $x=2$　　(2) $y=-1$

(3) $2x+10=0$　　(4) $3y-5=1$

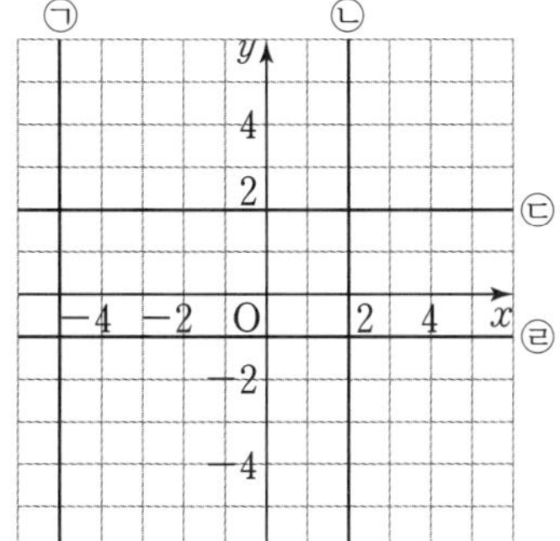

2-2

다음 방정식의 그래프를 좌표평면 위에 그리시오.

(1) $x=3$

(2) $y=-3$

(3) $4x+10=-x$

(4) $2y+1=7$

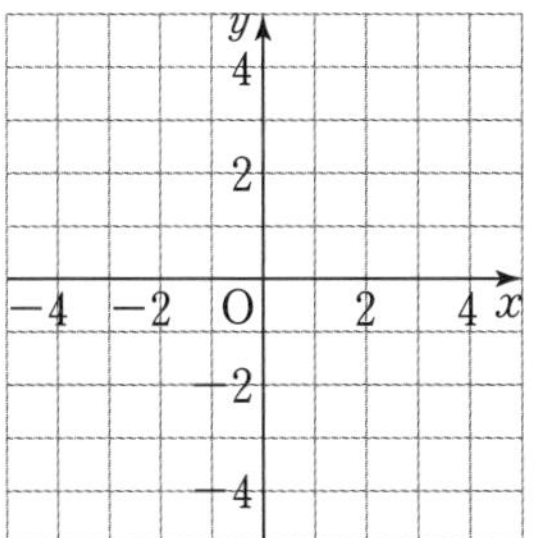

2-3

다음을 만족하는 직선의 방정식을 보기 에서 모두 고르시오.

보기
㉠ $y=4$　　㉡ $2x-3=0$
㉢ $3x=-6$　　㉣ $4y-1=0$

(1) x축에 평행한 직선

(2) y축에 평행한 직선

2-4

점 $(3,\ -5)$를 지나고 y축에 평행한 직선의 방정식은?

① $x-3=0$　　② $y-3=0$
③ $x+5=0$　　④ $y+5=0$
⑤ $x+y=0$

2-5

다음 중 방정식 $x-4=0$의 그래프에 대한 설명으로 옳은 것을 모두 고르면? (정답 2개)

① x축에 평행한 직선이다.
② 직선 $x=-1$과 평행하다.
③ 직선 $y=8$과 만나지 않는다.
④ 점 $(-4,\ 0)$을 지난다.
⑤ 제1사분면과 제4사분면을 지난다.

8. 두 일차함수의 그래프와 연립일차방정식의 해

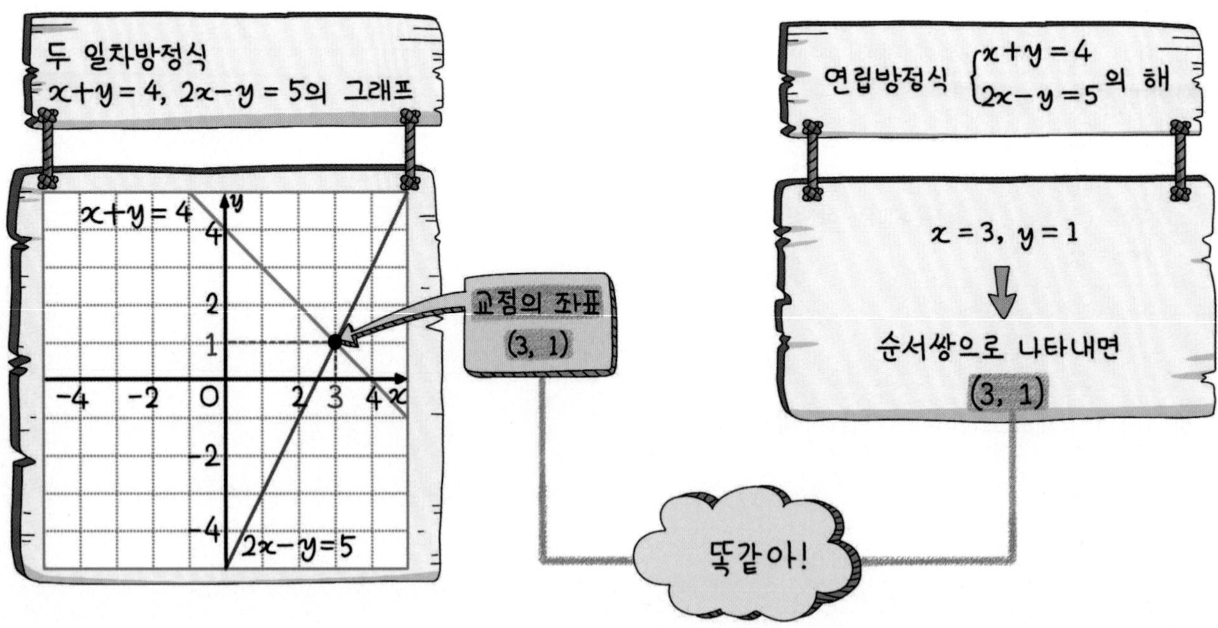

위에서 두 일차방정식 $x+y=4$, $2x-y=5$의 그래프의 교점의 좌표 $(3,\ 1)$은 연립방정식 $\begin{cases} x+y=4 \\ 2x-y=5 \end{cases}$의 해임을 알 수 있다.

이때 두 일차방정식 $x+y=4$, $2x-y=5$의 그래프는 각각 두 일차함수 $y=-x+4$, $y=2x-5$의 그래프와 같으므로 연립방정식 $\begin{cases} x+y=4 \\ 2x-y=5 \end{cases}$의 해는 두 일차함수 $y=-x+4$, $y=2x-5$의 그래프의 교점의 좌표와 같다.

> 연립방정식의 해와 두 일차함수의 그래프
>
> 연립방정식 $\begin{cases} ax+by=c \\ a'x+b'y=c' \end{cases}$의 해는 두 일차방정식 $ax+by=c$, $a'x+b'y=c'$의 그래프,
>
> 즉 두 일차함수 $y=-\dfrac{a}{b}x+\dfrac{c}{b}$, $y=-\dfrac{a'}{b'}x+\dfrac{c'}{b'}$의 그래프의 교점의 좌표와 같다.

회색 글씨를 따라 쓰면서 개념을 정리해 보세요.

❖ 연립방정식의 해와 두 일차함수의 그래프

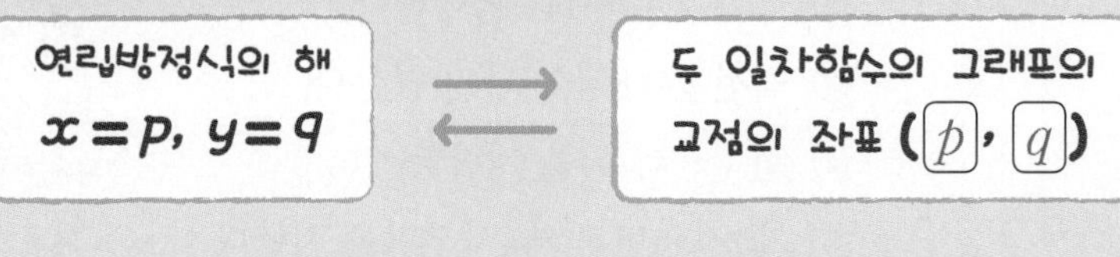

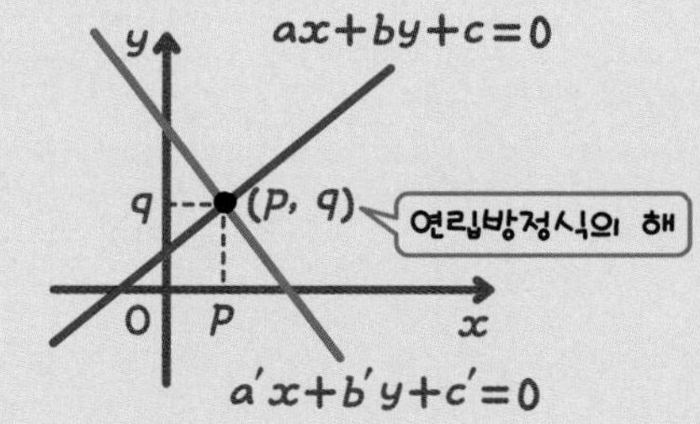

개념 원리 확인

정답과 풀이 61쪽

그래프를 보고 연립방정식의 해 구하기

1-1 다음은 연립방정식 $\begin{cases} x+y=6 \\ 7x-3y=2 \end{cases}$ 에서 각 일차방정식의 그래프가 아래 그림과 같을 때, 연립방정식의 해를 구하는 과정이다. ☐ 안에 알맞은 수를 써넣으시오.

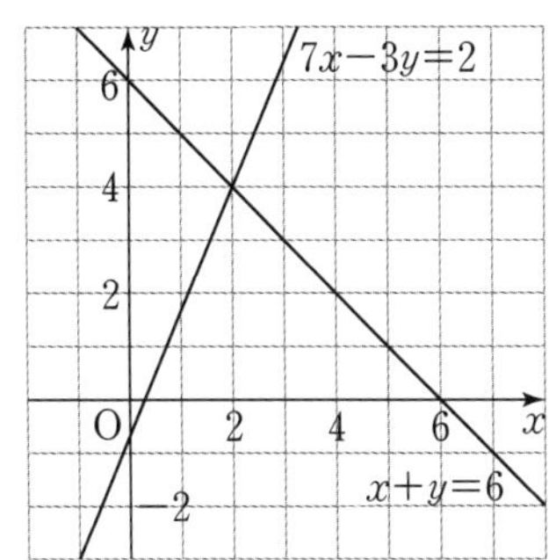

➡ 연립방정식의 해는 두 일차방정식의 그래프의 교점의 좌표와 같고, 교점의 좌표는 (☐, 4)이므로 연립방정식의 해는 $x=$☐, $y=4$

1-2 주어진 연립방정식에서 각 일차방정식의 그래프가 다음과 같을 때, 연립방정식의 해를 구하시오.

(1) $\begin{cases} x+3y=7 \\ x-2y=2 \end{cases}$ (2) $\begin{cases} x-2y=2 \\ 2x+y=-1 \end{cases}$

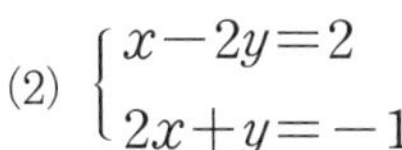

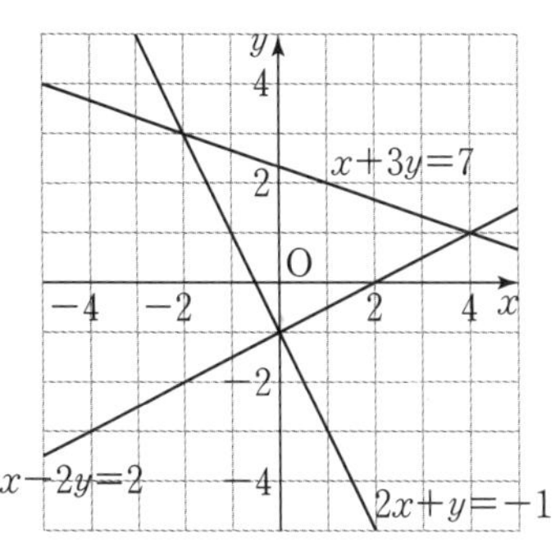

그래프를 이용하여 연립방정식의 해 구하기

2-1 연립방정식 $\begin{cases} x+y=3 \\ 3x-y=1 \end{cases}$ 의 해를 그래프를 이용하여 구하려고 한다. 다음 물음에 답하시오.

(1) 두 일차방정식 $x+y=3$, $3x-y=1$의 그래프를 다음 좌표평면 위에 그리고, 교점의 좌표를 구하시오.

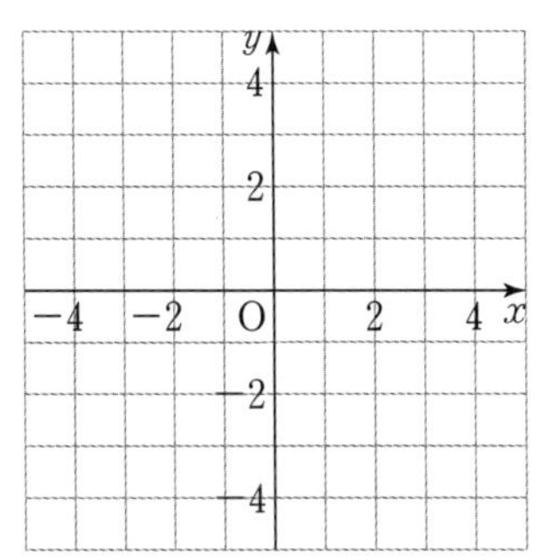

(2) 연립방정식 $\begin{cases} x+y=3 \\ 3x-y=1 \end{cases}$ 의 해를 구하시오.

2-2 다음 연립방정식에서 두 일차방정식의 그래프를 좌표평면 위에 그리고, 그 그래프를 이용하여 연립방정식의 해를 구하시오.

(1) $\begin{cases} x+y-4=0 \\ 2x-y=-1 \end{cases}$

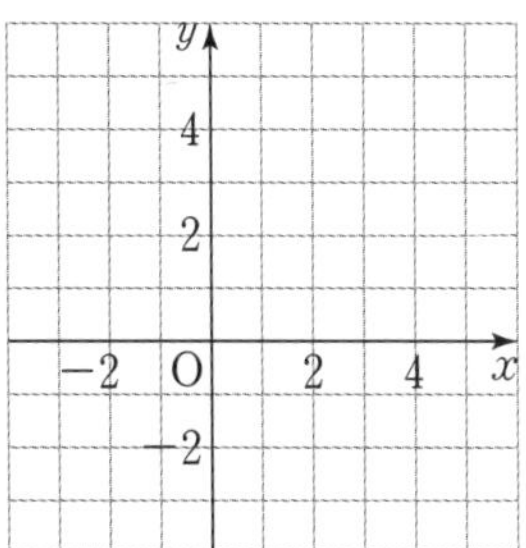

(2) $\begin{cases} 2x-y+3=0 \\ x+2y-1=0 \end{cases}$

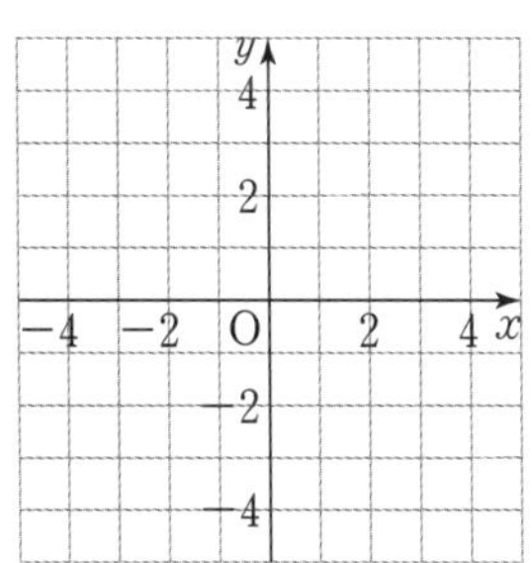

4주 5일

9. 연립방정식의 해의 개수와 두 직선의 위치 관계

연립방정식의 해의 개수는 연립방정식을 이루는 두 일차방정식의 그래프인 두 직선의 위치 관계로 알 수 있어.

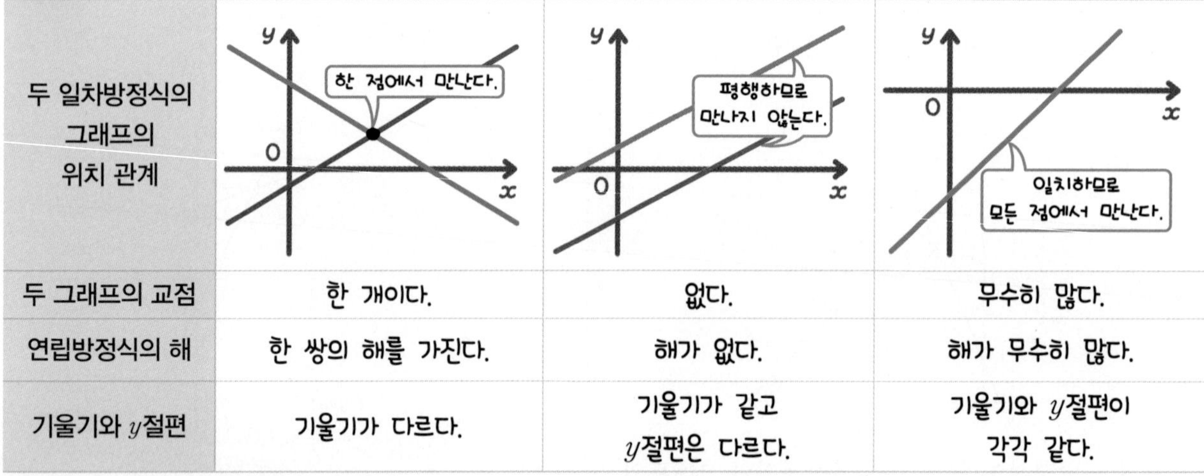

두 일차방정식의 그래프의 위치 관계	한 점에서 만난다.	평행하므로 만나지 않는다.	일치하므로 모든 점에서 만난다.
두 그래프의 교점	한 개이다.	없다.	무수히 많다.
연립방정식의 해	한 쌍의 해를 가진다.	해가 없다.	해가 무수히 많다.
기울기와 y절편	기울기가 다르다.	기울기가 같고 y절편은 다르다.	기울기와 y절편이 각각 같다.

해가 없는 경우

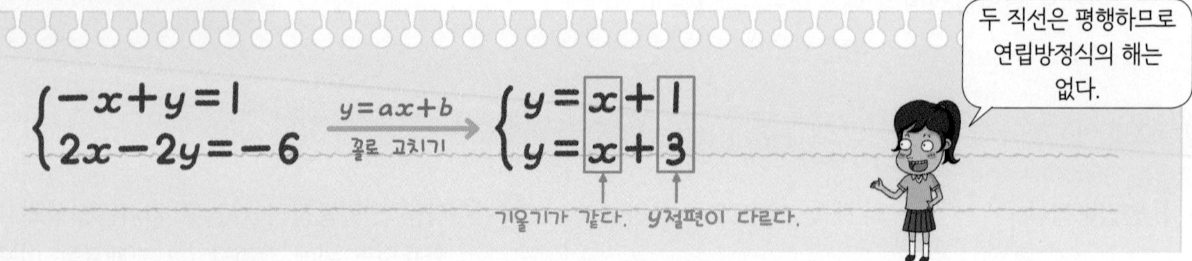

해가 무수히 많은 경우

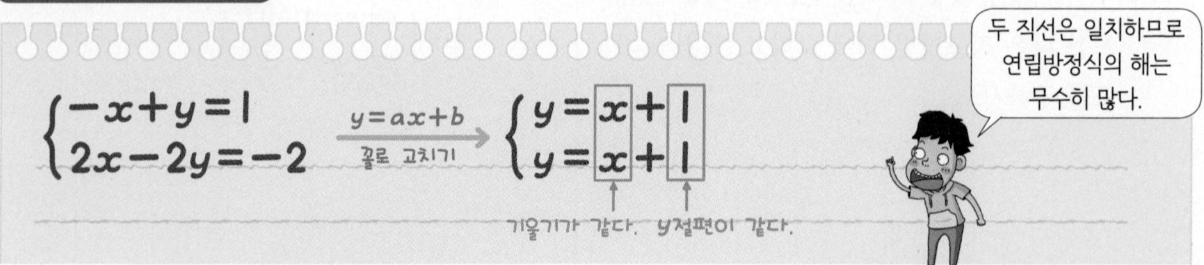

회색 글씨를 따라 쓰면서 개념을 정리해 보세요.

연립방정식에서 각 방정식의 그래프인 두 직선이

1 [한 점]에서 만나면 연립방정식의 해는 그 교점의 좌표 [하나]뿐이다.

2 [평행]하면 연립방정식의 해는 [없다].

3 [일치]하면 연립방정식의 해는 [무수히 많다].

개념 원리 확인

정답과 풀이 62쪽

연립방정식의 해의 개수와 그래프 (1)

3-1 연립방정식 $\begin{cases} 2x-y=3 \\ 4x-2y=2 \end{cases}$에서 두 일차방정식의 그래프를 좌표평면 위에 그리고, ☐ 안에 알맞은 것을 써넣으시오.

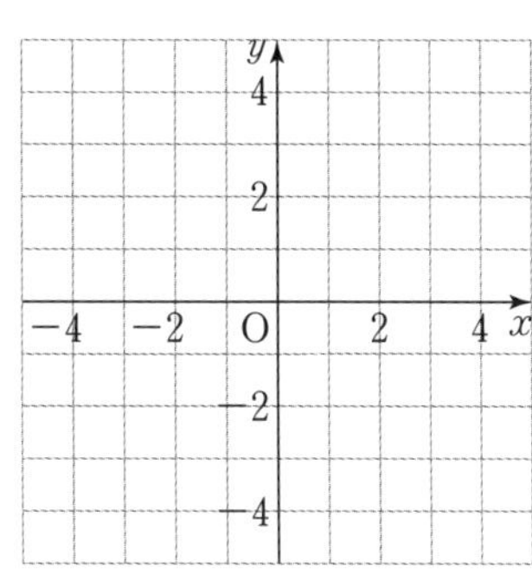

➡ $\begin{cases} 2x-y=3 \\ 4x-2y=2 \end{cases}$에서 $\begin{cases} y=2x-3 \\ y=\boxed{} \end{cases}$

즉 기울기가 같고 y절편은 다르므로 두 그래프는 서로 ☐하다.

따라서 연립방정식의 해는 ☐.

3-2 다음 연립방정식에서 두 일차방정식의 그래프를 좌표평면 위에 그리고, 그 그래프를 이용하여 연립방정식의 해를 구하시오.

(1) $\begin{cases} 3x+y=2 \\ 6x+2y=-2 \end{cases}$

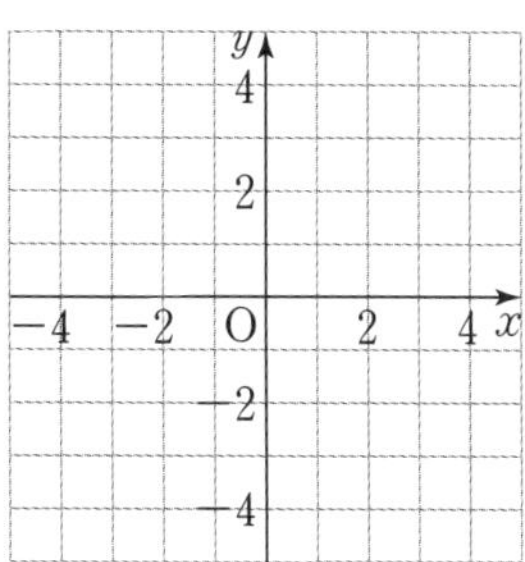

(2) $\begin{cases} x-y=1 \\ 4x-4y=4 \end{cases}$

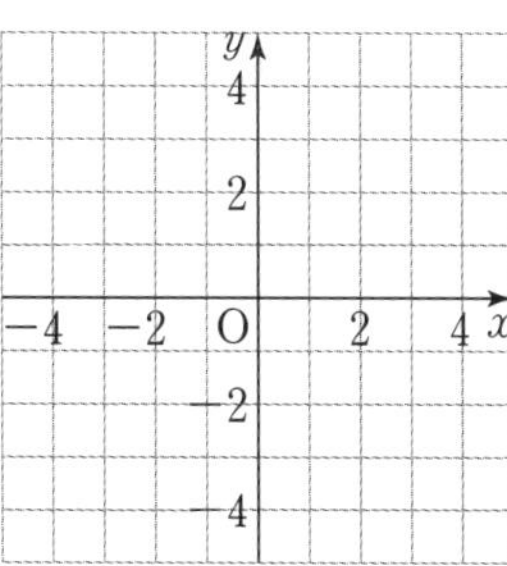

4주 5일

연립방정식의 해의 개수와 그래프 (2)

4-1 다음은 연립방정식 $\begin{cases} 2x-y-1=0 \\ 6x-3y=3 \end{cases}$에서 두 일차방정식의 그래프의 위치 관계와 연립방정식의 해의 개수를 각각 구하는 과정이다. ☐ 안에 알맞은 것을 써넣으시오.

> $\begin{cases} 2x-y-1=0 \\ 6x-3y=3 \end{cases}$에서 $\begin{cases} y=2x-1 \\ y=\boxed{} \end{cases}$
>
> 즉 기울기와 y절편이 각각 같으므로 두 일차방정식의 그래프는 ☐한다.
>
> 따라서 연립방정식의 해는 ☐.

4-2 다음 연립방정식에서 두 일차방정식의 그래프의 위치 관계를 말하고, 연립방정식의 해의 개수를 구하시오.

(1) $\begin{cases} 4x+6y=-6 \\ -2x-3y=3 \end{cases}$

(2) $\begin{cases} x-y=-5 \\ 3x+2y=5 \end{cases}$

(3) $\begin{cases} 2x+y-2=0 \\ 4x+2y-8=0 \end{cases}$

4주 5일 기초 집중 연습

정답과 풀이 63쪽

개념 01 연립방정식의 해와 그래프 사이의 관계를 알 수 있는가?

두 일차방정식 $ax+by+c=0$, $a'x+b'y+c'=0$의 그래프의 교점의 좌표가 (p, q)이다.

➡ 연립방정식 $\begin{cases} ax+by+c=0 \\ a'x+b'y+c'=0 \end{cases}$의 해가 $x=p$, $y=q$이다.

1-1

오른쪽 그림은 연립방정식 $\begin{cases} x+y=8 \\ 3x-y=2 \end{cases}$를 풀기 위하여 두 일차방정식의 그래프를 그린 것이다. 연립방정식의 해를 $x=a$, $y=b$라고 할 때, $a-b$의 값을 구하시오.

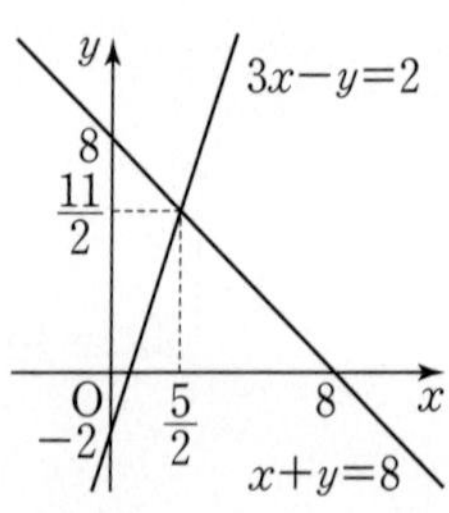

1-2

그래프를 이용하여 다음 연립방정식을 푸시오.

(1) $\begin{cases} x+2y=8 \\ 3x-y=3 \end{cases}$

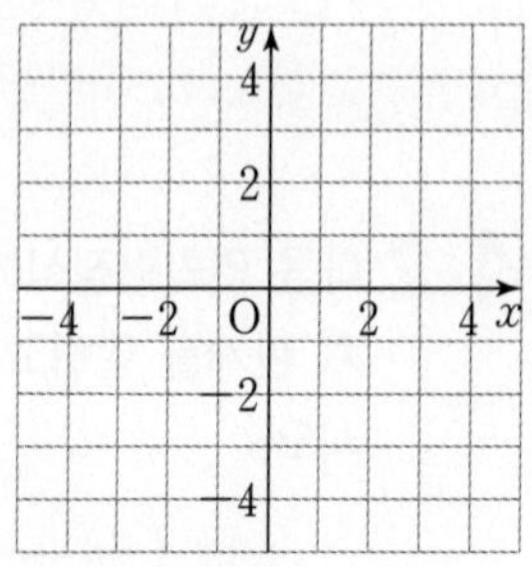

(2) $\begin{cases} 4x+y=1 \\ x-y=4 \end{cases}$

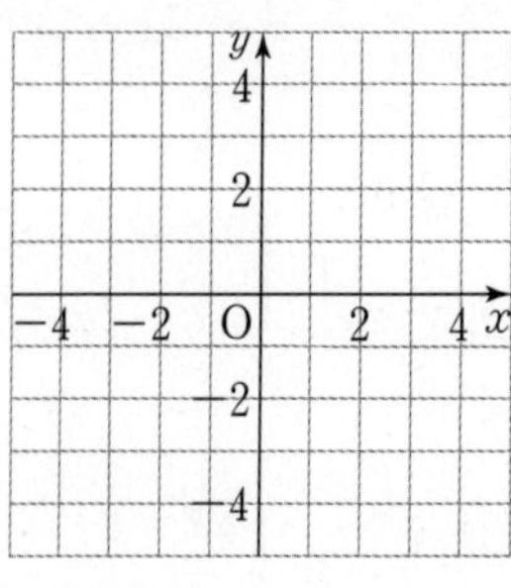

1-3

연립방정식의 해를 이용하여 다음 두 일차방정식의 그래프의 교점의 좌표를 구하시오.

(1) $x+y=7$, $\dfrac{x}{4}+\dfrac{y}{2}=2$

(2) $x-2y-3=0$, $x+4y-9=0$

(3) $y=-2x+1$, $y=3x+6$

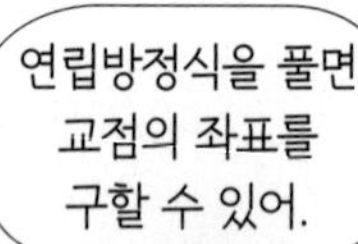

1-4

다음은 연립방정식 $\begin{cases} ax-4y=2 \\ bx+y=7 \end{cases}$의 각 일차방정식의 그래프가 오른쪽 그림과 같을 때, 상수 a, b의 값을 구하는 과정이다. ①~⑤에 들어갈 것으로 옳지 않은 것은?

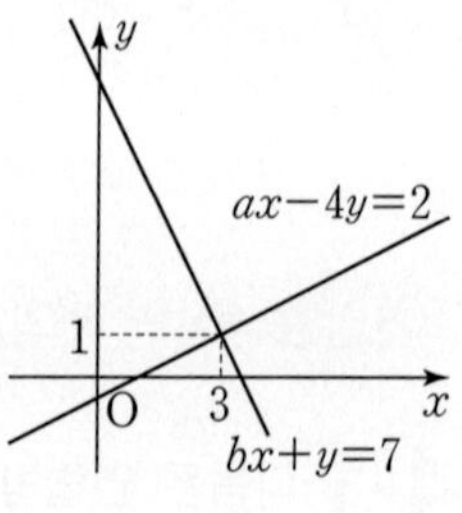

> 두 그래프의 교점의 좌표가 [①]이므로
> 연립방정식의 해는 $x=$[②], $y=$[③] … ㉠
> ㉠을 $ax-4y=2$에 대입하면 $a=$[④]
> ㉠을 $bx+y=7$에 대입하면 $b=$[⑤]

① $(3, 1)$ ② 3 ③ 1
④ -2 ⑤ 2

개념 02 두 일차방정식의 그래프의 위치 관계로 연립방정식의 해의 개수를 알 수 있는가?

연립방정식 $\begin{cases} ax+by=c \\ a'x+b'y=c' \end{cases}$ 의 해의 개수는 두 일차방정식 $ax+by=c$, $a'x+b'y=c'$의 그래프의 교점의 개수와 같다.

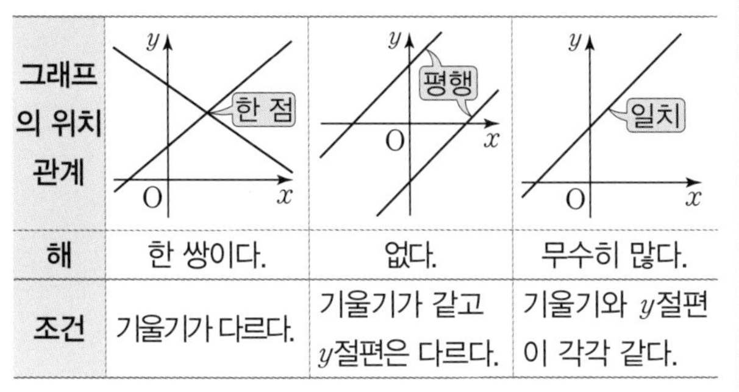

그래프의 위치 관계	한 점	평행	일치
해	한 쌍이다.	없다.	무수히 많다.
조건	기울기가 다르다.	기울기가 같고 y절편은 다르다.	기울기와 y절편이 각각 같다.

2-1

다음 연립방정식에서 두 일차방정식의 그래프를 좌표평면 위에 그리고, 그 그래프를 이용하여 연립방정식의 해의 개수를 구하시오.

(1) $\begin{cases} x-2y=1 \\ -3x+6y=9 \end{cases}$

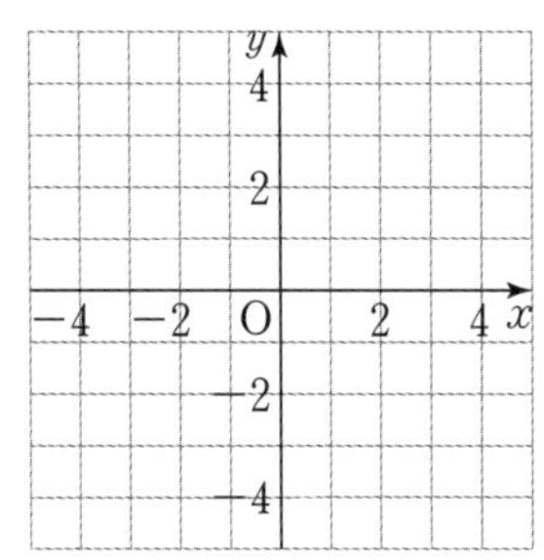

(2) $\begin{cases} 4x-y=-2 \\ x+y=-3 \end{cases}$

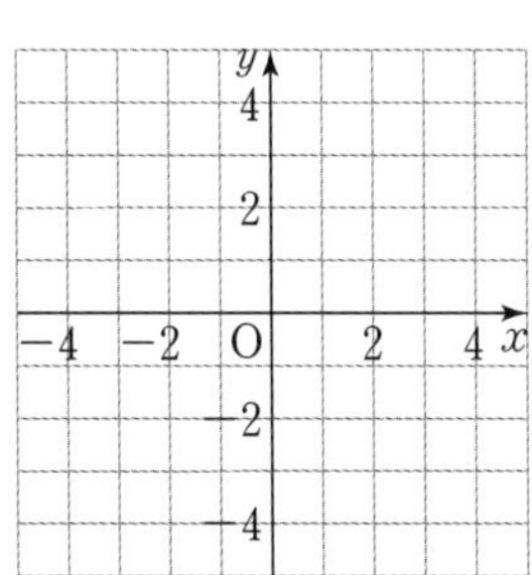

(3) $\begin{cases} 2x+3y=2 \\ 4x+6y=4 \end{cases}$

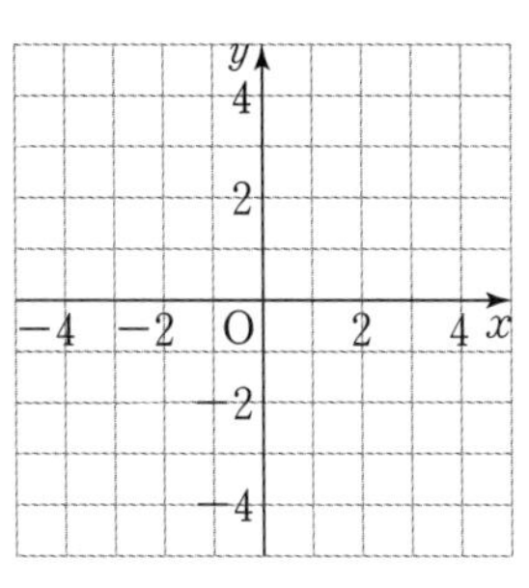

2-2

다음 보기 의 연립방정식에 대하여 물음에 답하시오.

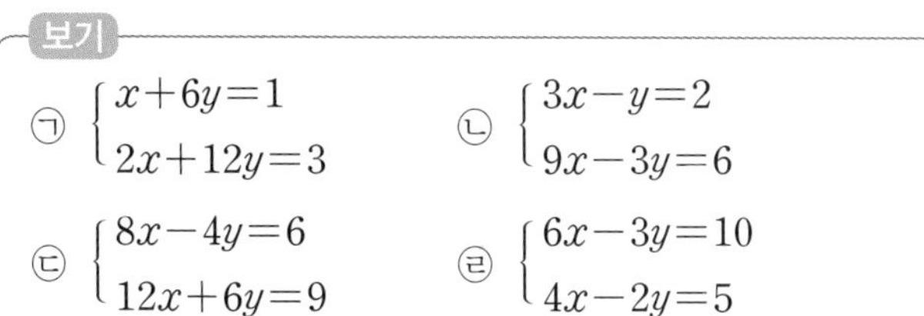

보기

ㄱ $\begin{cases} x+6y=1 \\ 2x+12y=3 \end{cases}$ ㄴ $\begin{cases} 3x-y=2 \\ 9x-3y=6 \end{cases}$

ㄷ $\begin{cases} 8x-4y=6 \\ 12x+6y=9 \end{cases}$ ㄹ $\begin{cases} 6x-3y=10 \\ 4x-2y=5 \end{cases}$

(1) 연립방정식의 해가 한 쌍인 것을 고르시오.

(2) 연립방정식의 해가 무수히 많은 것을 고르시오.

(3) 연립방정식의 해가 없는 것을 모두 고르시오.

2-3

연립방정식 $\begin{cases} 3x+2y=3 \\ ax+6y=10 \end{cases}$ 의 해가 없을 때, 상수 a의 값은?

① -9 ② -6 ③ 3
④ 6 ⑤ 9

2-4

연립방정식 $\begin{cases} ax-y=1 \\ 4x-by=2 \end{cases}$ 의 해가 무수히 많을 때, $a+b$의 값은? (단, a, b는 상수)

① -2 ② 0 ③ 2
④ 4 ⑤ 6

누구나 100점 테스트

01 다음 일차함수 중 그 그래프가 오른쪽 위로 향하는 직선인 것을 모두 고르면? (정답 2개)

① $y=-x+4$　② $y=3x-1$
③ $y=-2x-2$　④ $y=5-3x$
⑤ $y=3+\frac{1}{2}x$

02 일차함수 $y=-ax+b$의 그래프가 오른쪽 그림과 같을 때, a, b의 부호는?

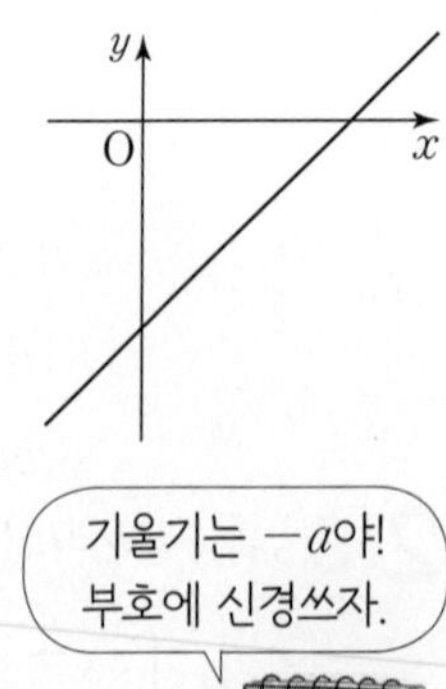

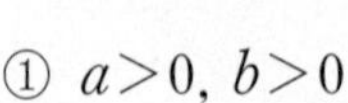

① $a>0$, $b>0$
② $a>0$, $b<0$
③ $a<0$, $b>0$
④ $a<0$, $b<0$
⑤ $a>0$, $b=0$

03 다음 중 일차함수 $y=-3x+1$의 그래프에 대한 설명으로 옳은 것을 모두 고르면? (정답 2개)

① y절편은 -3이다.
② x축과 만나는 점의 좌표는 $\left(\frac{1}{3}, 0\right)$이다.
③ 일차함수 $y=-3x$의 그래프를 y축의 방향으로 1만큼 평행이동한 그래프이다.
④ x의 값이 2만큼 증가할 때, y의 값은 6만큼 증가한다.
⑤ 제1, 2, 3사분면을 지난다.

04 두 일차함수 $y=\frac{a}{2}x+5$, $y=-4x-5$의 그래프가 서로 평행할 때, 상수 a의 값은?

① -8　② -4　③ -2
④ 4　⑤ 8

05 다음 직선을 그래프로 하는 일차함수의 식을 구하시오.

(1) 기울기가 2이고 점 $(-1, -6)$을 지나는 직선

(2) 두 점 $(2, 3)$, $(5, -3)$을 지나는 직선

(3) x절편이 2, y절편이 5인 직선

06 지면에서부터 10 km까지는 100 m 높아질 때마다 기온이 0.6 ℃씩 내려간다고 한다. 지면의 기온이 18 ℃일 때, 기온이 -6 ℃인 지점은 지면으로부터 몇 km 높이에 있는지 구하시오.

07 다음 중 일차방정식 $x+2y+8=0$의 그래프에 대한 설명으로 옳지 않은 것은?

① 점 $(-2,\ -3)$을 지난다.
② x절편은 -8이고, y절편은 -4이다.
③ 제2, 3, 4사분면을 지난다.
④ 일차함수 $y=\frac{1}{2}x+5$의 그래프와 평행하다.
⑤ x의 값이 6만큼 증가할 때, y의 값은 3만큼 감소한다.

08 다음 중 점 $(3,\ -4)$를 지나고 y축에 수직인 직선의 방정식은?

① $x=-4$ ② $x=3$ ③ $y=-4$
④ $y=3$ ⑤ $3x-4y=0$

09 오른쪽 그림은 연립방정식 $\begin{cases} x-ay=-3 \\ x+by=2 \end{cases}$의 해를 구하려고 두 일차방정식의 그래프를 각각 그린 것이다. 이때 $a+2b$의 값을 구하시오. (단, a, b는 상수)

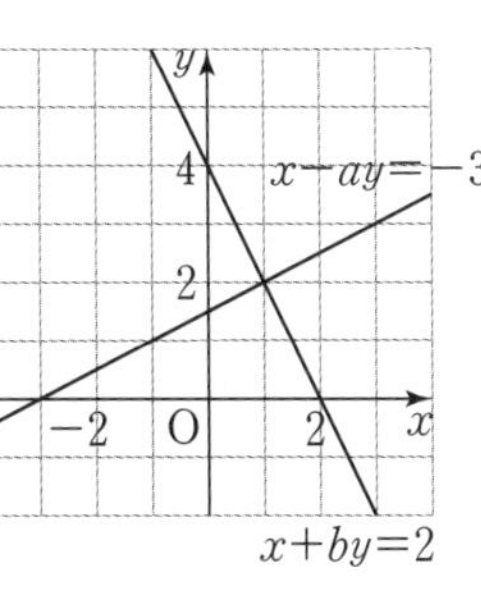

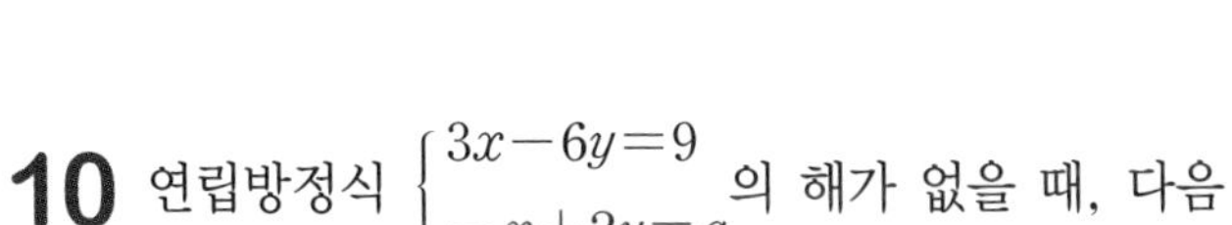

10 연립방정식 $\begin{cases} 3x-6y=9 \\ -x+2y=a \end{cases}$의 해가 없을 때, 다음 중 상수 a의 값으로 옳지 않은 것은?

① -3 ② $-\frac{3}{2}$ ③ -1
④ 0 ⑤ 2

특강 | 창의, 융합, 코딩

1 어느 모험단은 해적이 보물을 숨겨놓은 지도를 획득하였다. 다음 일차함수의 그래프에 대한 설명 중 옳은 것의 번호가 적혀 있는 곳에만 보물이 있다고 할 때, 보물이 있는 장소를 모두 찾아보시오.

[1] 일차함수 $y=4x+3$의 그래프는 오른쪽 아래로 향하는 직선이다.

[2] 일차함수 $y=-\frac{2}{3}x-3$의 그래프가 지나는 사분면은 제2, 3, 4사분면이다.

[3] 일차함수 $y=x-1$의 그래프는 일차함수 $y=x$의 그래프를 y축의 방향으로 1만큼 평행이동한 것이다.

[4] 일차함수 $y=2x+5$의 그래프와 일차함수 $y=-2x+5$의 그래프는 서로 평행하다.

[5] 일차함수 $y=3(x-1)+5$의 그래프와 일차함수 $y=3x+2$의 그래프는 일치한다.

[6] 두 일차함수 $y=ax+b$, $y=cx+d$의 그래프에 대하여 $a=c$, $b\neq d$이면 두 그래프는 한 점에서 만난다.

정답과 풀이 66쪽

2 다음은 어느 두 바둑기사가 50수까지 진행된 상황을 나타낸 기보이다.

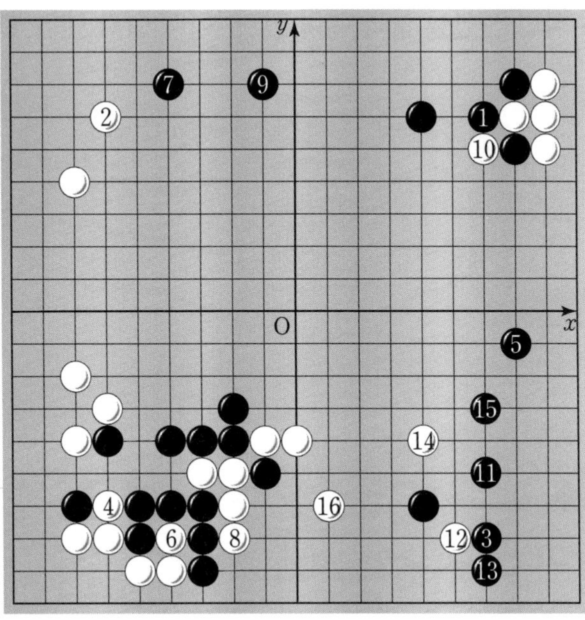

위와 같이 좌표축을 정할 때, 두 바둑돌 ⑧, ⑩과 ❼, ⓯를 지나는 직선을 그래프로 하는 일차함수의 식을 각각 구하려고 한다. 물음에 답하시오.

(1) 두 바둑돌 ⑧, ⑩의 좌표를 각각 구하시오.

(2) 두 바둑돌 ⑧, ⑩을 지나는 직선을 그래프로 하는 일차함수의 식을 구하시오.

(3) 두 바둑돌 ❼, ⓯의 좌표를 각각 구하시오.

(4) 두 바둑돌 ❼, ⓯를 지나는 직선을 그래프로 하는 일차함수의 식을 구하시오.

3 폭탄제거반이 아래 그림과 같은 시한폭탄을 제거하려고 한다. 폭탄을 폭발시키지 않고 안전하게 제거하기 위해서는 4개의 전선 중 하나를 잘라야 하는데, 폭탄에 적힌 설명에 해당하는 직선의 방정식이 적힌 전선을 잘라 내야 한다. 이때 잘라 내야 할 전선을 찾으시오.

(1)

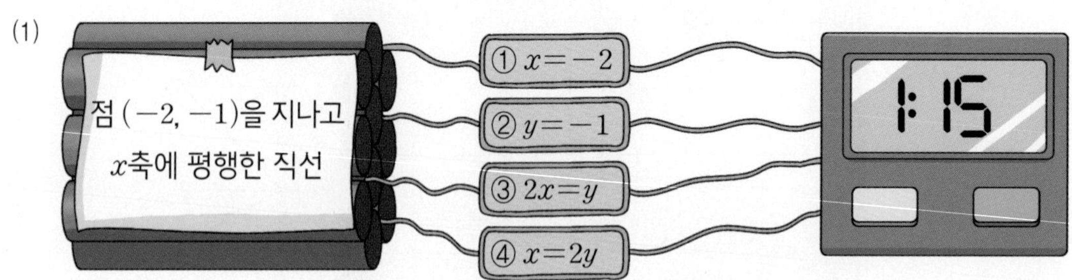

(2)

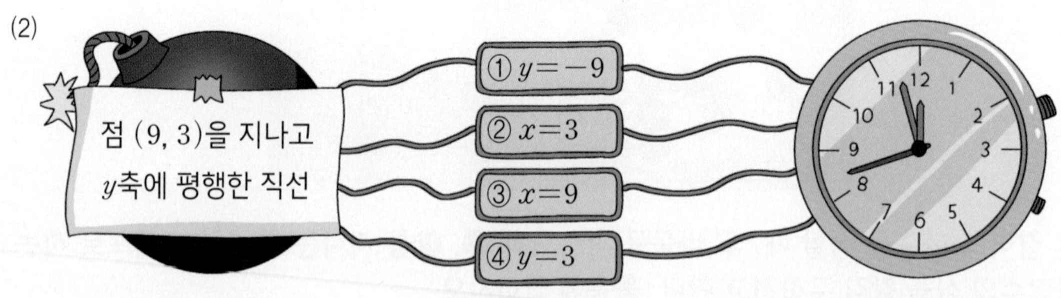

(3)

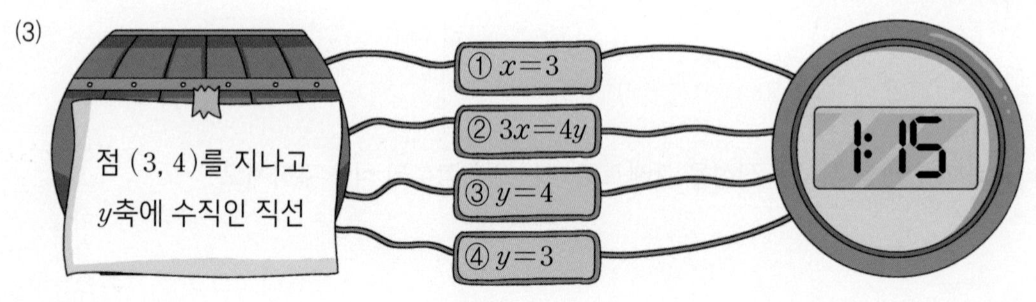

(4)

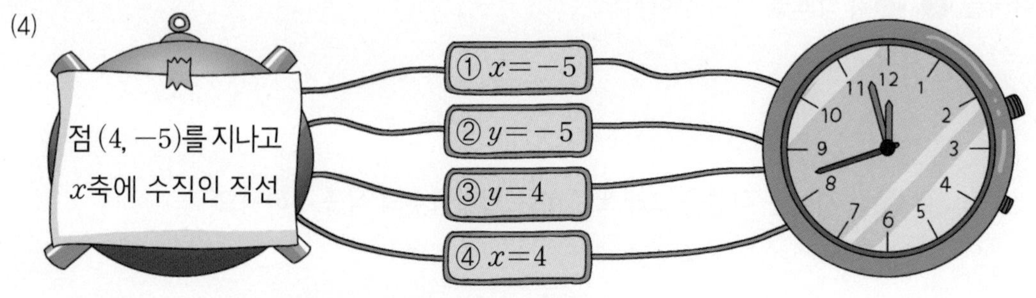

정답과 풀이 66쪽

4 다음 보기와 같이 주어진 직선의 방정식의 그래프를 좌표평면 위에 그리고, 그래프로 둘러싸인 부분을 색칠하였을 때 나타나는 모양을 말하시오.

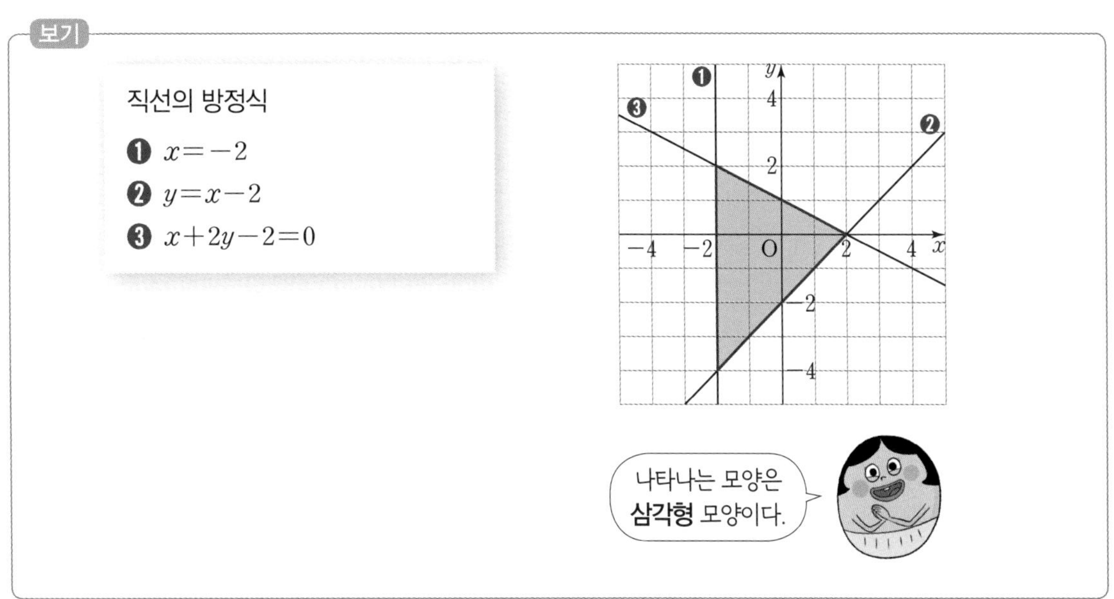

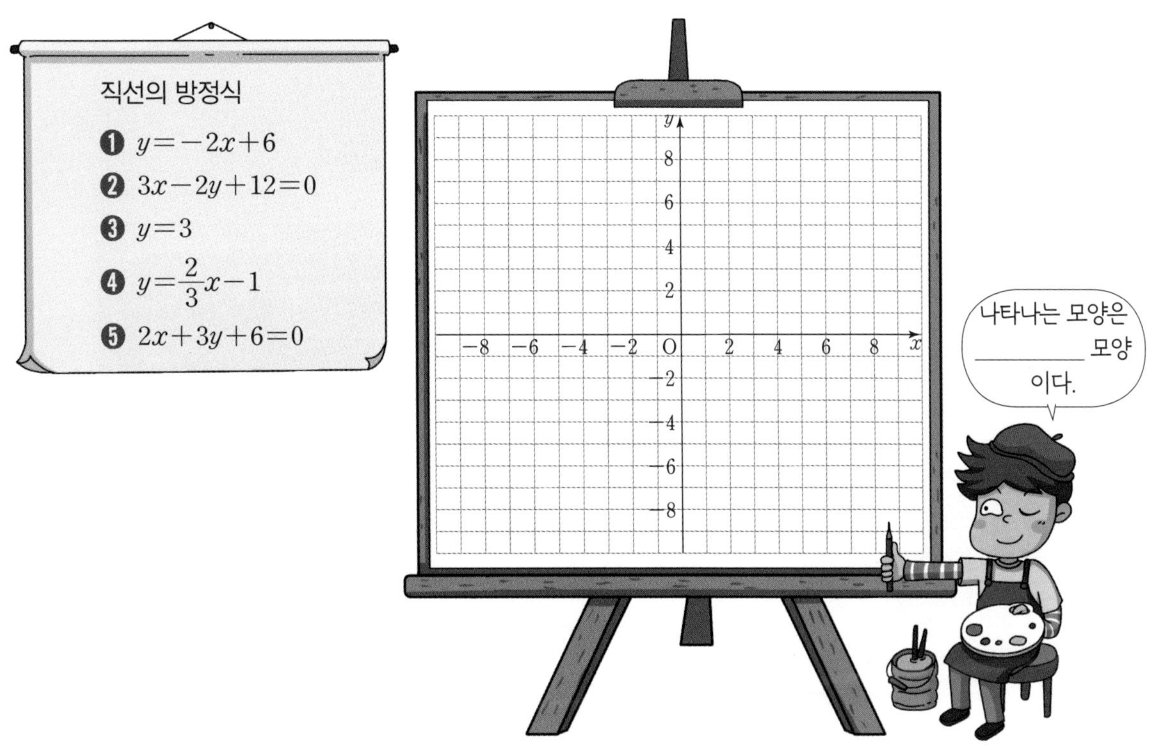

5

옛이야기 "토끼와 거북"에서 토끼는 자신의 실력만 믿고 낮잠을 자다가 쉬지 않고 달린 거북에게 진다. 그후 토끼는 거북이 출발선으로부터 100 m 앞에서 출발하는 조건으로 300 m 달리기 경주를 다시 제안하는데…….

다음 그래프는 토끼와 거북의 달리기 경주를 나타낸 것이다. x분 후의 출발선으로부터 거리를 y m라고 할 때, 다음 중 옳지 <u>않은</u> 말을 한 사람을 찾고, 그 내용을 바르게 고치시오.

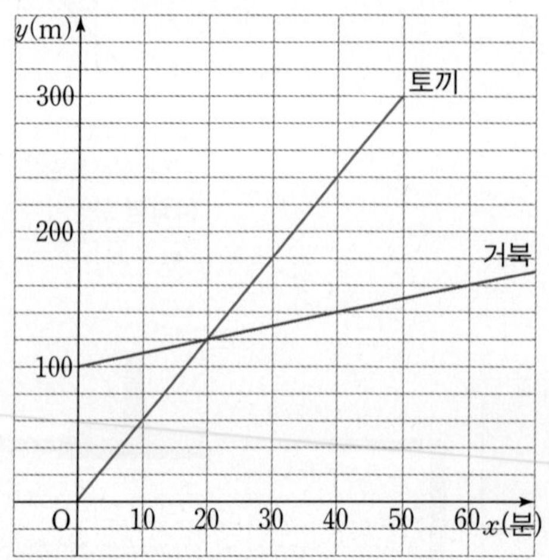

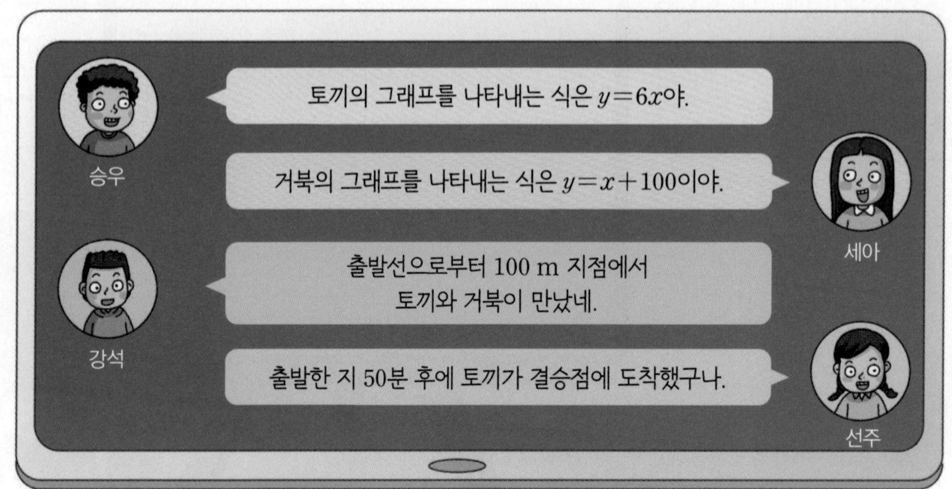

6 다음 미로에서 출구로 연결된 문은 하나뿐이다. 연립방정식에서 두 일차방정식의 그래프의 위치 관계를 바르게 나타낸 화살표를 따라가면 출구에 도착할 수 있을 때, 도착한 출구를 나오면 있는 장소를 말하시오.

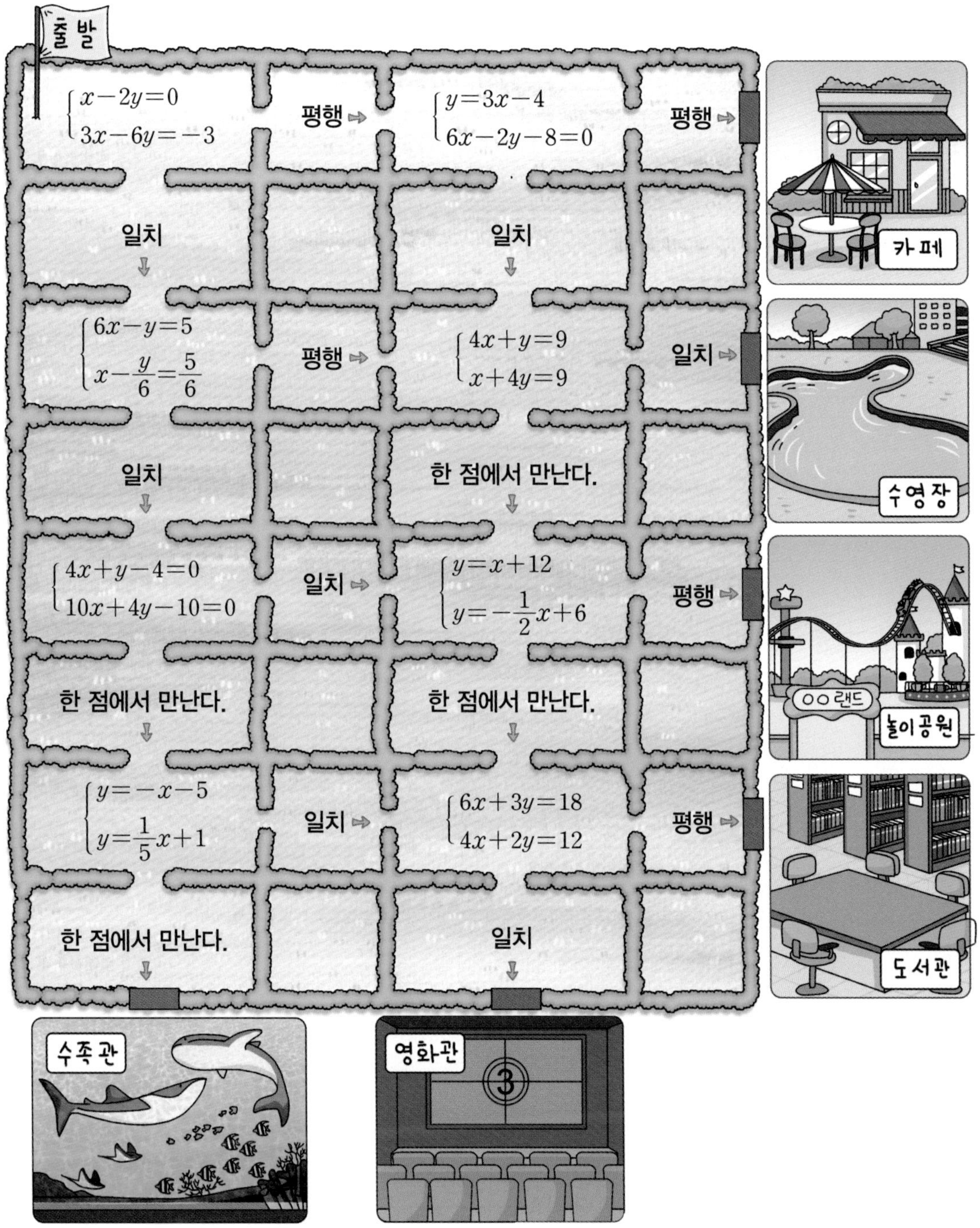

출발

$\begin{cases} x-2y=0 \\ 3x-6y=-3 \end{cases}$ 평행 ⇨ $\begin{cases} y=3x-4 \\ 6x-2y-8=0 \end{cases}$ 평행 ⇨ 카페

일치 ⇩ 일치 ⇩

$\begin{cases} 6x-y=5 \\ x-\frac{y}{6}=\frac{5}{6} \end{cases}$ 평행 ⇨ $\begin{cases} 4x+y=9 \\ x+4y=9 \end{cases}$ 일치 ⇨ 수영장

일치 ⇩ 한 점에서 만난다. ⇩

$\begin{cases} 4x+y-4=0 \\ 10x+4y-10=0 \end{cases}$ 일치 ⇨ $\begin{cases} y=x+12 \\ y=-\frac{1}{2}x+6 \end{cases}$ 평행 ⇨ 놀이공원

한 점에서 만난다. ⇩ 한 점에서 만난다. ⇩

$\begin{cases} y=-x-5 \\ y=\frac{1}{5}x+1 \end{cases}$ 일치 ⇨ $\begin{cases} 6x+3y=18 \\ 4x+2y=12 \end{cases}$ 평행 ⇨ 도서관

한 점에서 만난다. ⇩ 일치 ⇩

수족관 영화관

Memo

Memo

Memo

천재교육

정답과 풀이

중학★바탕 학습

수학 2-1

시작은

하루 수학

정답과 풀이

▶ 혼자서도 이해할 수 있는 친절한 문제 풀이

중2-1

하루 수학

정답과 풀이

정답과 풀이

1주

이번 주에는 무엇을 공부할까? ❷ p8 ~ p9

1-1 2, 2, 12, 2, 6 / $24=2^3\times3$, 소인수 : 2, 3

1-2 (1) $28=2^2\times7$, 소인수 : 2, 7

(2) $60=2^2\times3\times5$, 소인수 : 2, 3, 5

(3) $132=2^2\times3\times11$, 소인수 : 2, 3, 11

(4) $180=2^2\times3^2\times5$, 소인수 : 2, 3, 5

2-1 (1) ○ (2) × (3) × (4) ○

2-2 ㉡, ㉣

3-1 (1) $-5x$, $4y$, -10 (2) -10 (3) -5 (4) 4

3-2 (1) $-2x$, $3y$, -5 (2) -5 (3) -2 (4) 3

3-3 (1) $4x^2$, $-5x$, 6 (2) 6 (3) 4 (4) -5

4-1 (1) $10a$ (2) $-4b$ (3) $-6x$ (4) $-\frac{1}{4}y$

4-2 (1) $-12x$ (2) $2x$ (3) $-4x$ (4) $16x$

1-2 (1)
2) 28
2) 14
7
$\therefore 28=2^2\times7$

(2)
2) 60
2) 30
3) 15
5
$\therefore 60=2^2\times3\times5$

(3)
2) 132
2) 66
3) 33
11
$\therefore 132=2^2\times3\times11$

(4)
2) 180
2) 90
3) 45
3) 15
5
$\therefore 180=2^2\times3^2\times5$

4-1 (3) $48x\div(-8)=48x\times\left(-\frac{1}{8}\right)=-6x$

(4) $\left(-\frac{7}{4}y\right)\div7=\left(-\frac{7}{4}y\right)\times\frac{1}{7}=-\frac{1}{4}y$

4-2 (3) $28x\div(-7)=28x\times\left(-\frac{1}{7}\right)=-4x$

(4) $(-12x)\div\left(-\frac{3}{4}\right)=(-12x)\times\left(-\frac{4}{3}\right)=16x$

1일

1. 유한소수와 순환소수

개념 원리 확인 p11

1-1 (1) 유한 (2) 무한, 무한

1-2 (1) 유 (2) 유 (3) 무

2-1 (1) 0.375, 유한 (2) 0.222…, 무한

2-2 (1) 0.8, 유한소수 (2) 0.818181…, 무한소수

(3) 0.3125, 유한소수 (4) 0.3666…, 무한소수

3-1 (1) $0.\dot{1}\dot{3}$ (2) 34, $1.\dot{2}3\dot{4}$ (3) 215, $3.\dot{2}1\dot{5}$

3-2 (1) 16, $0.\dot{1}\dot{6}$ (2) 3, $1.4\dot{3}$ (3) 198, $5.\dot{1}9\dot{8}$

2-2 (1) $\frac{4}{5}=4\div5=0.8$ ➡ 유한소수

(2) $\frac{9}{11}=9\div11=0.818181\cdots$ ➡ 무한소수

(3) $\frac{5}{16}=5\div16=0.3125$ ➡ 유한소수

(4) $\frac{11}{30}=11\div30=0.3666\cdots$ ➡ 무한소수

3-2 (1) 0.161616…의 순환마디는 16이므로 점을 찍어 간단히 나타내면 $0.\dot{1}\dot{6}$이다.

(2) 1.4333…의 순환마디는 3이므로 점을 찍어 간단히 나타내면 $1.4\dot{3}$이다.

(3) 5.198198198…의 순환마디는 198이므로 점을 찍어 간단히 나타내면 $5.\dot{1}9\dot{8}$이다.

2. 유한소수로 나타낼 수 있는 분수

개념 원리 확인 p13

4-1 (1) 있다 (2) 없다

4-2 (1) 있다 (2) 없다

5-1 (1) 42, 21, 50 / 분모의 소인수 : 2, 5

(2) 285, 57, 200 / 분모의 소인수 : 2, 5

5-2 (1) $\frac{3}{5}$, 5 (2) $\frac{1}{4}$, 2 (3) $\frac{7}{40}$, 2, 5

6-1 (1) 5, 유한 (2) 7, 7, 순환

6-2 (1) 순 (2) 유

5-1 (1) $0.42=\frac{\boxed{42}}{100}=\frac{\boxed{21}}{\boxed{50}}$

이때 분모를 소인수분해하면 $50=2\times5^2$이므로 분모의 소인수는 2, 5이다.

(2) $0.285=\frac{\boxed{285}}{1000}=\frac{\boxed{57}}{\boxed{200}}$

이때 분모를 소인수분해하면 $200=2^3\times5^2$이므로 분모의 소인수는 2, 5이다.

5-2 (1) $0.6=\frac{6}{10}=\frac{3}{5}$이므로 분모의 소인수는 5이다.

(2) $0.25=\frac{25}{100}=\frac{1}{4}$

이때 분모를 소인수분해하면 $4=2^2$이므로 분모의 소인수는 2이다.

(3) $0.175=\frac{175}{1000}=\frac{7}{40}$

이때 분모를 소인수분해하면 $40=2^3\times5$이므로 분모의 소인수는 2, 5이다.

6-2 (1) $\frac{13}{2^2\times3^3}$에서 분모의 소인수 중에 3이 있으므로 순환소수로만 나타낼 수 있다.

(2) $\frac{21}{2\times3\times5}=\frac{7}{2\times5}$에서 분모의 소인수가 2와 5뿐이므로 유한소수로 나타낼 수 있다.

1일 기초 집중 연습 p14~p15

1-1 (1) 무 (2) 유 (3) 유 **1-2** ②, ⑤

1-3 풀이 참조

2-1 (1) ○ (2) ○ (3) × (4) ○

2-2 ⑤ **2-3** ④

2-4 (1) $0.8333\cdots$, $0.8\dot{3}$ (2) $0.91666\cdots$, $0.91\dot{6}$

(3) $0.054054054\cdots$, $0.\dot{0}5\dot{4}$

2-5 하준, 로아, 주현

3-1 (1) × (2) ○ (3) × (4) ○

3-2 ④ **3-3** ③, ⑤

1-3

분수	소수	유한소수/무한소수
(1) $\frac{4}{9}$	$4\div9=0.444\cdots$	무한소수
(2) $\frac{1}{8}$	$1\div8=0.125$	유한소수
(3) $\frac{3}{7}$	$3\div7=0.428571\cdots$	무한소수

2-2 ① $0.0272727\cdots$에서 소수점 아래 둘째 자리에서부터 27이 반복되므로 순환마디는 27이다.

② $1.241241241\cdots$에서 소수점 아래 첫째 자리에서부터 241이 반복되므로 순환마디는 241이다.

③ $5.035035035\cdots$에서 소수점 아래 첫째 자리에서부터 035가 반복되므로 순환마디는 035이다.

④ $7.141141141\cdots$에서 소수점 아래 첫째 자리에서부터 141이 반복되므로 순환마디는 141이다.

⑤ $2.14898989\cdots$에서 소수점 아래 셋째 자리에서부터 89가 반복되므로 순환마디는 89이다.

따라서 순환마디를 바르게 나타낸 것은 ⑤이다.

2-3 ① $0.342342342\cdots=0.\dot{3}4\dot{2}$

② $0.3333\cdots=0.\dot{3}$

③ $5.846444\cdots=5.846\dot{4}$

④ $2.469469469\cdots=2.\dot{4}6\dot{9}$

⑤ $1.251251251\cdots=1.\dot{2}5\dot{1}$

따라서 순환소수의 표현이 옳은 것은 ④이다.

2-4 (1) $\frac{5}{6}=5\div6=0.8333\cdots$에서 순환마디는 3이므로 점을 찍어 간단히 나타내면 $0.8\dot{3}$이다.

(2) $\frac{11}{12}=11\div12=0.91666\cdots$에서 순환마디는 6이므로 점을 찍어 간단히 나타내면 $0.91\dot{6}$이다.

(3) $\frac{2}{37}=2\div37=0.054054054\cdots$에서 순환마디는 054이므로 점을 찍어 간단히 나타내면 $0.\dot{0}5\dot{4}$이다.

2-5 $8.1656565\cdots$는 소수점 아래 0이 아닌 숫자가 무한 번 나타나므로 무한소수이다. 또 소수점 아래 둘째 자리에서부터 65가 반복되므로 순환마디가 65인 순환소수이다. 이것을 간단히 나타내면 $8.1\dot{6}\dot{5}$이다.

따라서 옳은 설명을 한 사람은 하준, 로아, 주현이다.

3-1 (1) $\frac{3}{2^2\times3^2}=\frac{1}{2^2\times3}$에서 분모의 소인수 중에 3이 있으므로 유한소수로 나타낼 수 없다.

(2) $\frac{22}{2^2\times5\times11}=\frac{1}{2\times5}$에서 분모의 소인수가 2와 5뿐이므로 유한소수로 나타낼 수 있다.

(3) $\frac{4}{30}=\frac{2}{15}=\frac{2}{3\times5}$에서 분모의 소인수 중에 3이 있으므로 유한소수로 나타낼 수 없다.

(4) $\frac{21}{140}=\frac{3}{20}=\frac{3}{2^2\times5}$에서 분모의 소인수가 2와 5뿐이므로 유한소수로 나타낼 수 있다.

3-2 ① $\frac{18}{2\times3^2\times5}=\frac{1}{5}$에서 분모의 소인수가 5뿐이므로 유한소수로 나타낼 수 있다.

② $\frac{9}{60}=\frac{3}{20}=\frac{3}{2^2\times5}$에서 분모의 소인수가 2와 5뿐이므로 유한소수로 나타낼 수 있다.

③ $\frac{21}{105}=\frac{1}{5}$에서 분모의 소인수가 5뿐이므로 유한소수로 나타낼 수 있다.

④ $\frac{31}{2^2\times5\times11}$에서 분모의 소인수 중에 11이 있으므로 순환소수로만 나타낼 수 있다.

⑤ $\frac{49}{2^4\times5\times7^2}=\frac{1}{2^4\times5}$에서 분모의 소인수가 2와 5뿐이므로 유한소수로 나타낼 수 있다.

따라서 순환소수로만 나타낼 수 있는 것은 ④이다.

3-3 ① $\frac{5}{12}=\frac{5}{2^2\times3}$에서 분모의 소인수 중에 3이 있으므로 순환소수로만 나타낼 수 있다.

② $\frac{12}{18}=\frac{2}{3}$에서 분모의 소인수 중에 3이 있으므로 순환소수로만 나타낼 수 있다.

③ $\frac{27}{40}=\frac{3^3}{2^3\times5}$에서 분모의 소인수가 2와 5뿐이므로 유한소수로 나타낼 수 있다.

④ $\frac{15}{72}=\frac{5}{24}=\frac{5}{2^3\times3}$에서 분모의 소인수 중에 3이 있으므로 순환소수로만 나타낼 수 있다.

⑤ $\frac{33}{110}=\frac{3}{10}=\frac{3}{2\times5}$에서 분모의 소인수가 2와 5뿐이므로 유한소수로 나타낼 수 있다.

따라서 유한소수로 나타낼 수 있는 것은 ③, ⑤이다.

3.순환소수를 분수로 나타내기 – 원리

개념 원리 확인 p17

1-1 6.666…, 10, 9, 9, $\frac{2}{3}$

1-2 123.232323…, 123.232323…, 122, 99

2-1 10, 100, 90, 90, $\frac{2}{15}$

2-2 1000, 1000, 990, $\frac{1231}{990}$

4.순환소수를 분수로 나타내기 – 공식

개념 원리 확인 p19

3-1 (1) 9 (2) 54, 99, $\frac{6}{11}$ (3) 2, 99, $\frac{211}{99}$

3-2 (1) $\frac{37}{99}$ (2) $\frac{41}{333}$ (3) $\frac{14}{9}$ (4) $\frac{346}{99}$

4-1 (1) 1, 90, $\frac{17}{90}$ (2) 10, 90, $\frac{97}{90}$ (3) 12, 990, $\frac{68}{55}$

4-2 (1) $\frac{17}{30}$ (2) $\frac{371}{450}$ (3) $\frac{62}{45}$ (4) $\frac{1279}{495}$

3-2 (1) $0.\dot{3}\dot{7}=\frac{37}{99}$

(2) $0.\dot{1}2\dot{3}=\frac{123}{999}=\frac{41}{333}$

(3) $1.\dot{5}=\frac{15-1}{9}=\frac{14}{9}$

(4) $3.\dot{4}\dot{9}=\frac{349-3}{99}=\frac{346}{99}$

4-2 (1) $0.5\dot{6}=\frac{56-5}{90}=\frac{51}{90}=\frac{17}{30}$

(2) $0.82\dot{4}=\frac{824-82}{900}=\frac{742}{900}=\frac{371}{450}$

(3) $1.3\dot{7}=\frac{137-13}{90}=\frac{124}{90}=\frac{62}{45}$

(4) $2.5\dot{8}\dot{3}=\frac{2583-25}{990}=\frac{2558}{990}=\frac{1279}{495}$

2일 기초 집중 연습 p20 ~ p21

1-1 (1) (가) 99 (나) 12 (다) 33　(2) (가) 10 (나) 90 (다) $\frac{11}{30}$

(3) (가) 1000 (나) 2142 (다) $\frac{238}{111}$

(4) (가) 1000 (나) 1345 (다) 269

1-2 (1) $\frac{8}{9}$ (2) $\frac{229}{99}$ (3) $\frac{11}{15}$ (4) $\frac{1066}{495}$

1-3 (1) ㉡ (2) ㉣ (3) ㉠ (4) ㉢

2-1 (1) 71 (2) 23, $\frac{71}{30}$ (3) 1763, $\frac{97}{55}$ (4) 123, $\frac{371}{300}$

2-2 (1) $\frac{35}{99}$ (2) $\frac{218}{333}$ (3) $\frac{26}{9}$ (4) $\frac{107}{33}$

2-3 (1) $\frac{8}{15}$ (2) $\frac{11}{25}$ (3) $\frac{113}{90}$ (4) $\frac{2594}{495}$

2-4 ③　**2-5** ④

1-1 (1) $x=0.\dot{1}\dot{2}=0.121212\cdots$

$$\begin{array}{rl} 100x= & 12.121212\cdots \\ -)\quad x= & 0.121212\cdots \\ \hline \boxed{(가)\ 99}\,x= & \boxed{(나)\ 12} \end{array}$$

$\therefore x=\frac{12}{99}=\frac{4}{\boxed{(다)\ 33}}$

(2) $x=0.3\dot{6}=0.3666\cdots$

$$\begin{array}{rl} 100x= & 36.666\cdots \\ -)\quad \boxed{(가)\ 10}\,x= & 3.666\cdots \\ \hline \boxed{(나)\ 90}\,x= & 33 \end{array}$$

$\therefore x=\frac{33}{90}=\boxed{(다)\ \frac{11}{30}}$

(3) $x=2.\dot{1}4\dot{4}=2.144144144\cdots$

$$\begin{array}{rl} \boxed{(가)\ 1000}\,x= & 2144.144144144\cdots \\ -)\quad x= & 2.144144144\cdots \\ \hline 999x= & \boxed{(나)\ 2142} \end{array}$$

$\therefore x=\frac{2142}{999}=\boxed{(다)\ \frac{238}{111}}$

(4) $x=1.3\dot{5}\dot{8}=1.3585858\cdots$

$$\begin{array}{rl} \boxed{(가)\ 1000}\,x= & 1358.585858\cdots \\ -)\quad 10x= & 13.585858\cdots \\ \hline 990x= & \boxed{(나)\ 1345} \end{array}$$

$\therefore x=\frac{1345}{990}=\frac{\boxed{(다)\ 269}}{198}$

1-2 (1) $0.\dot{8}=\frac{8}{9}$

(2) $2.\dot{3}\dot{1}=\frac{231-2}{99}=\frac{229}{99}$

(3) $0.7\dot{3}=\frac{73-7}{90}=\frac{66}{90}=\frac{11}{15}$

(4) $2.1\dot{5}\dot{3}=\frac{2153-21}{990}=\frac{2132}{990}=\frac{1066}{495}$

1-3 (1) $x=0.\dot{4}=0.444\cdots$

$$\begin{array}{rl} 10x= & 4.444\cdots \\ -)\quad x= & 0.444\cdots \\ \hline 9x= & 4 \end{array}$$

$\therefore x=\frac{4}{9}$

➡ 필요한 가장 간단한 식은 ㉡ $10x-x$

(2) $x=0.2\dot{7}=0.2777\cdots$

$$\begin{array}{rl} 100x= & 27.777\cdots \\ -)\quad 10x= & 2.777\cdots \\ \hline 90x= & 25 \end{array}$$

$\therefore x=\frac{25}{90}=\frac{5}{18}$

➡ 필요한 가장 간단한 식은 ㉣ $100x-10x$

(3) $x=1.\dot{2}\dot{8}=1.282828\cdots$

$$\begin{array}{rl} 100x= & 128.282828\cdots \\ -)\quad x= & 1.282828\cdots \\ \hline 99x= & 127 \end{array}$$

$\therefore x=\frac{127}{99}$

➡ 필요한 가장 간단한 식은 ㉠ $100x-x$

(4) $x=0.\dot{1}2\dot{5}=0.125125125\cdots$

$$\begin{array}{rl} 1000x= & 125.125125125\cdots \\ -)\quad x= & 0.125125125\cdots \\ \hline 999x= & 125 \end{array}$$

$\therefore x=\frac{125}{999}$

➡ 필요한 가장 간단한 식은 ㉢ $1000x-x$

2-1 (1) $0.\dot{7}\dot{1}=\frac{\boxed{71}}{99}$

(2) $2.3\dot{6}=\frac{236-\boxed{23}}{90}=\frac{213}{90}=\boxed{\frac{71}{30}}$

(3) $1.\dot{7}6\dot{3}=\frac{\boxed{1763}-17}{990}=\frac{1746}{990}=\boxed{\frac{97}{55}}$

(4) $1.23\dot{6}=\frac{1236-\boxed{123}}{900}=\frac{1113}{900}=\boxed{\frac{371}{300}}$

2-2 (1) $0.\dot{3}\dot{5}=\frac{35}{99}$

(2) $0.\dot{6}5\dot{4}=\frac{654}{999}=\frac{218}{333}$

(3) $2.\dot{8}=\frac{28-2}{9}=\frac{26}{9}$

(4) $3.\dot{2}\dot{4}=\frac{324-3}{99}=\frac{321}{99}=\frac{107}{33}$

2-3 (1) $0.5\dot{3}=\frac{53-5}{90}=\frac{48}{90}=\frac{8}{15}$

(2) $0.43\dot{9}=\frac{439-43}{900}=\frac{396}{900}=\frac{11}{25}$

(3) $1.2\dot{5}=\frac{125-12}{90}=\frac{113}{90}$

(4) $5.2\dot{4}\dot{0}=\frac{5240-52}{990}=\frac{5188}{990}=\frac{2594}{495}$

2-4 ③ $4.\dot{5}\dot{2}=\frac{452-4}{99}=\frac{448}{99}$

2-5 ① $0.\dot{0}\dot{4}=\frac{4}{99}$

② $0.2\dot{6}=\frac{26-2}{90}=\frac{24}{90}=\frac{4}{15}$

③ $1.\dot{3}\dot{6}=\frac{136-1}{99}=\frac{135}{99}=\frac{15}{11}$

④ $0.1\dot{2}\dot{5}=\frac{125-1}{990}=\frac{124}{990}=\frac{62}{495}$

⑤ $1.3\dot{5}\dot{8}=\frac{1358-13}{990}=\frac{1345}{990}=\frac{269}{198}$

따라서 옳은 것은 ④이다.

5. 지수법칙(1), (2)

개념 원리 확인 p23

1-1 (1) 2, 3 (2) 2, 2

1-2 (1) $5^3\times7^4$ (2) $\left(\frac{1}{2}\right)^3\times\left(\frac{1}{7}\right)^2$

2-1 (1) 5, 8 (2) 4, 5 (3) 4, 9 (4) 3, 1, 5, 3

2-2 (1) x^7 (2) b^{14} (3) x^3y^7 (4) a^6b^{10}

3-1 (1) 9 (2) 8 (3) 12, 12, 15 (4) 16, 16, 25

3-2 (1) x^{12} (2) y^{16} (3) a^{17} (4) $a^{13}b^{21}$

2-2 (1) $x^4\times x^3=x^{4+3}=x^7$

(2) $b^2\times b^5\times b^7=b^{2+5+7}=b^{14}$

(3) $x^3\times y^2\times y^5=x^3\times y^{2+5}=x^3y^7$

(4) $a^5\times b^4\times a\times b^6=a^{5+1}\times b^{4+6}=a^6b^{10}$

3-2 (1) $(x^2)^6=x^{2\times6}=x^{12}$

(2) $(y^8)^2=y^{8\times2}=y^{16}$

(3) $(a^4)^3\times a^5=a^{4\times3}\times a^5=a^{12}\times a^5=a^{12+5}=a^{17}$

(4) $(a^2)^5\times a^3\times(b^7)^3=a^{2\times5}\times a^3\times b^{7\times3}$
$=a^{10}\times a^3\times b^{21}$
$=a^{10+3}\times b^{21}$
$=a^{13}b^{21}$

6. 지수법칙(3), (4)

개념 원리 확인 p25

4-1 (1) 4, 2 (2) 1 (3) 6, 2, 4 (4) 6, 3, 2

4-2 (1) a^3 (2) 1 (3) $\frac{1}{a^5}$ (4) 1

5-1 (1) 3, 3 (2) 2, 2, 6, 10 (3) 3, $8x^6$

5-2 (1) x^2y^6 (2) $x^{10}y^{15}$ (3) a^6

6-1 (1) 6 (2) 3, 3, 3, 3, 3, $-x^6$, 15, x^6, 15

(3) 2, 2, 2, 2, 6

6-2 (1) $\frac{a^6}{b^4}$ (2) $-\frac{x^5}{y^{10}}$ (3) $\frac{x^6}{8y^3}$

4-2 (1) $a^5\div a^2=a^{5-2}=a^3$

(2) $a^2\div a^2=1$

(3) $a^2\div a^7=\frac{1}{a^{7-2}}=\frac{1}{a^5}$

(4) $a^6\div a^2\div a^4=a^{6-2}\div a^4=a^4\div a^4=1$

5-2 (1) $(xy^3)^2=x^2\times y^{3\times2}=x^2y^6$

(2) $(x^2y^3)^5=x^{2\times5}\times y^{3\times5}=x^{10}y^{15}$

(3) $(-a^3)^2=(-1)^2a^{3\times2}=a^6$

6-2 (1) $\left(\frac{a^3}{b^2}\right)^2=\frac{(a^3)^2}{(b^2)^2}=\frac{a^{3\times2}}{b^{2\times2}}=\frac{a^6}{b^4}$

(2) $\left(-\frac{x}{y^2}\right)^5=\frac{(-x)^5}{(y^2)^5}=\frac{(-1)^5x^5}{y^{2\times5}}=\frac{-x^5}{y^{10}}=-\frac{x^5}{y^{10}}$

(3) $\left(\frac{x^2}{2y}\right)^3=\frac{(x^2)^3}{(2y)^3}=\frac{x^{2\times3}}{2^3y^3}=\frac{x^6}{8y^3}$

3일 기초 집중 연습 p26 ~ p27

1-1 (1) a^{10} (2) b^6 (3) $x^{11}y^{14}$ (4) x^{21} (5) b^{10} (6) x^{41}

1-2 ⑤ **2-1** ③, ⑤

2-2 윤희, $16x^8y^4$ **2-3** ㉠, ㉣

3-1 ③ **3-2** 26

4-1 (1) 3 (2) 2 (3) 4 (4) 9 (5) 2 (6) 2

4-2 1 **4-3** $a=3$, $b=15$, $c=10$

1-1 (1) $a^4\times a^6=a^{4+6}=a^{10}$

(2) $b^3\times b\times b^2=b^{3+1+2}=b^6$

(3) $x^4\times y^6\times x^7\times y^8=x^4\times x^7\times y^6\times y^8$
$=x^{4+7}\times y^{6+8}$
$=x^{11}y^{14}$

(4) $(x^3)^7=x^{3\times7}=x^{21}$

(5) $(b^2)^3\times b^4=b^{2\times3}\times b^4=b^6\times b^4=b^{6+4}=b^{10}$

(6) $(x^5)^2\times(x^3)^8\times x^7=x^{5\times2}\times x^{3\times8}\times x^7$
$=x^{10}\times x^{24}\times x^7$
$=x^{10+24+7}=x^{41}$

1-2 ① $a^4\times a=a^{4+1}=a^5$

② $2^8\times2^4=2^{8+4}=2^{12}$

③ $a^2\times b^3\times a^4\times b^5=a^2\times a^4\times b^3\times b^5$
$=a^{2+4}\times b^{3+5}=a^6b^8$

④ $x^5\times(x^2)^3=x^5\times x^{2\times3}=x^5\times x^6=x^{5+6}=x^{11}$

⑤ $(x^2)^6\times(x^4)^2=x^{2\times6}\times x^{4\times2}=x^{12}\times x^8$
$=x^{12+8}=x^{20}$

따라서 옳은 것은 ⑤이다.

2-1 ① $a^8\div a^2=a^{8-2}=a^6$

② $a^5\div a^5=1$

③ $a\div a^5=\dfrac{1}{a^{5-1}}=\dfrac{1}{a^4}$

④ $a^3\div a^2\div a^3=a^{3-2}\div a^3=a\div a^3=\dfrac{1}{a^{3-1}}=\dfrac{1}{a^2}$

⑤ $(a^2)^3\div(a^3)^2=a^{2\times3}\div a^{3\times2}=a^6\div a^6=1$

따라서 옳은 것은 ③, ⑤이다.

2-2 윤희 : $(-2x^2y)^4=(-2)^4\times x^{2\times4}\times y^4=16x^8y^4$

2-3 ㉠ $(x^3y^2)^4=x^{3\times4}y^{2\times4}=x^{12}y^8$

㉡ $(2a^2b^4)^3=2^3a^{2\times3}b^{4\times3}=8a^6b^{12}$

㉢ $(-3a^2b)^3=(-3)^3a^{2\times3}b^3=-27a^6b^3$

㉣ $(-ab)^5=(-1)^5a^5b^5=-a^5b^5$

㉤ $\left(\dfrac{2x^3}{3y}\right)^2=\dfrac{(2x^3)^2}{(3y)^2}=\dfrac{2^2x^{3\times2}}{3^2y^2}=\dfrac{4x^6}{9y^2}$

㉥ $\left(-\dfrac{xy^2}{4}\right)^3=\dfrac{(-xy^2)^3}{4^3}=\dfrac{(-1)^3x^3y^{2\times3}}{4^3}=-\dfrac{x^3y^6}{64}$

따라서 옳은 것은 ㉠, ㉣이다.

3-1 ① $x^2\times x^3\times x^6=x^{2+3+6}=x^{11}$

② $a^3\div(a^2)^5=a^3\div a^{2\times5}=a^3\div a^{10}=\dfrac{1}{a^{10-3}}=\dfrac{1}{a^7}$

③ $\left(\dfrac{4b}{a^3}\right)^3=\dfrac{(4b)^3}{(a^3)^3}=\dfrac{4^3b^3}{a^{3\times3}}=\dfrac{64b^3}{a^9}$

④ $x^5\times(x^4y)^3\times y=x^5\times x^{4\times3}y^3\times y$
$=x^5\times x^{12}\times y^{3+1}$
$=x^{5+12}y^4$
$=x^{17}y^4$

⑤ $(x^7)^2\div(x^3)^3\div x^6=x^{7\times2}\div x^{3\times3}\div x^6$
$=x^{14}\div x^9\div x^6$
$=x^{14-9}\div x^6=x^5\div x^6$
$=\dfrac{1}{x^{6-5}}=\dfrac{1}{x}$

따라서 옳은 것은 ③이다.

3-2 $(a^2)^2\times(a^4)^3\times a=a^{2\times2}\times a^{4\times3}\times a$
$=a^4\times a^{12}\times a$
$=a^{4+12+1}=a^{17}$

$(b^4)^5\div(b^3)^3\div b^2=b^{4\times5}\div b^{3\times3}\div b^2$
$=b^{20}\div b^9\div b^2$
$=b^{20-9}\div b^2=b^{11}\div b^2$
$=b^{11-2}=b^9$

따라서 $m=17$, $n=9$이므로
$m+n=17+9=26$

4-1 (1) $x^3\times x^{\square}=x^{3+\square}=x^6$에서
$3+\square=6$ $\quad\therefore \square=3$

(2) $(x^{\square})^4=x^{\square\times4}=x^8$에서
$\square\times4=8$ $\quad\therefore \square=2$

(3) $x^{\square}\div x^4=1$에서 $\square=4$

(4) $x^6\div x^{\square}=\dfrac{1}{x^{\square-6}}=\dfrac{1}{x^3}$에서
$\square-6=3$ $\quad\therefore \square=9$

(5) $(x^3y^{\square})^2=x^6y^{\square\times2}=x^6y^4$에서
$\square\times2=4$ $\quad\therefore \square=2$

(6) $\left(\dfrac{2a^7}{b^3}\right)^{\square}=\dfrac{2^{\square}a^{7\times\square}}{b^{3\times\square}}=\dfrac{4a^{14}}{b^6}$에서

$3\times\square=6$ ∴ $\square=2$

참고 $2^{\square}=4$ 또는 $7\times\square=14$에서 $\square$의 값을 구해도 $\square=2$로 같다.

4-2 $(a^3)^2\times a^x=a^6\times a^x=a^{6+x}=a^{10}$에서

$6+x=10$ ∴ $x=4$

$(b^2)^y\div b^8=b^{2y}\div b^8=\dfrac{1}{b^{8-2y}}=\dfrac{1}{b^2}$에서

$8-2y=2$, $-2y=-6$ ∴ $y=3$

∴ $x-y=4-3=1$

4-3 $\left(\dfrac{3}{2^a}\right)^4=\dfrac{3^4}{2^{4a}}=\dfrac{3^4}{2^{12}}$에서

$4a=12$ ∴ $a=3$

$\left(\dfrac{2^a}{7^2}\right)^5=\dfrac{2^{5a}}{7^{2\times5}}=\dfrac{2^{5a}}{7^{10}}=\dfrac{2^b}{7^c}$에서

$5a=b$, $c=10$

이때 $a=3$이므로 $b=5\times3=15$

4일

7. 단항식의 곱셈과 나눗셈

개념 원리 확인 p29

1-1 (1) xy (2) 7, 4

1-2 (1) $20x^4$ (2) $-24a^4b$ (3) $18a^5b^4$

2-1 (1) $\dfrac{1}{7a}$ (2) $\dfrac{3}{xy}$ (3) $\dfrac{1}{4a^2}$

2-2 (1) $\dfrac{1}{5ab}$ (2) $-\dfrac{2}{3xy^2}$ (3) $\dfrac{25}{4a^2b^2}$

3-1 (1) $2a$, 2, ab^2, $3b^2$ (2) $\dfrac{3x^2}{2y}$, $\dfrac{x^2}{y}$, $24x^6y^5$

3-2 (1) $4x$ (2) $12ab^4$ (3) $32b^2$

1-2 (1) $5x\times4x^3=5\times4\times x\times x^3=20x^4$

(2) $(-2a)^3\times3ab=-8a^3\times3ab$

$=-8\times3\times a^3\times ab$

$=-24a^4b$

(3) $(3ab)^2\times2a^3b^2=9a^2b^2\times2a^3b^2$

$=9\times2\times a^2b^2\times a^3b^2$

$=18a^5b^4$

2-1 (2) $\dfrac{1}{3}xy=\dfrac{xy}{3}$이므로 구하는 역수는 $\dfrac{3}{xy}$

(3) $(-2a)^2=4a^2$이므로 구하는 역수는 $\dfrac{1}{4a^2}$

2-2 (2) $-\dfrac{3}{2}xy^2=-\dfrac{3xy^2}{2}$이므로 구하는 역수는 $-\dfrac{2}{3xy^2}$

(3) $\left(\dfrac{2}{5}ab\right)^2=\dfrac{4a^2b^2}{25}$이므로 구하는 역수는 $\dfrac{25}{4a^2b^2}$

3-2 (1) $12x^2y\div3xy=\dfrac{12x^2y}{3xy}=4x$

(2) $9a^2b^5\div\dfrac{3}{4}ab=9a^2b^5\times\dfrac{4}{3ab}$

$=9\times\dfrac{4}{3}\times a^2b^5\times\dfrac{1}{ab}$

$=12ab^4$

(3) $(2ab)^3\div\dfrac{a^3b}{4}=8a^3b^3\times\dfrac{4}{a^3b}$

$=8\times4\times a^3b^3\times\dfrac{1}{a^3b}$

$=32b^2$

8. 단항식의 곱셈과 나눗셈의 혼합 계산

개념 원리 확인 p31

4-1 $2b^2$, 2, b^2, $15a^3b^2$

4-2 (1) $8x$ (2) $-\dfrac{3}{2}x^6$ (3) $72a^2$ (4) $-\dfrac{4a}{b^3}$

5-1 $4a^2$, $4a^2$, 4, a^2, $\dfrac{b^3}{2}$

5-2 (1) $-4x$ (2) $12a^5$ (3) x^5y^6 (4) xy^2

4-2 (1) $2x^2\times4x\div x^2=2x^2\times4x\times\dfrac{1}{x^2}$

$=2\times4\times x^2\times x\times\dfrac{1}{x^2}$

$=8x$

(2) $3x^2y\div(-4xy^3)\times2x^5y^2$

$=3x^2y\times\left(-\dfrac{1}{4xy^3}\right)\times2x^5y^2$

$=3\times\left(-\dfrac{1}{4}\right)\times2\times x^2y\times\dfrac{1}{xy^3}\times x^5y^2$

$=-\dfrac{3}{2}x^6$

(3) $4a^2b \div \frac{1}{3}ab^2 \times 6ab$

$= 4a^2b \times \frac{3}{ab^2} \times 6ab$

$= 4 \times 3 \times 6 \times a^2b \times \frac{1}{ab^2} \times ab$

$= 72a^2$

(4) $8a^3 \div \frac{1}{2}a^2b \div (-4b^2)$

$= 8a^3 \times \frac{2}{a^2b} \times \left(-\frac{1}{4b^2}\right)$

$= 8 \times 2 \times \left(-\frac{1}{4}\right) \times a^3 \times \frac{1}{a^2b} \times \frac{1}{b^2}$

$= -\frac{4a}{b^3}$

5-2 (1) $3x \times (-2x)^3 \div 6x^3$

$= 3x \times (-8x^3) \times \frac{1}{6x^3}$

$= 3 \times (-8) \times \frac{1}{6} \times x \times x^3 \times \frac{1}{x^3}$

$= -4x$

(2) $18a^6 \div (-3a)^2 \times 6a$

$= 18a^6 \div 9a^2 \times 6a$

$= 18a^6 \times \frac{1}{9a^2} \times 6a$

$= 18 \times \frac{1}{9} \times 6 \times a^6 \times \frac{1}{a^2} \times a$

$= 12a^5$

(3) $(-3x^2y)^2 \div \frac{1}{3}x^3y^2 \times \frac{x^4y^6}{27}$

$= 9x^4y^2 \times \frac{3}{x^3y^2} \times \frac{x^4y^6}{27}$

$= 9 \times 3 \times \frac{1}{27} \times x^4y^2 \times \frac{1}{x^3y^2} \times x^4y^6$

$= x^5y^6$

(4) $\left(-\frac{1}{2}x\right)^3 \times \frac{6y^3}{x} \div \left(-\frac{3}{4}xy\right)$

$= -\frac{1}{8}x^3 \times \frac{6y^3}{x} \times \left(-\frac{4}{3xy}\right)$

$= -\frac{1}{8} \times 6 \times \left(-\frac{4}{3}\right) \times x^3 \times \frac{y^3}{x} \times \frac{1}{xy}$

$= xy^2$

4일 기초 집중 연습 p32 ~ p33

1-1 (1) $-24ab^3$ (2) $-3x^5y^5$ (3) $-45x^3y$ (4) $\frac{4}{9}a^{10}$

(5) $30a^7$ (6) $-2x^3y^3$

1-2 ④

2-1 (1) $-\frac{3a}{4}$ (2) $\frac{2x^2}{y}$ (3) $\frac{7}{x^4y^3}$ (4) $9y$

2-2 (1) $75a^2$ (2) -96 (3) $-18x^8y^{12}$ (4) $\frac{20}{b}$

2-3 ② **2-4** ③

3-1 (1) $-32x^2y$ (2) $72x^2$ (3) $6y^6$ (4) $-\frac{1}{24}a^3b$

3-2 ④ **3-3** (나), a^5b^3

1-1 (1) $-4ab \times 6b^2 = -4 \times 6 \times ab \times b^2 = -24ab^3$

(2) $3xy^3 \times (-x^4y^2) = 3 \times (-1) \times xy^3 \times x^4y^2$

$= -3x^5y^5$

(3) $(-3x)^2 \times (-5xy) = 9x^2 \times (-5xy)$

$= 9 \times (-5) \times x^2 \times xy$

$= -45x^3y$

(4) $(2a^2)^2 \times \left(-\frac{1}{3}a^3\right)^2 = 4a^4 \times \frac{1}{9}a^6$

$= 4 \times \frac{1}{9} \times a^4 \times a^6$

$= \frac{4}{9}a^{10}$

(5) $5a^2 \times 2a \times 3a^4 = 5 \times 2 \times 3 \times a^2 \times a \times a^4 = 30a^7$

(6) $3x^2 \times \frac{1}{9}xy^2 \times (-6y)$

$= 3 \times \frac{1}{9} \times (-6) \times x^2 \times xy^2 \times y$

$= -2x^3y^3$

1-2 ① $3x \times (-5y) = 3 \times (-5) \times x \times y = -15xy$

② $4x^3 \times 5xy^2 = 4 \times 5 \times x^3 \times xy^2 = 20x^4y^2$

③ $9a^2b \times (-2ab^2) = 9 \times (-2) \times a^2b \times ab^2 = -18a^3b^3$

④ $(-2x)^3 \times (-4xy) = -8x^3 \times (-4xy)$

$= -8 \times (-4) \times x^3 \times xy$

$= 32x^4y$

⑤ $-2x^2 \times \frac{3}{4}xy^3 \times \left(-\frac{1}{9}y\right)$

$= -2 \times \frac{3}{4} \times \left(-\frac{1}{9}\right) \times x^2 \times xy^3 \times y$

$= \frac{1}{6}x^3y^4$

따라서 계산 결과가 옳지 않은 것은 ④이다.

2-1 (1) $-3a^2\div 4a=\dfrac{-3a^2}{4a}=-\dfrac{3a}{4}$

(2) $24x^3y\div 12xy^2=\dfrac{24x^3y}{12xy^2}=\dfrac{2x^2}{y}$

(3) $7x^2y\div(x^3y^2)^2=7x^2y\div x^6y^4=\dfrac{7x^2y}{x^6y^4}=\dfrac{7}{x^4y^3}$

(4) $(-9xy)^2\div 9x^2y=81x^2y^2\div 9x^2y=\dfrac{81x^2y^2}{9x^2y}=9y$

2-2 (1) $15a^3\div\dfrac{a}{5}=15a^3\times\dfrac{5}{a}=75a^2$

(2) $(4x)^3\div\left(-\dfrac{2}{3}x^3\right)=64x^3\times\left(-\dfrac{3}{2x^3}\right)=-96$

(3) $(-3x^4y^3)^3\div\dfrac{3x^4}{2y^3}=-27x^{12}y^9\times\dfrac{2y^3}{3x^4}=-18x^8y^{12}$

(4) $5a^2b\div\left(-\dfrac{1}{2}ab\right)^2=5a^2b\div\dfrac{1}{4}a^2b^2$

$=5a^2b\times\dfrac{4}{a^2b^2}=\dfrac{20}{b}$

2-3 ① $6ab^2\div 3ab=\dfrac{6ab^2}{3ab}=2b$

② $18a^4\div(-6a^3)=\dfrac{18a^4}{-6a^3}=-3a$

③ $-a^3b\div\dfrac{1}{2}ab=-a^3b\times\dfrac{2}{ab}=-2a^2$

④ $(-ab^2)^3\div a^2b^2=-a^3b^6\div a^2b^2=\dfrac{-a^3b^6}{a^2b^2}=-ab^4$

⑤ $\left(\dfrac{a^3b}{2}\right)^2\div\dfrac{b^3}{8a^2}=\dfrac{a^6b^2}{4}\times\dfrac{8a^2}{b^3}=\dfrac{2a^8}{b}$

따라서 옳지 않은 것은 ②이다.

2-4 $(x^3y)^2\div\dfrac{y}{2x}\div\left(-\dfrac{x}{y^2}\right)^4=x^6y^2\div\dfrac{y}{2x}\div\dfrac{x^4}{y^8}$

$=x^6y^2\times\dfrac{2x}{y}\times\dfrac{y^8}{x^4}$

$=2x^3y^9$

3-1 (1) $18x^3\times(-16y^2)\div 9xy$

$=18x^3\times(-16y^2)\times\dfrac{1}{9xy}$

$=18\times(-16)\times\dfrac{1}{9}\times x^3\times y^2\times\dfrac{1}{xy}$

$=-32x^2y$

(2) $4x^2y\div\dfrac{1}{3}xy^2\times 6xy=4x^2y\times\dfrac{3}{xy^2}\times 6xy$

$=4\times 3\times 6\times x^2y\times\dfrac{1}{xy^2}\times xy$

$=72x^2$

(3) $(2x^2y)^3\times(-3xy^3)^2\div 12x^8y^3$

$=8x^6y^3\times 9x^2y^6\times\dfrac{1}{12x^8y^3}$

$=8\times 9\times\dfrac{1}{12}\times x^6y^3\times x^2y^6\times\dfrac{1}{x^8y^3}$

$=6y^6$

(4) $\left(-\dfrac{2}{3}ab\right)^2\div(-4b)\times\dfrac{3}{8}a$

$=\dfrac{4}{9}a^2b^2\times\left(-\dfrac{1}{4b}\right)\times\dfrac{3}{8}a$

$=\dfrac{4}{9}\times\left(-\dfrac{1}{4}\right)\times\dfrac{3}{8}\times a^2b^2\times\dfrac{1}{b}\times a$

$=-\dfrac{1}{24}a^3b$

3-2 ① $(a^5)^3\times(ab^2)^6\div b^6=a^{15}\times a^6b^{12}\times\dfrac{1}{b^6}=a^{21}b^6$

② $(a^3b)^2\div a^2b^3\times\left(\dfrac{b}{a^2}\right)^2=a^6b^2\times\dfrac{1}{a^2b^3}\times\dfrac{b^2}{a^4}=b$

③ $-6ab^2\div 3ab\times 2ab^2$

$=-6ab^2\times\dfrac{1}{3ab}\times 2ab^2$

$=-6\times\dfrac{1}{3}\times 2\times ab^2\times\dfrac{1}{ab}\times ab^2$

$=-4ab^3$

④ $18y^3\times\dfrac{1}{2}x^2y^3\div 3xy^2$

$=18y^3\times\dfrac{1}{2}x^2y^3\times\dfrac{1}{3xy^2}$

$=18\times\dfrac{1}{2}\times\dfrac{1}{3}\times y^3\times x^2y^3\times\dfrac{1}{xy^2}$

$=3xy^4$

⑤ $(3xy)^2\div 6x^3y^5\times\left(-\dfrac{x^3y^2}{2}\right)^3$

$=9x^2y^2\times\dfrac{1}{6x^3y^5}\times\left(-\dfrac{x^9y^6}{8}\right)$

$=9\times\dfrac{1}{6}\times\left(-\dfrac{1}{8}\right)\times x^2y^2\times\dfrac{1}{x^3y^5}\times x^9y^6$

$=-\dfrac{3}{16}x^8y^3$

따라서 옳은 것은 ④이다.

3-3 [바른 풀이]

$2a^4b^2\div\dfrac{1}{2}ab\times\left(-\dfrac{1}{2}ab\right)^2=2a^4b^2\div\dfrac{1}{2}ab\times\dfrac{1}{4}a^2b^2$

$=2a^4b^2\times\dfrac{2}{ab}\times\dfrac{1}{4}a^2b^2$

$=2\times 2\times\dfrac{1}{4}\times a^4b^2\times\dfrac{1}{ab}\times a^2b^2$

$=a^5b^3$

5일

9. 다항식의 덧셈과 뺄셈

개념 원리 확인 p35

1-1 (1) 3, 3, 3, 3, $8x+y$ (2) $-$, $-$, 2, 3

1-2 (1) $3x-y$ (2) $4x-7y$ (3) $3x-8y$ (4) $-16x-y$

2-1 (1) 2, 8, $\frac{3}{10}x+\frac{1}{2}y$ (2) 3, 9, 12, $\frac{14x-2y}{15}$

2-2 (1) $-\frac{11}{12}x-\frac{7}{12}y$ (2) $-\frac{1}{6}x+\frac{13}{12}y$

(3) $\frac{7x-y}{4}$ (4) $\frac{-5x+11y}{12}$

1-2 (1) $(x+3y)+(2x-4y)=x+3y+2x-4y$
$=x+2x+3y-4y$
$=3x-y$

(2) $(2x-y)+2(x-3y)=2x-y+2x-6y$
$=2x+2x-y-6y$
$=4x-7y$

(3) $(2x-5y)-(-x+3y)=2x-5y+x-3y$
$=2x+x-5y-3y$
$=3x-8y$

(4) $(-x+2y)-3(5x+y)=-x+2y-15x-3y$
$=-x-15x+2y-3y$
$=-16x-y$

2-2 (1) $\left(\frac{1}{3}x-\frac{3}{4}y\right)+\left(-\frac{5}{4}x+\frac{1}{6}y\right)$
$=\frac{1}{3}x-\frac{3}{4}y-\frac{5}{4}x+\frac{1}{6}y$
$=\frac{1}{3}x-\frac{5}{4}x-\frac{3}{4}y+\frac{1}{6}y$
$=\frac{4}{12}x-\frac{15}{12}x-\frac{9}{12}y+\frac{2}{12}y$
$=-\frac{11}{12}x-\frac{7}{12}y$

(2) $\left(\frac{1}{2}x+\frac{1}{3}y\right)-\left(\frac{2}{3}x-\frac{3}{4}y\right)$
$=\frac{1}{2}x+\frac{1}{3}y-\frac{2}{3}x+\frac{3}{4}y$
$=\frac{1}{2}x-\frac{2}{3}x+\frac{1}{3}y+\frac{3}{4}y$
$=\frac{3}{6}x-\frac{4}{6}x+\frac{4}{12}y+\frac{9}{12}y$
$=-\frac{1}{6}x+\frac{13}{12}y$

(3) $\frac{5x+3y}{4}+\frac{x-2y}{2}=\frac{5x+3y+2(x-2y)}{4}$
$=\frac{5x+3y+2x-4y}{4}$
$=\frac{7x-y}{4}$

(4) $\frac{x+2y}{3}-\frac{3x-y}{4}=\frac{4(x+2y)-3(3x-y)}{12}$
$=\frac{4x+8y-9x+3y}{12}$
$=\frac{-5x+11y}{12}$

10. 이차식의 덧셈과 뺄셈

개념 원리 확인 p37

3-1 (1) $3x^2-5x+5$ (2) $5x^2-2$
(3) $-x^2+6x-4$ (4) $4x^2-7x+20$

3-2 (1) $4x^2+4x-6$ (2) $-3x^2+6x+5$
(3) $4x^2-x-1$ (4) $6x^2-24x-6$

4-1 (1) $4x+3y$ (2) $5x+2y+2$ (3) $2x^2+6x+2$
(4) $4x^2-6x-1$

4-2 (1) $x+3y+1$ (2) $4x-5y$ (3) $x+3$ (4) $-2x+5$

3-1 (1) $(5x^2-3x-2)+(-2x^2-2x+7)$
$=5x^2-3x-2-2x^2-2x+7$
$=5x^2-2x^2-3x-2x-2+7$
$=3x^2-5x+5$

(2) $2(x^2-2x)+(3x^2+4x-2)$
$=2x^2-4x+3x^2+4x-2$
$=2x^2+3x^2-4x+4x-2$
$=5x^2-2$

(3) $(2x^2+x-3)-(3x^2-5x+1)$
$=2x^2+x-3-3x^2+5x-1$
$=2x^2-3x^2+x+5x-3-1$
$=-x^2+6x-4$

(4) $(x^2-x+11)-3(-x^2+2x-3)$
$=x^2-x+11+3x^2-6x+9$
$=x^2+3x^2-x-6x+11+9$
$=4x^2-7x+20$

3-2 (1) $(3x^2-x+1)+(x^2+5x-7)$
$=3x^2-x+1+x^2+5x-7$
$=3x^2+x^2-x+5x+1-7$
$=4x^2+4x-6$

(2) $(x^2+5)+2(-2x^2+3x)$
$=x^2+5-4x^2+6x$
$=x^2-4x^2+6x+5$
$=-3x^2+6x+5$

(3) $(3x^2-4x+1)-(-x^2-3x+2)$
$=3x^2-4x+1+x^2+3x-2$
$=3x^2+x^2-4x+3x+1-2$
$=4x^2-x-1$

(4) $4(2x^2-7x+1)-2(x^2-2x+5)$
$=8x^2-28x+4-2x^2+4x-10$
$=8x^2-2x^2-28x+4x+4-10$
$=6x^2-24x-6$

4-1 (1) $5x-\{3x-2y-(2x+y)\}$
$=5x-(3x-2y-2x-y)$
$=5x-(x-3y)$
$=5x-x+3y$
$=4x+3y$

(2) $2x-[3x-\{2y-(5-6x)+7\}]$
$=2x-\{3x-(2y-5+6x+7)\}$
$=2x-\{3x-(2y+6x+2)\}$
$=2x-(3x-2y-6x-2)$
$=2x-(-3x-2y-2)$
$=2x+3x+2y+2$
$=5x+2y+2$

(3) $3x^2+5-\{2x^2-7x-(x^2-x-3)\}$
$=3x^2+5-(2x^2-7x-x^2+x+3)$
$=3x^2+5-(x^2-6x+3)$
$=3x^2+5-x^2+6x-3$
$=2x^2+6x+2$

(4) $x^2-[2x-\{3x^2-(4x-5)\}+6]$
$=x^2-\{2x-(3x^2-4x+5)+6\}$
$=x^2-(2x-3x^2+4x-5+6)$
$=x^2-(-3x^2+6x+1)$
$=x^2+3x^2-6x-1$
$=4x^2-6x-1$

4-2 (1) $3x+y-\{x-(2y-x+1)\}$
$=3x+y-(x-2y+x-1)$
$=3x+y-(2x-2y-1)$
$=3x+y-2x+2y+1$
$=x+3y+1$

(2) $10x-[2x+3y-\{x-4y-(5x-2y)\}]$
$=10x-\{2x+3y-(x-4y-5x+2y)\}$
$=10x-\{2x+3y-(-4x-2y)\}$
$=10x-(2x+3y+4x+2y)$
$=10x-(6x+5y)$
$=10x-6x-5y$
$=4x-5y$

(3) $-2x^2+2-\{3x^2-1-(5x^2+x)\}$
$=-2x^2+2-(3x^2-1-5x^2-x)$
$=-2x^2+2-(-2x^2-x-1)$
$=-2x^2+2+2x^2+x+1$
$=x+3$

(4) $3x^2-[x^2+6x-\{4x-(2x^2-5)\}]$
$=3x^2-\{x^2+6x-(4x-2x^2+5)\}$
$=3x^2-(x^2+6x-4x+2x^2-5)$
$=3x^2-(3x^2+2x-5)$
$=3x^2-3x^2-2x+5$
$=-2x+5$

5일 기초 집중 연습 p38 ~ p39

1-1 (1) $6x+5y$ (2) $-2x-3y+7$ (3) $-5x+3y$ (4) $-x-4y-8$

1-2 5, 2, 10, 23, 11, 10

1-3 (1) $\frac{9}{4}x-2y$ (2) $\frac{5}{6}a+\frac{3}{20}b$ (3) $\frac{3x-7y}{6}$ (4) $\frac{-x-2y}{12}$

1-4 1

1-5 ③, ④

2-1 (1) $-x^2+5x-1$ (2) $9x^2-3x+3$ (3) $-2x^2+30$ (4) $\frac{-x^2-10x-9}{6}$

2-2 24

2-3 ①

3-1 (1) $9x-9y$ (2) $-4x^2-3x+3$

3-2 ⑤

3-3 ⑤

1-1 (1) $(4x-y)+(2x+6y)$
$=4x-y+2x+6y$
$=6x+5y$

(2) $(x-y+2)+(-3x-2y+5)$
$=x-y+2-3x-2y+5$
$=-2x-3y+7$

(3) $(-4x+7y)-(x+4y)$
$=-4x+7y-x-4y$
$=-5x+3y$

(4) $3(x+2y-2)-2(2x+5y+1)$
$=3x+6y-6-4x-10y-2$
$=-x-4y-8$

1-2 $\frac{5x-3y}{2}-\frac{x-2y}{5}$

$=\frac{\boxed{5}(5x-3y)-\boxed{2}(x-2y)}{\boxed{10}}$

$=\frac{25x-15y-2x+4y}{10}$

$=\frac{\boxed{23}x-\boxed{11}y}{\boxed{10}}$

1-3 (1) $\frac{1}{2}(3x-y)-\frac{3}{4}(-x+2y)$

$=\frac{3}{2}x-\frac{1}{2}y+\frac{3}{4}x-\frac{3}{2}y$

$=\frac{3}{2}x+\frac{3}{4}x-\frac{1}{2}y-\frac{3}{2}y$

$=\frac{6}{4}x+\frac{3}{4}x-2y$

$=\frac{9}{4}x-2y$

(2) $\left(\frac{1}{2}a+\frac{3}{4}b\right)+\left(\frac{1}{3}a-\frac{3}{5}b\right)$

$=\frac{1}{2}a+\frac{3}{4}b+\frac{1}{3}a-\frac{3}{5}b$

$=\frac{1}{2}a+\frac{1}{3}a+\frac{3}{4}b-\frac{3}{5}b$

$=\frac{3}{6}a+\frac{2}{6}a+\frac{15}{20}b-\frac{12}{20}b$

$=\frac{5}{6}a+\frac{3}{20}b$

(3) $\frac{x-y}{3}+\frac{x-5y}{6}=\frac{2(x-y)+(x-5y)}{6}$

$=\frac{2x-2y+x-5y}{6}$

$=\frac{3x-7y}{6}$

(4) $\frac{x-4y}{6}-\frac{x-2y}{4}=\frac{2(x-4y)-3(x-2y)}{12}$

$=\frac{2x-8y-3x+6y}{12}$

$=\frac{-x-2y}{12}$

1-4 $\frac{x+2y}{3}-\frac{x-y}{4}=\frac{4(x+2y)-3(x-y)}{12}$

$=\frac{4x+8y-3x+3y}{12}$

$=\frac{x+11y}{12}$

$=\frac{1}{12}x+\frac{11}{12}y$

따라서 $A=\frac{1}{12}$, $B=\frac{11}{12}$이므로

$A+B=\frac{1}{12}+\frac{11}{12}=\frac{12}{12}=1$

1-5 ① $(4a+3b)-(2a-b)=4a+3b-2a+b$
$=2a+4b$

② $(5a+3b)+3(2a-2b)=5a+3b+6a-6b$
$=11a-3b$

③ $4(a-3b)-3(2a+b)=4a-12b-6a-3b$
$=-2a-15b$

④ $\frac{2}{3}(2a+3b)+\frac{3}{2}(3a-4b)$

$=\frac{4}{3}a+2b+\frac{9}{2}a-6b$

$=\frac{4}{3}a+\frac{9}{2}a+2b-6b$

$=\frac{8}{6}a+\frac{27}{6}a+2b-6b$

$=\frac{35}{6}a-4b$

⑤ $\frac{a+3b}{4}-\frac{-2a-4b}{5}$

$=\frac{5(a+3b)-4(-2a-4b)}{20}$

$=\frac{5a+15b+8a+16b}{20}$

$=\frac{13a+31b}{20}$

따라서 옳지 않은 것은 ③, ④이다.

2-1 (1) $(2x^2-7)+(-3x^2+5x+6)$
$=2x^2-7-3x^2+5x+6$
$=-x^2+5x-1$

(2) $(5x^2-x+1)+2(2x^2-x+1)$
$=5x^2-x+1+4x^2-2x+2$
$=9x^2-3x+3$

(3) $2(5x^2-2x+7)-4(3x^2-x-4)$
$=10x^2-4x+14-12x^2+4x+16$
$=-2x^2+30$

(4) $\frac{-2x^2+x-3}{3}+\frac{x^2-4x-1}{2}$
$=\frac{2(-2x^2+x-3)+3(x^2-4x-1)}{6}$
$=\frac{-4x^2+2x-6+3x^2-12x-3}{6}$
$=\frac{-x^2-10x-9}{6}$

2-2 $5(x^2-3x+2)-3(x^2-3x-4)$
$=5x^2-15x+10-3x^2+9x+12$
$=2x^2-6x+22$
따라서 x^2의 계수는 2, 상수항은 22이므로 그 합은
$2+22=24$

2-3 $\left(\frac{1}{3}x^2-x-\frac{1}{2}\right)-\left(\frac{1}{2}x^2+\frac{5}{3}x-\frac{5}{6}\right)$
$=\frac{1}{3}x^2-x-\frac{1}{2}-\frac{1}{2}x^2-\frac{5}{3}x+\frac{5}{6}$
$=\frac{1}{3}x^2-\frac{1}{2}x^2-x-\frac{5}{3}x-\frac{1}{2}+\frac{5}{6}$
$=\frac{2}{6}x^2-\frac{3}{6}x^2-\frac{3}{3}x-\frac{5}{3}x-\frac{3}{6}+\frac{5}{6}$
$=-\frac{1}{6}x^2-\frac{8}{3}x+\frac{2}{6}$
$=-\frac{1}{6}x^2-\frac{8}{3}x+\frac{1}{3}$
따라서 $A=-\frac{1}{6}$, $B=-\frac{8}{3}$, $C=\frac{1}{3}$이므로
$A+B-C=-\frac{1}{6}+\left(-\frac{8}{3}\right)-\frac{1}{3}$
$=-\frac{19}{6}$

3-1 (1) $7x-[2x-\{x-5y+(3x-4y)\}]$
$=7x-\{2x-(x-5y+3x-4y)\}$
$=7x-\{2x-(4x-9y)\}$
$=7x-(2x-4x+9y)$
$=7x-(-2x+9y)$
$=7x+2x-9y$
$=9x-9y$

(2) $3x-\{7x^2+4x-(3x^2-2x+3)\}$
$=3x-(7x^2+4x-3x^2+2x-3)$
$=3x-(4x^2+6x-3)$
$=3x-4x^2-6x+3$
$=-4x^2-3x+3$

3-2 $4x-\{3y-(-2x+y)-3x\}$
$=4x-(3y+2x-y-3x)$
$=4x-(2y-x)$
$=4x-2y+x$
$=5x-2y$
따라서 $a=5$, $b=-2$이므로
$a+b=5+(-2)=3$

3-3 $4x^2-[2x-2\{x^2+3x-(5+4x^2)\}]$
$=4x^2-\{2x-2(x^2+3x-5-4x^2)\}$
$=4x^2-\{2x-2(-3x^2+3x-5)\}$
$=4x^2-(2x+6x^2-6x+10)$
$=4x^2-(6x^2-4x+10)$
$=4x^2-6x^2+4x-10$
$=-2x^2+4x-10$
따라서 $a=-2$, $b=4$, $c=-10$이므로
$\frac{bc}{a}=\frac{4\times(-10)}{-2}=20$

누구나 100점 테스트 p40 ~ p41

01 ②	02 수연	03 ⑤	04 ③
05 ②	06 ③	07 ⑤	08 ①, ⑤
09 ⑤	10 (1) $18x^2-25x+28$ (2) $6x-5y+4$		

01 유한소수는 ㉠, ㉢의 2개이다.

02 선우 : $0.555\cdots=0.\dot{5}$
희선 : $0.080808\cdots=0.\dot{0}\dot{8}$
승주 : $2.626262\cdots=2.\dot{6}\dot{2}$
따라서 순환소수의 표현이 바른 학생은 수연이다.

03 ㉠ $\frac{22}{2^2\times5\times11}=\frac{1}{2\times5}$

㉡ $\frac{12}{2^2\times3^2\times5}=\frac{1}{3\times5}$

㉢ $\frac{51}{2\times3\times17}=\frac{1}{2}$

㉣ $\frac{9}{20}=\frac{9}{2^2\times5}$

㉤ $\frac{6}{45}=\frac{2}{15}=\frac{2}{3\times5}$

㉥ $\frac{28}{84}=\frac{1}{3}$

따라서 순환소수로만 나타낼 수 있는 것은 ㉡, ㉤, ㉥이다.

04 $0.1\dot{2}\dot{7}$을 x라고 하면

$x=0.1272727\cdots$ $\cdots$ ㉠

㉠의 양변에 ① 1000 을 곱하면

① 1000 $x=127.272727\cdots$ $\cdots$ ㉡

㉠의 양변에 10을 곱하면

$10x=$ ② $1.272727\cdots$ $\cdots$ ㉢

㉡에서 ㉢을 변끼리 빼면

$1000x=127.272727\cdots$

$-)\ \ 10x=\ \ 1.272727\cdots$

③ 990 $x=$ ④ 126

$\therefore x=\frac{126}{990}=$ ⑤ $\frac{7}{55}$

05 ① 순환마디를 이루는 숫자는 0, 5의 2개이다.

② 순환마디는 05이다.

④, ⑤ $1000x=205.050505\cdots$

$-)\ \ 10x=\ \ 2.050505\cdots$

$990x=203$ $\therefore x=\frac{203}{990}$

즉 분수로 나타낼 때 필요한 가장 간단한 식은 $1000x-10x$이고, 기약분수로 나타내면 $\frac{203}{990}$이다.

따라서 옳지 않은 것은 ②이다.

06 ② $0.4\dot{8}=\frac{48-4}{90}=\frac{44}{90}=\frac{22}{45}$

③ $0.1\dot{8}=\frac{18-1}{90}=\frac{17}{90}$

④ $2.\dot{3}\dot{4}=\frac{234-2}{99}=\frac{232}{99}$

⑤ $1.02\dot{6}=\frac{1026-102}{900}=\frac{924}{900}=\frac{77}{75}$

따라서 순환소수를 분수로 나타낸 것으로 옳지 않은 것은 ③이다.

07 ① $a^{\square}\times a^4=a^{\square+4}=a^7$에서

$\square+4=7$ $\therefore \square=3$

② $a^5\div a^{\square}=a^{5-\square}=a^2$에서

$5-\square=2$ $\therefore \square=3$

③ $(x^{\square}y^2)^2=x^{\square\times2}y^{2\times2}=x^6y^4$에서

$\square\times2=6$ $\therefore \square=3$

④ $\left(\frac{a^2}{b}\right)^3=\frac{a^{2\times3}}{b^3}=\frac{a^6}{b^{\square}}$에서 $\square=3$

⑤ $(x^3y^{\square})^3=x^{3\times3}y^{\square\times3}=x^9y^{15}$에서

$\square\times3=15$ $\therefore \square=5$

따라서 $\square$ 안에 들어갈 수가 나머지 넷과 다른 것은 ⑤이다.

08 ② $9a^2b^5\div\frac{3}{4}ab=9a^2b^5\times\frac{4}{3ab}$

$=12ab^4$

③ $(-2x^2y)^2\times(-3xy^2)=4x^4y^2\times(-3xy^2)$

$=-12x^5y^4$

④ $3a\times(-2b)^2\times(-a^2)=3a\times4b^2\times(-a^2)$

$=-12a^3b^2$

⑤ $2x^3y\div3y^2\div\frac{2}{3}x=2x^3y\times\frac{1}{3y^2}\times\frac{3}{2x}$

$=\frac{x^2}{y}$

따라서 옳은 것은 ①, ⑤이다.

09 ① $(x-y)+(-3x-2y+5)$

$=x-y-3x-2y+5$

$=-2x-3y+5$

② $(4x+7y-1)-(x+3y+2)$

$=4x+7y-1-x-3y-2$

$=3x+4y-3$

③ $\left(\frac{1}{2}x+\frac{1}{6}y\right)-\left(\frac{1}{3}x-\frac{1}{2}y\right)$

$=\frac{1}{2}x+\frac{1}{6}y-\frac{1}{3}x+\frac{1}{2}y$

$=\frac{3}{6}x-\frac{2}{6}x+\frac{1}{6}y+\frac{3}{6}y$

$=\frac{1}{6}x+\frac{4}{6}y$

$=\frac{1}{6}x+\frac{2}{3}y$

④ $\frac{2x-4y}{3}+\frac{-x+5y}{2}$

$=\frac{2(2x-4y)+3(-x+5y)}{6}$

$=\frac{4x-8y-3x+15y}{6}$

$=\frac{x+7y}{6}$

$=\frac{1}{6}x+\frac{7}{6}y$

⑤ $\frac{x+2y}{4}-\frac{x-5y}{6}$

$=\frac{3(x+2y)-2(x-5y)}{12}$

$=\frac{3x+6y-2x+10y}{12}$

$=\frac{x+16y}{12}$

$=\frac{1}{12}x+\frac{4}{3}y$

따라서 옳지 않은 것은 ⑤이다.

10 (1) $4(3x^2-4x+1)-3(-2x^2+3x-8)$

$=12x^2-16x+4+6x^2-9x+24$

$=18x^2-25x+28$

(2) $8x-3y+2[-y-\{3x-2(x+1)\}]$

$=8x-3y+2\{-y-(3x-2x-2)\}$

$=8x-3y+2\{-y-(x-2)\}$

$=8x-3y+2(-y-x+2)$

$=8x-3y-2y-2x+4$

$=6x-5y+4$

특강 | 창의, 융합, 코딩 p42 ~ p47

1 (1) 무한소수, 무한소수, 유한소수, 유한소수

(2) 분수 : $\frac{1}{3}$, $\frac{1}{2}$, $\frac{2}{3}$, $\frac{3}{4}$ / 이름 : 소반, 중반, 태반, 강반

2 ① $\frac{22}{90}=\frac{11}{45}$ ② $45=3^2\times5$, 순환소수

3 (1) 풀이 참조 (2) 풀이 참조 (3) $\frac{5860}{9999}$

4 (1) 3^3 (2) 보리 이삭의 수 : 3^4, 보리 낟알의 수 : 3^5

(3) 9알

5 6539 **6** 풀이 참조

1 (1) $\frac{1}{2}=0.5$ ➡ 유한소수

$\frac{1}{3}=0.333\cdots$ ➡ 무한소수

$\frac{2}{3}=0.666\cdots$ ➡ 무한소수

$\frac{1}{4}=0.25$ ➡ 유한소수

$\frac{3}{4}=0.75$ ➡ 유한소수

(2) $0.\dot{3}=\frac{3}{9}=\frac{1}{3}$ ➡ 소반

$0.5=\frac{5}{10}=\frac{1}{2}$ ➡ 중반

$0.\dot{6}=\frac{6}{9}=\frac{2}{3}$ ➡ 태반

$0.75=\frac{75}{100}=\frac{1}{4}$ ➡ 강반

2

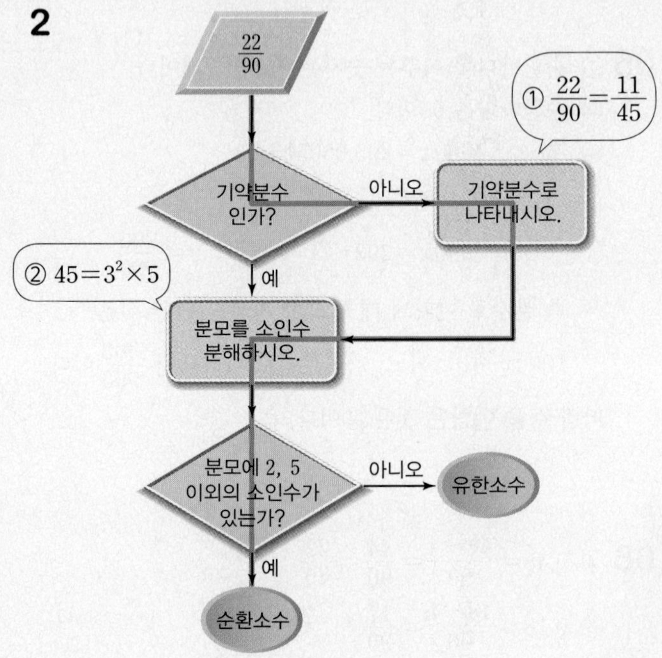

3 (1) $\frac{3}{20}=0.15$이므로 레(1)와 라(5) 음이 한 번 연주되고 끝나며 다음 그림과 같은 악보가 출력된다.

(2) $\frac{48}{111}=0.432432432\cdots=0.\dot{4}3\dot{2}$이므로 솔(4)과 파(3)와 미(2) 음이 계속 반복하여 연주되고 다음 그림과 같은 악보가 출력된다.

(3) 라(5)와 레(8)와 시(6)와 도(0) 음을 반복하여 연주하라는 악보가 출력되어야 하므로 입력해야 하는 기약분수는

$0.\dot{5}86\dot{0}=\frac{5860}{9999}$

4 (1) 세 집의 각 처마마다 세 마리의 고양이가 살고 있으므로 고양이는 $3\times3=3^2$(마리)이고 각 고양이는 생쥐를 3마리씩 붙들고 있으므로 생쥐의 수는 $3^2\times3=3^3$

(2) 생쥐는 3^3마리이고 각 생쥐는 보리 이삭을 3개씩 붙들고 있으므로 보리 이삭의 수는 $3^3\times3=3^4$
또 보리 이삭의 수는 3^4이고 각 이삭에는 보리 낱알이 3알씩 달려 있으므로 보리 낱알의 수는 $3^4\times3=3^5$

(3) 보리 낱알은 3^5알이고 생쥐는 3^3마리이므로
$3^5\div3^3=3^{5-3}=3^2=9$(알)

5 ① $x^3\times x^2\times x=x^{3+2+1}=x^{\boxed{6}}$
② $(a^2)^4\div a^3=a^8\div a^3=a^{8-3}=a^{\boxed{5}}$
③ $(x^2y)^3=x^6y^{\boxed{3}}$
④ $\left(\frac{-3x^4}{5y^2}\right)^2=\frac{\boxed{9}x^8}{25y^4}$

따라서 보물함 자물쇠의 비밀번호는 6539이다.

6

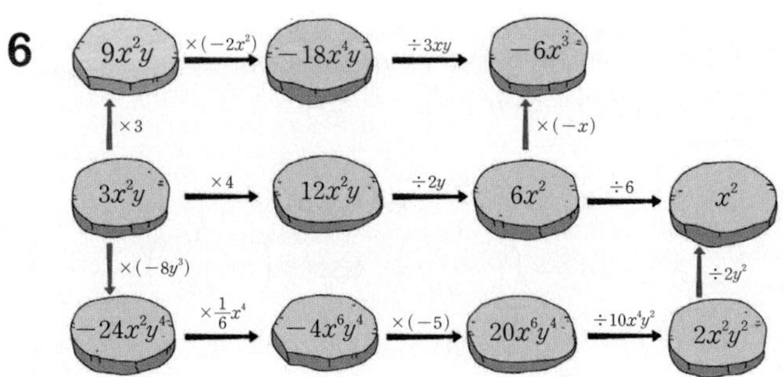

2주

이번 주에는 무엇을 공부할까? ❷ p50 ~ p51

1-1 (1) < (2) > (3) < (4) <

1-2 (1) > (2) < (3) > (4) <

2-1 (1) $x\ge-2$ (2) $x<3$ (3) $x\ge15$

2-2 (1) $x<-1$ (2) $x\le6$ (3) $x>10$ (4) $x\le-\frac{1}{2}$

3-1

x의 값	좌변	우변	참, 거짓
0	$2\times0-1=-1$	5	거짓
1	$2\times1-1=1$	5	거짓
2	$2\times2-1=3$	5	거짓
3	$2\times3-1=5$	5	참

방정식의 해 : $x=3$

3-2 (1) × (2) ○ (3) ○ (4) ×

4-1 (1) ○ (2) × (3) ×

4-2 (1) ○ (2) × (3) ○ (4) ○

3-2 (1) $x+3=5$에 $x=-2$를 대입하면
(좌변)$=-2+3=1$, (우변)$=5$
즉 (좌변)$\ne$(우변)이므로 -2는 주어진 방정식의 해가 아니다.

(2) $4-3x=1$에 $x=1$을 대입하면
(좌변)$=4-3\times1=1$, (우변)$=1$
즉 (좌변)$=$(우변)이므로 1은 주어진 방정식의 해이다.

(3) $5x=x+8$에 $x=2$를 대입하면
(좌변)$=5\times2=10$, (우변)$=2+8=10$
즉 (좌변)$=$(우변)이므로 2는 주어진 방정식의 해이다.

(4) $3(x-2)=4x$에 $x=-3$을 대입하면
(좌변)$=3\times(-3-2)=-15$
(우변)$=4\times(-3)=-12$
즉 (좌변)$\ne$(우변)이므로 -3은 주어진 방정식의 해가 아니다.

4-1 (1) $4x+3=2x$에서 $2x+3=0$ ➡ 일차방정식이다.
(2) $2x-1=2x-5$에서 $4=0$ ➡ 일차방정식이 아니다.

(3) $4-x=x^2+5x$에서 $-x^2-6x+4=0$

➡ 일차방정식이 아니다.

4-2 (1) $-5x=3x+1$에서 $-8x-1=0$

➡ 일차방정식이다.

(2) $6x-5$ ➡ 등호가 없으므로 방정식이 아니다.

(3) $3x=-x$에서 $4x=0$ ➡ 일차방정식이다.

(4) $x^2+5=x(x-2)$에서 $x^2+5=x^2-2x$

$\therefore 2x+5=0$ ➡ 일차방정식이다.

1일

1.(단항식)×(다항식)의 계산

개념 원리 확인 p53

1-1 (1) $6x^2$, $2xy$ (2) $4x^2$, $3xy$ (3) $-8x^2y$, $12xy$, $8x$

1-2 (1) $5a^2-2ab$ (2) $-6a^2b-8ab^2$

(3) $-9x^2+6xy$ (4) $6x^2-4xy$

(5) $-3a^2b+6ab^2-3ab$ (6) $-4a^2+6ab+8a$

2-1 $5x$, $3x$, $-3x$, $10x^2$, $12x^2$, $-2x^2$, $8xy$

2-2 (1) $5a^2+8a$ (2) $-x^2+10x$ (3) a^2-7ab

1-2 (1) $\frac{1}{4}a(20a-8b)=\frac{1}{4}a\times20a-\frac{1}{4}a\times8b$

$=5a^2-2ab$

(2) $-2ab(3a+4b)=(-2ab)\times3a+(-2ab)\times4b$

$=-6a^2b-8ab^2$

(3) $(3x-2y)\times(-3x)$

$=3x\times(-3x)-2y\times(-3x)$

$=-9x^2+6xy$

(4) $(15x-10y)\times\frac{2}{5}x=15x\times\frac{2}{5}x-10y\times\frac{2}{5}x$

$=6x^2-4xy$

(5) $3ab(-a+2b-1)$

$=3ab\times(-a)+3ab\times2b-3ab\times1$

$=-3a^2b+6ab^2-3ab$

(6) $(6a-9b-12)\times\left(-\frac{2}{3}a\right)$

$=6a\times\left(-\frac{2}{3}a\right)-9b\times\left(-\frac{2}{3}a\right)-12\times\left(-\frac{2}{3}a\right)$

$=-4a^2+6ab+8a$

2-2 (1) $a(2a-1)+3a(a+3)$

$=a\times2a-a\times1+3a\times a+3a\times3$

$=2a^2-a+3a^2+9a=5a^2+8a$

(2) $2x(x+4)-x(3x-2)$

$=2x\times x+2x\times4-x\times3x-(-x)\times2$

$=2x^2+8x-3x^2+2x$

$=-x^2+10x$

(3) $(2a+3b)\times(-a)+(6a-8b)\times\frac{1}{2}a$

$=2a\times(-a)+3b\times(-a)+6a\times\frac{1}{2}a-8b\times\frac{1}{2}a$

$=-2a^2-3ab+3a^2-4ab=a^2-7ab$

2.(다항식)÷(단항식)의 계산

개념 원리 확인 p55

3-1 $\frac{2}{3x}$, $\frac{2}{3x}$, $\frac{2}{3x}$, $6x$, $2y$

3-2 (1) $\frac{4}{3}x+\frac{8}{3}$ (2) $-4x+16$ (3) $-\frac{5}{2}a^2+10b$

4-1 $2x$, $2x$, $9x$, $6y$

4-2 (1) $3a+1$ (2) $2x-y$ (3) $2x^3y-3x$

5-1 $2y^2$, $\frac{6}{y}$, $2y^2$, $18xy$, $22y^2-15xy$

5-2 (1) $-12x$ (2) $-3b+2$

3-2 (1) $(x^2+2x)\div\frac{3}{4}x=(x^2+2x)\times\frac{4}{3x}$

$=x^2\times\frac{4}{3x}+2x\times\frac{4}{3x}$

$=\frac{4}{3}x+\frac{8}{3}$

(2) $(2x^2-8x)\div\left(-\frac{x}{2}\right)$

$=(2x^2-8x)\times\left(-\frac{2}{x}\right)$

$=2x^2\times\left(-\frac{2}{x}\right)-8x\times\left(-\frac{2}{x}\right)$

$=-4x+16$

(3) $(2a^3b-8ab^2)\div\left(-\frac{4}{5}ab\right)$

$=(2a^3b-8ab^2)\times\left(-\frac{5}{4ab}\right)$

$=2a^3b\times\left(-\frac{5}{4ab}\right)-8ab^2\times\left(-\frac{5}{4ab}\right)$

$=-\frac{5}{2}a^2+10b$

4-2 (1) $(15a^2+5a)\div 5a=\dfrac{15a^2+5a}{5a}=3a+1$

(2) $(12x^2-6xy)\div 6x=\dfrac{12x^2-6xy}{6x}=2x-y$

(3) $(6x^4y^2-9x^2y)\div 3xy=\dfrac{6x^4y^2-9x^2y}{3xy}$
$=2x^3y-3x$

5-2 (1) $(6x^2y+9xy)\div\dfrac{3}{4}y-4x(2x+6)$
$=(6x^2y+9xy)\times\dfrac{4}{3y}-4x\times 2x+(-4x)\times 6$
$=6x^2y\times\dfrac{4}{3y}+9xy\times\dfrac{4}{3y}-8x^2-24x$
$=8x^2+12x-8x^2-24x$
$=-12x$

(2) $(12a^2b-9ab^2)\div 3ab+(16a^2-8a)\div(-4a)$
$=\dfrac{12a^2b-9ab^2}{3ab}+\dfrac{16a^2-8a}{-4a}$
$=4a-3b-4a+2$
$=-3b+2$

1일 기초 집중 연습 p56 ~ p57

1-1 (1) $8a^2+12ab$ (2) $3x^2-xy$ (3) $21a^2b^2-28ab^3$ (4) $-10a^2+15ab+5ac$ (5) $3x^2-6xy-3x$
1-2 ③
1-3 (1) $17b^2$ (2) $3a^2-\dfrac{29}{5}ab$
2-1 (1) $6ab-3b$ (2) $-7x-14y$ (3) $5a+b$ (4) $-3x+2y$
2-2 ④
2-3 6
2-4 ①, $-3x+6$
3-1 (1) $-7xy+3x$ (2) x^2-10xy
3-2 ②
3-3 (1) $x+2y$ (2) 2

1-1 (1) $4a(2a+3b)=4a\times 2a+4a\times 3b=8a^2+12ab$

(2) $\dfrac{1}{3}x(9x-3y)=\dfrac{1}{3}x\times 9x-\dfrac{1}{3}x\times 3y=3x^2-xy$

(3) $(3ab-4b^2)\times 7ab=3ab\times 7ab-4b^2\times 7ab$
$=21a^2b^2-28ab^3$

(4) $-5a(2a-3b-c)$
$=(-5a)\times 2a-(-5a)\times 3b-(-5a)\times c$
$=-10a^2+15ab+5ac$

(5) $(x-2y-1)\times 3x=x\times 3x-2y\times 3x-1\times 3x$
$=3x^2-6xy-3x$

1-2 $-4x(x-3y+5)$
$=(-4x)\times x-(-4x)\times 3y+(-4x)\times 5$
$=-4x^2+12xy-20x$
에서 x^2의 계수는 -4이므로 $a=-4$
$\dfrac{1}{5}x(5x+10y+15)$
$=\dfrac{1}{5}x\times 5x+\dfrac{1}{5}x\times 10y+\dfrac{1}{5}x\times 15$
$=x^2+2xy+3x$
에서 xy의 계수는 2이므로 $b=2$
$\therefore a+b=-4+2=-2$

1-3 (1) $3b(2a+3b)-2b(3a-4b)$
$=3b\times 2a+3b\times 3b-2b\times 3a-(-2b)\times 4b$
$=6ab+9b^2-6ab+8b^2$
$=17b^2$

(2) $(9a+6b)\times\left(-\dfrac{2}{3}a\right)+(15a-3b)\times\dfrac{3}{5}a$
$=9a\times\left(-\dfrac{2}{3}a\right)+6b\times\left(-\dfrac{2}{3}a\right)+15a\times\dfrac{3}{5}a$
$-3b\times\dfrac{3}{5}a$
$=-6a^2-4ab+9a^2-\dfrac{9}{5}ab$
$=3a^2-\dfrac{29}{5}ab$

2-1 (1) $(8a^2b-4ab)\div\dfrac{4}{3}a=(8a^2b-4ab)\times\dfrac{3}{4a}$
$=8a^2b\times\dfrac{3}{4a}-4ab\times\dfrac{3}{4a}$
$=6ab-3b$

(2) $(5x^2+10xy)\div\left(-\dfrac{5}{7}x\right)$
$=(5x^2+10xy)\times\left(-\dfrac{7}{5x}\right)$
$=5x^2\times\left(-\dfrac{7}{5x}\right)+10xy\times\left(-\dfrac{7}{5x}\right)$
$=-7x-14y$

(3) $(25a^2+5ab)\div 5a=\dfrac{25a^2+5ab}{5a}=5a+b$

(4) $(6x^2-4xy)\div(-2x)=\dfrac{6x^2-4xy}{-2x}=-3x+2y$

2-2 ① $2x(x+4)=2x\times x+2x\times 4=2x^2+8x$

② $\dfrac{x}{7}(7xy+14y^2)=\dfrac{x}{7}\times 7xy+\dfrac{x}{7}\times 14y^2$
$=x^2y+2xy^2$

③ $(8x^2-6xy)\div(-2x)=\dfrac{8x^2-6xy}{-2x}=-4x+3y$

④ $(24x^2-9xy)\div\dfrac{3}{5}x=(24x^2-9xy)\times\dfrac{5}{3x}$

$=24x^2\times\dfrac{5}{3x}-9xy\times\dfrac{5}{3x}$

$=40x-15y$

⑤ $(2x^2y-4xy^2)\div\left(-\dfrac{xy}{4}\right)$

$=(2x^2y-4xy^2)\times\left(-\dfrac{4}{xy}\right)$

$=2x^2y\times\left(-\dfrac{4}{xy}\right)-4xy^2\times\left(-\dfrac{4}{xy}\right)$

$=-8x+16y$

따라서 옳지 않은 것은 ④이다.

2-3 $\dfrac{-12a^2b^3+16ab^4+8ab^2}{4ab^2}=-3ab+4b^2+2$

에서 b^2의 계수는 4, 상수항은 2이므로 그 합은

$4+2=6$

2-4 틀린 부분은 ①이다.

[바른 풀이]

$(2x^2-4x)\div\left(-\dfrac{2}{3}x\right)$

$=(2x^2-4x)\times\left(-\dfrac{3}{2x}\right)$

$=2x^2\times\left(-\dfrac{3}{2x}\right)-4x\times\left(-\dfrac{3}{2x}\right)$

$=-3x+6$

3-1 (1) $(-3y+2)\div\dfrac{1}{3x}+(15x^2-10x^2y)\div(-5x)$

$=(-3y+2)\times3x+(15x^2-10x^2y)\times\left(-\dfrac{1}{5x}\right)$

$=-9xy+6x-3x+2xy$

$=-7xy+3x$

(2) $4x(x-y)-(2x^2y^2+x^3y)\div\dfrac{1}{3}xy$

$=4x^2-4xy-(2x^2y^2+x^3y)\times\dfrac{3}{xy}$

$=4x^2-4xy-6xy-3x^2$

$=x^2-10xy$

3-2 $3x(x-2xy)-\dfrac{x^2y-5x^2y^2}{y}=3x^2-6x^2y-x^2+5x^2y$

$=2x^2-x^2y$

3-3 (1) $(12x^2-8xy)\div2x-(15xy-18y^2)\times\dfrac{1}{3y}$

$=\dfrac{12x^2-8xy}{2x}-(5x-6y)$

$=6x-4y-5x+6y=x+2y$

(2) (1)에서 x의 계수는 1, y의 계수는 2이므로 그 곱은

$1\times2=2$

2일

3. 부등식의 뜻

개념 원리 확인 p59

1-1 (1) ○ (2) × (3) ○ (4) ×

1-2 ㉡, ㉢, ㉥

2-1 (1) < (2) ≥

2-2 (1) $3(x-4)\ge18$ (2) $\dfrac{1}{2}\times x\times10\le30$ (3) $x+5<2x$

3-1

x의 값	좌변	대소 비교	우변	참, 거짓
1	$6-1=5$	>	3	참
2	$6-2=4$	>	3	참
3	$6-3=3$	=	3	거짓
4	$6-4=2$	<	3	거짓

부등식의 해 : 1, 2

3-2 (1) 3, 4 (2) 1, 2

3-2 (1) $6x-14\ge1$의 x에 1, 2, 3, 4를 차례로 대입하면

$x=1$일 때, $6\times1-14=-8\ge1$ (거짓)

$x=2$일 때, $6\times2-14=-2\ge1$ (거짓)

$x=3$일 때, $6\times3-14=4\ge1$ (참)

$x=4$일 때, $6\times4-14=10\ge1$ (참)

따라서 부등식의 해는 3, 4이다.

(2) $5-x>4x-6$의 x에 1, 2, 3, 4를 차례로 대입하면

$x=1$일 때, $5-1=4$, $4\times1-6=-2$에서

$4>-2$ (참)

$x=2$일 때, $5-2=3$, $4\times2-6=2$에서

$3>2$ (참)

$x=3$일 때, $5-3=2$, $4\times3-6=6$에서

$2>6$ (거짓)

$x=4$일 때, $5-4=1$, $4\times4-6=10$에서

$1>10$ (거짓)

따라서 부등식의 해는 1, 2이다.

4. 부등식의 성질

개념 원리 확인 p61

4-1 (1) $>$ (2) $>$ (3) $>$ (4) $<$

4-2 (1) $\le$ (2) $\le$ (3) $\le$ (4) $\ge$

5-1 (1) ㉠ $2x\le4$ ㉡ $5+2x\le9$

(2) ㉠ $-4x\ge-8$ ㉡ $-4x+6\ge-2$

5-2 (1) $3x-2>-5$ (2) $-5x+3<8$

6-1 $-3x>-6$, $-3x>-6$, $x<2$

6-2 (1) $x\ge3$ (2) $x>-8$

4-1 (1) $a>b$의 양변에 3을 더하면 $a+3$ ⓐ$>$ $b+3$

(2) $a>b$의 양변에서 2를 빼면 $a-2$ $\textcircled{>}$ $b-2$

(3) $a>b$의 양변에 2를 곱하면 $2a>2b$

또 $2a>2b$의 양변에 1을 더하면 $2a+1$ $\textcircled{>}$ $2b+1$

(4) $a>b$의 양변에 -3을 곱하면 $-3a<-3b$

또 $-3a<-3b$의 양변에서 1을 빼면

$-3a-1$ $\textcircled{<}$ $-3b-1$

4-2 (1) $a\le b$의 양변에 2를 더하면 $a+2$ $\textcircled{\le}$ $b+2$

(2) $a\le b$의 양변에서 6을 빼면 $a-6$ $\textcircled{\le}$ $b-6$

(3) $a\le b$의 양변에 4를 곱하면 $4a\le4b$

또 $4a\le4b$의 양변에서 1을 빼면

$4a-1$ $\textcircled{\le}$ $4b-1$

(4) $a\le b$의 양변을 -2로 나누면 $-\frac{a}{2}\ge-\frac{b}{2}$

또 $-\frac{a}{2}\ge-\frac{b}{2}$의 양변에 4를 더하면

$-\frac{a}{2}+4$ $\textcircled{\ge}$ $-\frac{b}{2}+4$

5-2 (1) $x>-1$의 양변에 3을 곱하면 $3x>-3$

또 $3x>-3$의 양변에서 2를 빼면 $3x-2>-5$

(2) $x>-1$의 양변에 -5를 곱하면 $-5x<5$

또 $-5x<5$의 양변에 3을 더하면 $-5x+3<8$

6-2 (1) $4x\ge12$의 양변을 4로 나누면 $x\ge3$

(2) $-\frac{1}{2}x-1<3$의 양변에 1을 더하면 $-\frac{1}{2}x<4$

또 $-\frac{1}{2}x<4$의 양변에 -2를 곱하면 $x>-8$

2일 기초 집중 연습 p62 ~ p63

1-1 ②, ④ **1-2** ②

2-1 (1) -1, 0 (2) 1, 2 (3) -1, 0, 1 (4) -1, 0, 1, 2

2-2 ③ **3-1** ⑤

3-2 (1) $>$, ㉠ $8a>8b$ ㉡ $a>b$ (2) $\le$ (3) $<$

3-3 (1) $\frac{5}{2}x-2\ge8$ (2) $3-2x>9$

4-1 (1) $x<10$ (2) $x\ge4$ (3) $x\le-2$

4-2 혜리 : ㉠, 정원 : ㉢

1-1 ②, ④ 식에 부등호가 없으므로 부등식이 아니다.

1-2 ② $3(x-6)>7x$

2-1 (1) $3-x>2$의 x에 -1, 0, 1, 2를 차례로 대입하면

$x=-1$일 때, $3-(-1)=4>2$ (참)

$x=0$일 때, $3-0=3>2$ (참)

$x=1$일 때, $3-1=2>2$ (거짓)

$x=2$일 때, $3-2=1>2$ (거짓)

따라서 부등식의 해는 -1, 0이다.

(2) $3x+8\ge11$의 x에 -1, 0, 1, 2를 차례로 대입하면

$x=-1$일 때, $3\times(-1)+8=5\ge11$ (거짓)

$x=0$일 때, $3\times0+8=8\ge11$ (거짓)

$x=1$일 때, $3\times1+8=11\ge11$ (참)

$x=2$일 때, $3\times2+8=14\ge11$ (참)

따라서 부등식의 해는 1, 2이다.

(3) $4x-3<2$의 x에 -1, 0, 1, 2를 차례로 대입하면

$x=-1$일 때, $4\times(-1)-3=-7<2$ (참)

$x=0$일 때, $4\times0-3=-3<2$ (참)

$x=1$일 때, $4\times1-3=1<2$ (참)

$x=2$일 때, $4\times2-3=5<2$ (거짓)

따라서 부등식의 해는 -1, 0, 1이다.

(4) $5-x\ge3x-3$의 x에 -1, 0, 1, 2를 차례로 대입하면

$x=-1$일 때, $5-(-1)=6$, $3\times(-1)-3=-6$에서 $6\ge-6$ (참)

$x=0$일 때, $5-0=5$, $3\times0-3=-3$에서 $5\ge-3$ (참)

$x=1$일 때, $5-1=4$, $3\times1-3=0$에서 $4\ge0$ (참)

$x=2$일 때, $5-2=3$, $3\times2-3=3$에서 $3\ge3$ (참)

따라서 부등식의 해는 -1, 0, 1, 2이다.

2-2 ① $x+5\le 2x$에 $x=2$를 대입하면
$2+5=7$, $2\times 2=4$에서 $7\le 4$ (거짓)
② $3x+1\le -2$에 $x=0$을 대입하면
$3\times 0+1=1\le -2$ (거짓)
③ $3x<-2+4x$에 $x=3$을 대입하면
$3\times 3=9$, $-2+4\times 3=10$에서 $9<10$ (참)
④ $x>2x+3$에 $x=-3$을 대입하면
$-3>2\times(-3)+3=-3$ (거짓)
⑤ $2x+1\ge x$에 $x=-2$를 대입하면
$2\times(-2)+1=-3\ge -2$ (거짓)
따라서 [ ] 안의 수가 해인 것은 ③이다.

3-1 ⑤ $a<b$의 양변을 3으로 나누면 $\frac{a}{3}<\frac{b}{3}$
또 $\frac{a}{3}<\frac{b}{3}$의 양변에 1을 더하면 $\frac{a}{3}+1<\frac{b}{3}+1$

3-2 (2) $2a-13\le 2b-13$의 양변에 13을 더하면
$2a\le 2b$
또 $2a\le 2b$의 양변을 2로 나누면 $a\le b$
(3) $-\frac{1}{4}a+2>-\frac{1}{4}b+2$의 양변에서 2를 빼면
$-\frac{1}{4}a>-\frac{1}{4}b$
또 $-\frac{1}{4}a>-\frac{1}{4}b$의 양변에 -4를 곱하면 $a<b$

3-3 (1) $x\ge 4$의 양변에 $\frac{5}{2}$를 곱하면 $\frac{5}{2}x\ge 10$
또 $\frac{5}{2}x\ge 10$의 양변에서 2를 빼면 $\frac{5}{2}x-2\ge 8$
(2) $x<-3$의 양변에 -2를 곱하면 $-2x>6$
또 $-2x>6$의 양변에 3을 더하면 $3-2x>9$

4-1 (1) $x-7<3$의 양변에 7을 더하면 $x<10$
(2) $2x+1\ge 9$의 양변에서 1을 빼면 $2x\ge 8$
또 $2x\ge 8$의 양변을 2로 나누면 $x\ge 4$
(3) $-\frac{1}{2}x+2\ge 3$의 양변에서 2를 빼면 $-\frac{1}{2}x\ge 1$
또 $-\frac{1}{2}x\ge 1$의 양변에 -2를 곱하면 $x\le -2$

4-2 혜리 : ㈎는 양변에서 2를 빼었으므로 부등식의 성질 ㉠을 사용하였다.
정원 : ㈏는 양변을 -3으로 나누었으므로 부등식의 성질 ㉢을 사용하였다.

3일

5. 일차부등식의 뜻과 풀이

개념 원리 확인 p65

1-1 (1) -1, 이 아니다 (2) $4x-4$, 이다
1-2 (1) ○ (2) × (3) × (4) ○ (5) ×
2-1 (1) 2, 2,
(2) $3x$, 6, 2, 10, $x<5$,
2-2 (1) $x\ge 1$ (2) $x>-3$ (3) $x\le 4$ (4) $x<3$
수직선은 풀이 참조

1-2 (1) $x+1<2$에서 $x-1<0$
➡ (일차식)<0이므로 일차부등식이다.
(2) 부등호가 없으므로 부등식이 아니다.
(3) $4x\ge 4(x-1)$에서 $4x\ge 4x-4$
$4x-4x+4\ge 0$ $\therefore 4\ge 0$
➡ 부등식이지만 일차부등식은 아니다.
(4) $3x^2-x+4\le 2+3x^2$에서
$3x^2-x+4-2-3x^2\le 0$ $\therefore -x+2\le 0$
➡ (일차식)<0이므로 일차부등식이다.
(5) $x^2-3x+1>-x^2+2$에서
$x^2-3x+1-(-x^2+2)>0$
$\therefore 2x^2-3x-1>0$
➡ 부등식이지만 일차부등식은 아니다.

2-2 (1) $x+3\ge 4$에서 $x\ge 1$
따라서 해를 수직선 위에 나타내면 오른쪽 그림과 같다.

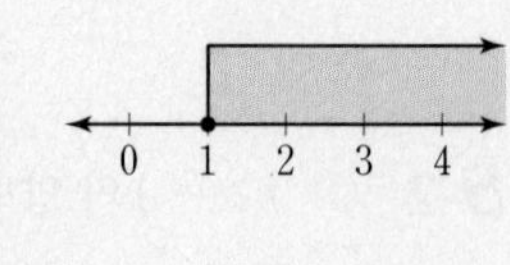

(2) $-5x-3<12$에서 $-5x<15$ $\therefore x>-3$
따라서 해를 수직선 위에 나타내면 오른쪽 그림과 같다.
(3) $4x-1\le 2x+7$에서 $2x\le 8$ $\therefore x\le 4$
따라서 해를 수직선 위에 나타내면 오른쪽 그림과 같다.

(4) $1-4x>-8-x$에서 $-3x>-9$ $\therefore x<3$
따라서 해를 수직선 위에 나타내면 오른쪽 그림과 같다.

6. 여러 가지 일차부등식의 풀이

개념 원리 확인 p67

3-1 6, -5
3-2 (1) $x>-2$ (2) $x\geq 7$ (3) $x>0$
4-1 18, -18, -6
4-2 (1) $x>-3$ (2) $x\geq -9$ (3) $x\leq -2$
5-1 9, 7, 1
5-2 (1) $x\geq -7$ (2) $x<\frac{32}{5}$ (3) $x<\frac{1}{5}$

3-2 (1) $2(x-3)<5x$에서 괄호를 풀면 $2x-6<5x$
$-3x<6$ $\therefore x>-2$
(2) $1-3x\geq -4(x-2)$에서 괄호를 풀면
$1-3x\geq -4x+8$ $\therefore x\geq 7$
(3) $5-(3-x)<2(x+1)$에서 괄호를 풀면
$5-3+x<2x+2$
$-x<0$ $\therefore x>0$

4-2 (1) $0.5x>0.2x-0.9$의 양변에 10을 곱하면
$5x>2x-9$
$3x>-9$ $\therefore x>-3$
(2) $0.1x-2\leq 0.4x+0.7$의 양변에 10을 곱하면
$x-20\leq 4x+7$
$-3x\leq 27$ $\therefore x\geq -9$
(3) $-0.05x-0.04\geq 0.03x+0.12$의 양변에 100을 곱하면 $-5x-4\geq 3x+12$
$-8x\geq 16$ $\therefore x\leq -2$

5-2 (1) $\frac{x}{2}+3\geq \frac{x}{6}+\frac{2}{3}$의 양변에 분모의 최소공배수 6을 곱하면 $3x+18\geq x+4$
$2x\geq -14$ $\therefore x\geq -7$
(2) $\frac{2}{3}x-\frac{3}{2}<\frac{1}{4}x+\frac{7}{6}$의 양변에 분모의 최소공배수 12를 곱하면 $8x-18<3x+14$
$5x<32$ $\therefore x<\frac{32}{5}$
(3) $\frac{x-1}{4}>\frac{3x-1}{2}$의 양변에 분모의 최소공배수 4를 곱하면 $x-1>2(3x-1)$
$x-1>6x-2$, $-5x>-1$
$\therefore x<\frac{1}{5}$

3일 기초 집중 연습 p68 ~ p69

1-1 (1) × (2) ○ (3) ○ (4) × (5) ○
1-2 ②, ⑤
2-1 (1) $x\leq 10$ (2) $x<-4$ (3) $x\leq -\frac{4}{5}$ (4) $x<1$
2-2 ④
2-3 풀이 참조
3-1 (1) $x<4$ (2) $x>\frac{3}{2}$ (3) $x\leq -6$ (4) $x\leq -1$
(5) $x<3$ (6) $x\leq 9$
3-2 ⑤
3-3 (가) $\frac{1}{2}$ (나) 6 (다) 3 (라) -8 (마) $x\geq 2$
3-4 (1) $x>8$ (2) $x\geq 0$

1-1 (1) 부등호가 없으므로 부등식이 아니다.
(2) $\frac{x}{6}\geq 5$에서 $\frac{x}{6}-5\geq 0$ ➡ 일차부등식이다.
(3) $4-3x\leq x$에서 $4-4x\leq 0$ ➡ 일차부등식이다.
(4) x가 분모에 있으므로 일차부등식이 아니다.
(5) $x(x-1)<x^2+3$에서 $x^2-x<x^2+3$
$\therefore -x-3<0$ ➡ 일차부등식이다.

1-2 ① x^2이 있으므로 일차부등식이 아니다.
② $3x\geq x+2$에서 $2x-2\geq 0$ ➡ 일차부등식이다.
③ x가 없으므로 일차부등식이 아니다.
④ $-3x+1>-3x-6$에서 $7>0$
➡ x가 없으므로 일차부등식이 아니다.
⑤ $x(x+5)>x^2-1$에서 $x^2+5x>x^2-1$
$\therefore 5x+1>0$ ➡ 일차부등식이다.
따라서 일차부등식인 것은 ②, ⑤이다.

2-1 (1) $\frac{3}{2}x\leq 15$에서 $x\leq 10$
(2) $-5x>-2x+12$에서 $-3x>12$ $\therefore x<-4$

(3) $-4x+3 \geq x+7$에서 $-5x \geq 4$ $\therefore x \leq -\frac{4}{5}$

(4) $6x+8<16-2x$에서 $8x<8$ $\therefore x<1$

2-2 $3x+8<5x+2$에서 $-2x<-6$ $\therefore x>3$

이 부등식의 해를 수직선 위에 나타내면 오른쪽 그림과 같다.

2-3 ㉡ 부등식의 양변을 음수로 나눌 때는 부등호의 방향이 바뀌는데 부등호의 방향을 바꾸지 않았다.

[바른 풀이]

$2x+7 \geq 5x-8$

$-3x \geq -15$

$\therefore x \leq 5$

3-1 (1) $3(x-3)<-x+7$에서 $3x-9<-x+7$

$4x<16$ $\therefore x<4$

(2) $2(x+1)+3>4-(2x-7)$에서

$2x+2+3>4-2x+7$

$4x>6$ $\therefore x>\frac{3}{2}$

(3) $0.6x \leq 0.4x-1.2$의 양변에 10을 곱하면

$6x \leq 4x-12$, $2x \leq -12$ $\therefore x \leq -6$

(4) $0.3(2x-3) \geq 3.5x+2$의 양변에 10을 곱하면

$3(2x-3) \geq 35x+20$, $6x-9 \geq 35x+20$

$-29x \geq 29$ $\therefore x \leq -1$

(5) $-\frac{3}{8}x+\frac{2}{3}>\frac{x}{8}-\frac{5}{6}$의 양변에 24를 곱하면

$-9x+16>3x-20$, $-12x>-36$

$\therefore x<3$

(6) $\frac{x-3}{3}-\frac{x-4}{5} \leq 1$의 양변에 15를 곱하면

$5(x-3)-3(x-4) \leq 15$

$5x-15-3x+12 \leq 15$

$2x \leq 18$ $\therefore x \leq 9$

3-2 ① $x+7<5$에서 $x<-2$

② $2x-3>4x+1$에서 $-2x>4$ $\therefore x<-2$

③ $3(x-2)<-2(x+8)$에서 $3x-6<-2x-16$

$5x<-10$ $\therefore x<-2$

④ $0.5x+0.1<0.3(x-1)$의 양변에 10을 곱하면

$5x+1<3(x-1)$, $5x+1<3x-3$

$2x<-4$ $\therefore x<-2$

⑤ $\frac{1}{2}(x-1)<\frac{1}{5}x+1$의 양변에 10을 곱하면

$5(x-1)<2x+10$, $5x-5<2x+10$

$3x<15$ $\therefore x<5$

따라서 해가 나머지 넷과 다른 하나는 ⑤이다.

3-4 (1) $0.1x+0.7<\frac{1}{5}x-\frac{1}{10}$에서 소수를 기약분수로 바꾸면 $\frac{1}{10}x+\frac{7}{10}<\frac{1}{5}x-\frac{1}{10}$

양변에 10을 곱하면 $x+7<2x-1$

$-x<-8$ $\therefore x>8$

(2) $\frac{1}{4}x-0.2 \geq \frac{1}{5}(x-1)$에서 소수를 기약분수로 바꾸고 괄호를 풀면 $\frac{1}{4}x-\frac{1}{5} \geq \frac{1}{5}x-\frac{1}{5}$

양변에 20을 곱하면

$5x-4 \geq 4x-4$ $\therefore x \geq 0$

4일

7. 일차부등식의 활용

개념 원리 확인 p71 ~ p72

1-1 (1) $3000+800x$ (2) $x \leq \frac{35}{4}$ (3) 8자루

1-2 (1) $1500x+1000(20-x) \leq 25000$ (2) $x \leq 10$

(3) 10송이

2-1 (1) $\frac{1}{2} \times 10 \times x$ (2) $x \geq 12$ (3) 12 cm

2-2 (1) $\frac{1}{2} \times (15+x) \times 8$ (2) $x \geq 5$ (3) 5 cm

3-1 (1) 갈 때 : $\frac{x}{3}$, 올 때 : $\frac{x}{3}$ (2) $\frac{x}{3}+\frac{15}{60}+\frac{x}{3}$

(3) $x \leq \frac{9}{8}$ (4) $\frac{9}{8}$ km

3-2 (1)

	올라갈 때	내려올 때
거리	x km	x km
속력	시속 3 km	시속 5 km
시간	$\frac{x}{3}$ 시간	$\frac{x}{5}$ 시간

$\frac{x}{3}+\frac{x}{5}$

(2) $x \leq \frac{45}{8}$ (3) $\frac{45}{8}$ km

3-3 360 m

1-1 (2) $3000+800x \le 10000$에서 $800x \le 7000$

$\therefore x \le \frac{35}{4}$

(3) $\frac{35}{4}=8.75$이고 볼펜의 개수는 자연수이므로 볼펜을 최대 8자루까지 살 수 있다.

참고 물건의 개수, 사람 수, 횟수 등을 미지수 x로 놓았을 때는 구한 해 중 자연수만을 답으로 한다.

1-2 (1) 빨간 장미를 x송이 산다고 하면 노란 장미는 $(20-x)$송이를 사므로

$1500x+1000(20-x) \le 25000$

(2) $1500x+1000(20-x) \le 25000$에서

$1500x+20000-1000x \le 25000$

$500x \le 5000 \qquad \therefore x \le 10$

(3) 빨간 장미의 개수는 자연수이므로 빨간 장미는 최대 10송이까지 살 수 있다.

2-1 (2) $\frac{1}{2} \times 10 \times x \ge 60$에서 $5x \ge 60$

$\therefore x \ge 12$

2-2 (2) $\frac{1}{2} \times (15+x) \times 8 \ge 80$에서 $4x+60 \ge 80$

$4x \ge 20 \qquad \therefore x \ge 5$

3-1 (3) $\frac{x}{3}+\frac{15}{60}+\frac{x}{3} \le 1$의 양변에 60을 곱하면

$20x+15+20x \le 60$

$40x \le 45 \qquad \therefore x \le \frac{9}{8}$

3-2 (2) $\frac{x}{3}+\frac{x}{5} \le 3$의 양변에 15를 곱하면

$5x+3x \le 45$

$8x \le 45 \qquad \therefore x \le \frac{45}{8}$

3-3 집에서 시장까지의 거리를 x m라고 하면

$\frac{x}{60}+5+\frac{x}{40} \le 20$

양변에 120을 곱하면

$2x+600+3x \le 2400$

$5x \le 1800 \qquad \therefore x \le 360$

따라서 집에서 시장까지의 거리는 360 m 이하이다.

4일 기초 집중 연습 p73

1-1 20개

1-2 (1) $20-x$, $800x+600(20-x) \le 15000$ (2) 15개

1-3 4개월 후

1-4 4 km

1-5 1 km

1-1 짐의 개수를 x라고 하면 $80+44x \le 1000$

$44x \le 920 \qquad \therefore x \le \frac{230}{11}=20.9090\cdots$

따라서 한 번에 짐을 최대 20개까지 실어 나를 수 있다.

1-2 (2) $800x+600(20-x) \le 15000$에서

$800x+12000-600x \le 15000$

$200x \le 3000 \qquad \therefore x \le 15$

젤리는 최대 15개까지 살 수 있다.

1-3 x개월 후에 혜련이의 예금액이 유림이의 예금액보다 많아진다고 하면

	혜련이의 예금액	유림이의 예금액
현재	6000원	12000원
x개월 후	$(6000+5000x)$원	$(12000+3000x)$원

$6000+5000x > 12000+3000x$

$2000x > 6000 \qquad \therefore x > 3$

따라서 4개월 후부터 혜련이의 예금액이 유림이의 예금보다 많아진다.

1-4 산책갈 때의 거리를 x km라고 하면

	갈 때	올 때
거리	x km	x km
속력	시속 4 km	시속 2 km
시간	$\frac{x}{4}$시간	$\frac{x}{2}$시간

이때 전체 걸린 시간이 3시간 이내이어야 하므로

$\frac{x}{4}+\frac{x}{2} \le 3$

양변에 4를 곱하면 $x+2x \le 12$

$3x \le 12 \qquad \therefore x \le 4$

따라서 최대 4 km까지 갔다 올 수 있다.

정답과 풀이

1-5 지수가 걸어간 거리를 x km라고 하면

	걸어갈 때	뛰어갈 때
거리	x km	$(5-x)$ km
속력	시속 3 km	시속 6 km
시간	$\frac{x}{3}$시간	$\frac{5-x}{6}$시간

이때 총걸린 시간이 1시간 이내이어야 하므로

$\frac{x}{3}+\frac{5-x}{6}\leq 1$

양변에 6을 곱하면 $2x+(5-x)\leq 6$

$\therefore x\leq 1$

따라서 집에서 1 km 떨어진 지점까지 걸어가도 된다.

8. 미지수가 2개인 일차방정식과 그 해

개념 원리 확인 p75

1-1 (1) 1, 방정식, 미지수가 2개인 일차방정식이 아니다.
(2) $x-4y$, 미지수가 2개인 일차방정식이다.

1-2 (1) × (2) × (3) ○ (4) ×

2-1 (1)

x	1	2	3	4
y	5	3	1	-1

해 : (1, 5), (2, 3), (3, 1)

(2)

x	7	4	1	-2
y	1	2	3	4

해 : (7, 1), (4, 2), (1, 3)

2-2 (1)

x	1	2	3	4
y	2	1	0	-1

해 : (1, 2), (2, 1)

(2)

x	1	2	3	4	5
y	$\frac{7}{3}$	$\frac{5}{3}$	1	$\frac{1}{3}$	$-\frac{1}{3}$

해 : (3, 1)

3-1 4, 4, =, 해이다

3-2 (1) ○ (2) ×

1-2 (1) 등호가 없으므로 방정식이 아니다.
(2) 미지수가 1개인 일차방정식이다.
(4) $x^2+y=-2y+x^2+7$에서 우변의 모든 항을 좌변으로 이항하면 $x^2+y+2y-x^2-7=0$
$\therefore 3y-7=0$ ➡ 미지수가 1개인 일차방정식이다.

3-2 (1) $3x+2y=11$에 $x=1$, $y=4$를 대입하면
(좌변)$=3\times1+2\times4=11$, (우변)$=11$
즉 (좌변)=(우변)이므로 순서쌍 (1, 4)는 일차방정식의 해이다.
(2) $3x+2y=11$에 $x=4$, $y=-1$을 대입하면
(좌변)$=3\times4+2\times(-1)=10$, (우변)$=11$
즉 (좌변)≠(우변)이므로 순서쌍 (4, −1)은 일차방정식의 해가 아니다.

9. 미지수가 2개인 연립일차방정식과 그 해

개념 원리 확인 p77

4-1 (1)

x	1	2	3	4	5	6
y	6	5	4	3	2	1

해 : (1, 6), (2, 5), (3, 4), (4, 3), (5, 2), (6, 1)

(2)

x	1	2	3	4	5
y	10	7	4	1	-2

해 : (1, 10), (2, 7), (3, 4), (4, 1)

(3) (3, 4)

4-2 (1) ㉠

x	1	2	3	4
y	3	2	1	0

㉡

x	1	2	3	4	5	6
y	-1	0	1	2	3	4

해 : (3, 1)

(2) ㉠

x	1	2	3	4	5	6	7
y	11	9	7	5	3	1	-1

㉡

x	1	2	3	4	5	6	7
y	-1	3	7	11	15	19	23

해 : (3, 7)

5-1 (1) × (2) ○ (3) ×　**5-2** (1) × (2) ○ (3) ○

5-1 각 연립방정식에 $x=3$, $y=2$를 대입하면

(1) $\begin{cases} 3\times3-2=7 \\ 2\times3+3\times2\neq-1 \end{cases}$ ➡ 연립방정식의 해가 아니다.

(2) $\begin{cases} 3-2=1 \\ 2\times3-2=4 \end{cases}$ ➡ 연립방정식의 해이다.

(3) $\begin{cases} 3-2\times2\neq6 \\ 5\times3+4\times2\neq3 \end{cases}$ ➡ 연립방정식의 해가 아니다.

5-2 각 연립방정식에 $x=5$, $y=-1$을 대입하면

(1) $\begin{cases} 2\times5+(-1)=9 \\ 5-2\times(-1)\neq4 \end{cases}$ ➡ 연립방정식의 해가 아니다.

(2) $\begin{cases} 2\times5-3\times(-1)=13 \\ 5-(-1)=6 \end{cases}$ ➡ 연립방정식의 해이다.

(3) $\begin{cases} 5-4\times(-1)=9 \\ 2\times5+3\times(-1)=7 \end{cases}$ ➡ 연립방정식의 해이다.

5일 기초 집중 연습 p78 ~ p79

1-1 (1) ○ (2) ○ (3) × (4) ×

1-2 ①, ③

1-3 ③

2-1 ⑤

2-2 ⑤

2-3 ④

2-4

x	1	2	3	4	5	6
y	11	8	5	2	-1	-4

해 : (1, 11), (2, 8), (3, 5), (4, 2)

2-5 5개

3-1 ㉠

x	1	2	3	4	5	6	7
y	6	5	4	3	2	1	0

㉡

x	3	5	7	9	11	13	15
y	1	2	3	4	5	6	7

해 : $x=5$, $y=2$

3-2 ④

3-3 ③

1-1 (2) $5x+y^2=2y+y^2-8$에서 $5x-2y+8=0$

➡ 미지수가 2개인 일차방정식이다.

(3) 분모에 x가 있으므로 일차방정식이 아니다.

(4) $x+2y=x-5$에서 $2y+5=0$

➡ 미지수가 1개인 일차방정식이다.

1-2 ② 미지수가 1개이고 그 차수는 2이다.

④ 등호가 없으므로 방정식이 아니다.

⑤ $x+2y=x-2y+1$에서 $4y-1=0$

➡ 미지수가 1개인 일차방정식이다.

1-3 $ax-y=3x+2y+5$에서

$(a-3)x-3y-5=0$

이때 미지수가 2개인 일차방정식이 되려면

$a-3\neq0$이어야 한다.

$\therefore a\neq3$

2-1 $x+2y=12$에

① $x=2$, $y=5$를 대입하면 $2+2\times5=12$

② $x=3$, $y=\frac{9}{2}$를 대입하면 $3+2\times\frac{9}{2}=12$

③ $x=4$, $y=4$를 대입하면 $4+2\times4=12$

④ $x=6$, $y=3$을 대입하면 $6+2\times3=12$

⑤ $x=8$, $y=5$를 대입하면 $8+2\times5\neq12$

따라서 일차방정식의 해가 아닌 것은 ⑤이다.

2-2 각 일차방정식에 $x=1$, $y=2$를 대입하면

① $1+2\neq5$

② $3\times1-2\neq4$

③ $2\times1-3\times2\neq5$

④ $1+4\times2\neq-3$

⑤ $-2\times1+2=0$

따라서 $x=1$, $y=2$가 일차방정식의 해인 것은 ⑤이다.

2-3 $2x+3y=13$에 대하여 주어진 표를 완성하면

x	1	2	3	4	5	6	7	…
y	$\frac{11}{3}$	3	$\frac{7}{3}$	$\frac{5}{3}$	1	$\frac{1}{3}$	$-\frac{1}{3}$	…

즉 ① $A=3$, ② $B=\frac{7}{3}$, ③ $C=1$, ④ $D=-\frac{1}{3}$이고

⑤ 일차방정식의 해는 (2, 3), (5, 1)의 2개이다.

따라서 옳은 것은 ④이다.

2-5 $x+2y=8$에 $x=0,\ 1,\ 2,\ 3,\ \cdots$을 대입하여 y의 값을 구하면

x	0	1	2	3	4	5	6	7	8	$\cdots$
y	4	$\frac{7}{2}$	3	$\frac{5}{2}$	2	$\frac{3}{2}$	1	$\frac{1}{2}$	0	$\cdots$

따라서 일차방정식의 해는 $(0,\ 4)$, $(2,\ 3)$, $(4,\ 2)$, $(6,\ 1)$, $(8,\ 0)$의 5개이다.

3-2 연립방정식 $\begin{cases} x+y=9 \\ x-3y=-11 \end{cases}$에

① $x=1$, $y=8$을 대입하면 $\begin{cases} 1+8=9 \\ 1-3\times8\neq-11 \end{cases}$

② $x=2$, $y=7$을 대입하면 $\begin{cases} 2+7=9 \\ 2-3\times7\neq-11 \end{cases}$

③ $x=3$, $y=6$을 대입하면 $\begin{cases} 3+6=9 \\ 3-3\times6\neq-11 \end{cases}$

④ $x=4$, $y=5$를 대입하면 $\begin{cases} 4+5=9 \\ 4-3\times5=-11 \end{cases}$

⑤ $x=5$, $y=4$를 대입하면 $\begin{cases} 5+4=9 \\ 5-3\times4\neq-11 \end{cases}$

따라서 주어진 연립방정식의 해는 ④이다.

3-3 각 연립방정식에 $x=-4$, $y=2$를 대입하면

① $\begin{cases} 4\times(-4)+3\times2\neq4 \\ -4+3\times2=2 \end{cases}$

② $\begin{cases} -4+2=-2 \\ -4-2\neq6 \end{cases}$

③ $\begin{cases} -4+2=-2 \\ 3\times(-4)+4\times2=-4 \end{cases}$

④ $\begin{cases} -(-4)+3\times2\neq11 \\ 5\times(-4)-4\times2=-28 \end{cases}$

⑤ $\begin{cases} 2\times(-4)-2\neq10 \\ 2\times(-4)+3\times2=-2 \end{cases}$

따라서 $x=-4$, $y=2$가 해인 것은 ③이다.

누구나 100점 테스트 p80 ~ p81

01 ④ **02** ③ **03** $4x^2-xy$ **04** ③, ⑤
05 ⑤ **06** ③ **07** ⑤ **08** 9송이
09 ② **10** ④

01 ① $x(6x-3)=6x^2-3x$

② $-3x(-2x+3y-4)=6x^2-9xy+12x$

③ $(12x^2+4x)\div(-4x)=\dfrac{12x^2+4x}{-4x}$
$=-3x-1$

④ $(9x^2-6x)\div\dfrac{3}{2}x=(9x^2-6x)\times\dfrac{2}{3x}$
$=6x-4$

⑤ $2(x+4)+x(3x-2)=2x+8+3x^2-2x$
$=3x^2+8$

따라서 옳은 것은 ④이다.

02 $(12x^2-4xy+8x)\div\left(-\dfrac{4}{5}x\right)$
$=(12x^2-4xy+8x)\times\left(-\dfrac{5}{4x}\right)$
$=-15x+5y-10$
따라서 $a=-15$, $b=5$, $c=-10$이므로
$a+b-c=-15+5-(-10)=0$

03 $(x-3y)\times(-x)-\dfrac{4x^2y^2-5x^3y}{xy}$
$=-x^2+3xy-(4xy-5x^2)$
$=-x^2+3xy-4xy+5x^2$
$=4x^2-xy$

04 ① $2x>5+x$
② $7a\leq5000$
④ $x+15>2x$
따라서 옳은 것은 ③, ⑤이다.

05 ① $a<b$의 양변에 -7을 더하면 $-7+a$ ⓐ $-7+b$
② $a<b$의 양변에 5를 곱하면 $5a$ ⓐ $5b$
③ $a>b$의 양변에 -1을 곱하면 $-a<-b$
또 $-a<-b$의 양변에 4를 더하면 $4-a$ ⓐ $4-b$

④ $1-a>1-b$의 양변에서 1을 빼면 $-a>-b$
또 $-a>-b$의 양변에 -1을 곱하면 a ⓢ b

⑤ $\frac{a}{3}-2>\frac{b}{3}-2$에 2를 더하면 $\frac{a}{3}>\frac{b}{3}$
또 $\frac{a}{3}>\frac{b}{3}$의 양변에 3을 곱하면 a ⓢ b

따라서 부등호의 방향이 나머지 넷과 다른 하나는 ⑤이다.

06 ① $x+3>x-1$에서 $4>0$ ➡ 일차부등식이 아니다.
② x^2이 있으므로 일차부등식이 아니다.
③ $6-3x<x$에서 $6-4x<0$ ➡ 일차부등식이다.
④ 부등호가 없으므로 부등식이 아니다.
⑤ $2(x-1)\geq 2x-4$에서 $2x-2\geq 2x-4$
$\therefore 2\geq 0$ ➡ 일차부등식이 아니다.
따라서 일차부등식인 것은 ③이다.

07 ① $3x-4<2x-2$에서 $x<2$
② $3(2x-4)<-(2-x)$에서 $6x-12<-2+x$
$5x<10$　　$\therefore x<2$
③ $0.2x<-0.1x+0.6$의 양변에 10을 곱하면
$2x<-x+6$
$3x<6$　　$\therefore x<2$
④ $\frac{1}{6}+\frac{x}{12}>\frac{x}{2}-\frac{2}{3}$의 양변에 12를 곱하면
$2+x>6x-8$
$-5x>-10$　　$\therefore x<2$
⑤ $1.2x+0.5>\frac{1}{5}x-\frac{1}{2}$의 양변에 10을 곱하면
$12x+5>2x-5$
$10x>-10$　　$\therefore x>-1$
따라서 부등식의 해가 나머지 넷과 다른 하나는 ⑤이다.

08 카네이션을 x송이 산다고 하면

	집 앞 꽃집	꽃 도매시장
카네이션 x송이의 가격	$1000x$원	$600x$원
왕복 교통비	0원	3200원

이때 꽃 도매시장에서 사는 것이 유리해야 하므로
$1000x>600x+3200$
$400x>3200$　　$\therefore x>8$
따라서 카네이션을 9송이 이상 살 경우 꽃 도매시장에서 사는 것이 유리하다.

09 $3x+2y=15$에 $x=1, 2, 3, \cdots$을 대입하여 y의 값을 구하면

x	1	2	3	4	5
y	6	$\frac{9}{2}$	3	$\frac{3}{2}$	0

따라서 일차방정식의 해는 $(1, 6)$, $(3, 3)$의 2개이다.

10 각 연립방정식에 $x=1$, $y=3$을 대입하면
① $\begin{cases}1+2\times3\neq1\\1-3=-2\end{cases}$　② $\begin{cases}2\times1-3\neq0\\4\times1-3\neq2\end{cases}$
③ $\begin{cases}1-2\times3\neq7\\1-3\neq4\end{cases}$　④ $\begin{cases}3\times1-2\times3=-3\\-1+4\times3=11\end{cases}$
⑤ $\begin{cases}4\times1-3\times3\neq7\\3\times1+2\times3\neq-1\end{cases}$
따라서 순서쌍 $(1, 3)$을 해로 갖는 것은 ④이다.

특강 | 창의, 융합, 코딩　　p82 ~ p87

1 원숭이관, 기린관, 호랑이관, 너구리관
2 (1) (가) $60\leq x<68$ (나) 52 g 이상 60 g 미만
(다) $44\leq x<52$ (라) 44 g 미만
(2) A : 소란, B : 특란, C : 대란, D : 중란, E : 왕란
3 양양
4 (1) ㉠, 양변에 같은 수를 곱할 때는 모든 항에 빠짐없이 곱해야 하는데, 상수항에는 10을 곱하지 않았기
(2) $x>-5$
5 (1) 9000, 12000 (2) 9000, 1200 (3) 10권
6 강아지, 고양이

1

2 (2) 계란 A : 43 < 44이므로 소란이다.

계란 B : 60 < 62 < 68이므로 특란이다.

계란 C : 52 < 55 < 60이므로 대란이다.

계란 D : 44 < 48 < 52이므로 중란이다.

계란 E : 68 ≥ 68이므로 왕란이다.

3

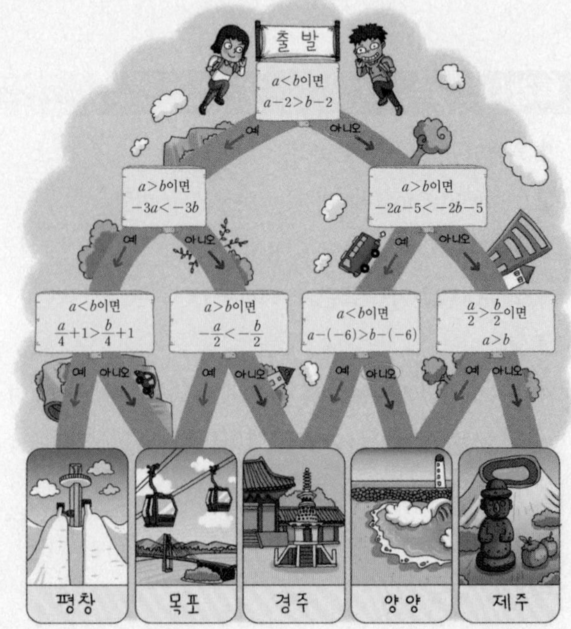

4 (1) 수영이가 처음으로 잘못 계산한 부분은 ㉠이야.
왜냐하면 양변에 같은 수를 곱할 때는 모든 항에 빠짐없이 곱해야 하는데, 상수항에는 10을 곱하지 않았기 때문이야.

(2) $0.2x-1<0.4x$ ⟶ 양변에 10을 곱한다.
$2x-10<4x$
$-2x<10$
$\therefore\ x>-5$

5 (3) $9000+1200(x-5)\le 15000$에서
$9000+1200x-6000\le 15000$
$1200x+3000\le 15000$
$1200x\le 12000$
$\therefore\ x\le 10$
따라서 만화책을 최대 10권까지 살 수 있다.

6

• 강아지가 사다리를 타고 도착한 곳은 C이므로

$$\begin{cases}2x+y=10\\x-3y=-9\end{cases}\xrightarrow[\text{대입}]{x=3,\ y=4}\begin{cases}2\times3+4=10\\3-3\times4=-9\end{cases}$$

따라서 $x=3$, $y=4$는 연립방정식의 해이다.

• 양이 사다리를 타고 도착한 곳은 D이므로

$$\begin{cases}x-2y=2\\2x-y=6\end{cases}\xrightarrow[\text{대입}]{x=4,\ y=1}\begin{cases}4-2\times1=2\\2\times4-1\neq6\end{cases}$$

따라서 $x=4$, $y=1$은 연립방정식의 해가 아니다.

• 고양이가 사다리를 타고 도착한 곳은 A이므로

$\begin{cases} 3x-y=-3 \\ 4x-2y=-2 \end{cases} \xrightarrow[\text{대입}]{x=-2,\ y=-3}$

$\begin{cases} 3\times(-2)-(-3)=-3 \\ 4\times(-2)-2\times(-3)=-2 \end{cases}$

따라서 $x=-2$, $y=-3$은 연립방정식의 해이다.

• 너구리가 사다리를 타고 도착한 곳은 B이므로

$\begin{cases} 2x-12y=-10 \\ x-5y=-4 \end{cases} \xrightarrow[\text{대입}]{x=1,\ y=-1}$

$\begin{cases} 2\times1-12\times(-1)\neq-10 \\ 1-5\times(-1)\neq-4 \end{cases}$

따라서 $x=1$, $y=-1$은 연립방정식의 해가 아니다.

그러므로 도착한 곳에 있는 x, y의 값이 연립방정식의 해가 되는 동물은 강아지, 고양이이다.

3주

이번 주에는 무엇을 공부할까? ❷ p90 ~ p91

1-1 10, 10, 10, 8, 5, -5, -1

1-2 (1) $x=-11$ (2) $x=2$ (3) $x=4$ (4) $x=12$

2-1 A(4, 1), B(-1, 2), C(-3, -3), D(2, -4), E(2, 0)

2-2

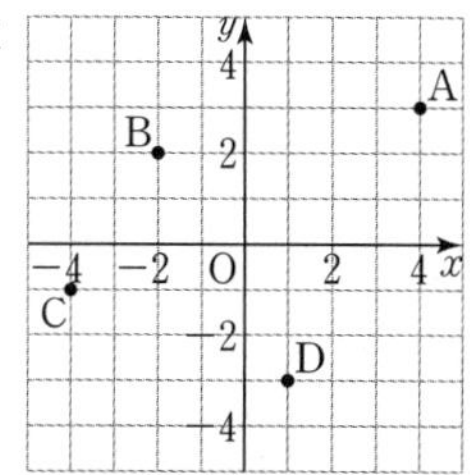

3-1 (1)

x(권)	1	2	3	4	⋯
y(원)	800	1600	2400	3200	⋯

(2) $y=800x$

3-2 (1)

x(시간)	1	2	3	4	⋯
y (km)	3	6	9	12	⋯

(2) $y=3x$

4-1 (1) 0, 2 (2) 0, -1

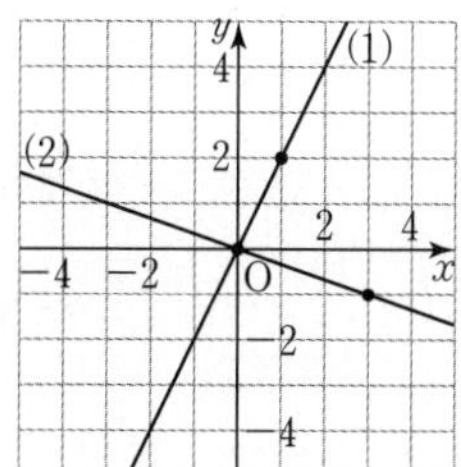

4-2 (1) 0, 3 (2) 0, 1

(3) 0, -2 (4) 0, -1

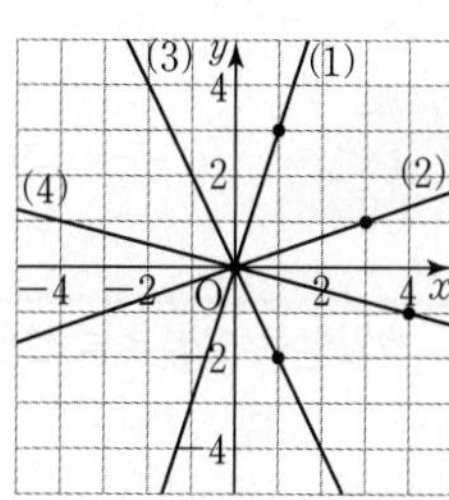

1-2 (1) $2x-6=3x+5$에서 $-x=11$ $\quad\therefore x=-11$

(2) $5(x-1)+3x=11$에서

괄호를 풀면 $5x-5+3x=11$

$8x=16$ $\quad\therefore x=2$

(3) $0.3x-0.2=1$의 양변에 10을 곱하면

$3x-2=10$

$3x=12 \quad \therefore x=4$

(4) $\frac{1}{4}x-2=\frac{1}{6}x-1$의 양변에 12를 곱하면

$3x-24=2x-12 \quad \therefore x=12$

4-1 (1) $y=2x$에 $x=0$을 대입하면 $y=2\times0=0$

$y=2x$에 $x=1$을 대입하면 $y=2\times1=2$

$\therefore (0, \boxed{0}), (1, \boxed{2})$

(2) $y=-\frac{1}{3}x$에 $x=0$을 대입하면 $y=-\frac{1}{3}\times0=0$

$y=-\frac{1}{3}x$에 $x=3$을 대입하면 $y=-\frac{1}{3}\times3=-1$

$\therefore (0, \boxed{0}), (3, \boxed{-1})$

4-2 (1) $y=3x$에 $x=0$을 대입하면 $y=3\times0=0$

$y=3x$에 $x=1$을 대입하면 $y=3\times1=3$

$\therefore (0, \boxed{0}), (1, \boxed{3})$

(2) $y=\frac{1}{3}x$에 $x=0$을 대입하면 $y=\frac{1}{3}\times0=0$

$y=\frac{1}{3}x$에 $x=3$을 대입하면 $y=\frac{1}{3}\times3=1$

$\therefore (0, \boxed{0}), (3, \boxed{1})$

(3) $y=-2x$에 $x=0$을 대입하면 $y=-2\times0=0$

$y=-2x$에 $x=1$을 대입하면 $y=-2\times1=-2$

$\therefore (0, \boxed{0}), (1, \boxed{-2})$

(4) $y=-\frac{1}{4}x$에 $x=0$을 대입하면 $y=-\frac{1}{4}\times0=0$

$y=-\frac{1}{4}x$에 $x=4$를 대입하면 $y=-\frac{1}{4}\times4=-1$

$\therefore (0, \boxed{0}), (4, \boxed{-1})$

1일

1. 대입하는 방법으로 연립방정식 풀기

개념 원리 확인 p93

1-1 $x+2$, 28, 14, 14, 14, 16

1-2 (1) $x=1$, $y=2$ (2) $x=2$, $y=3$

(3) $x=3$, $y=-3$ (4) $x=1$, $y=1$

2-1 $-5x+2$, $-5x+2$, -3, -2, -2, 12

2-2 (1) $x=2$, $y=1$ (2) $x=1$, $y=-2$

(3) $x=2$, $y=-1$ (4) $x=1$, $y=-1$

1-2 (1) ㉠을 ㉡에 대입하면 $(y-1)+y=3$

$2y=4 \quad \therefore y=2$

$y=2$를 ㉠에 대입하면 $x=2-1=1$

(2) ㉡을 ㉠에 대입하면 $2x+(2x-1)=7$

$4x=8 \quad \therefore x=2$

$x=2$를 ㉡에 대입하면

$y=2\times2-1=3$

(3) ㉠을 ㉡에 대입하면 $3x-2(-2x+3)=15$

$7x=21 \quad \therefore x=3$

$x=3$을 ㉠에 대입하면

$y=-2\times3+3=-3$

(4) ㉡을 ㉠에 대입하면 $3(3y-2)-y=2$

$8y=8 \quad \therefore y=1$

$y=1$을 ㉡에 대입하면

$x=3\times1-2=1$

2-2 (1) ㉠에서 y를 x에 대한 식으로 나타내면

$y=-2x+5 \quad \cdots ㉢$

㉢을 ㉡에 대입하면 $3x-2(-2x+5)=4$

$7x=14 \quad \therefore x=2$

$x=2$를 ㉢에 대입하면

$y=-2\times2+5=1$

(2) ㉠에서 x를 y에 대한 식으로 나타내면

$x=3y+7 \quad \cdots ㉢$

㉢을 ㉡에 대입하면 $5(3y+7)+2y=1$

$17y=-34 \quad \therefore y=-2$

$y=-2$를 ㉢에 대입하면

$x=3\times(-2)+7=1$

(3) ㉡에서 x를 y에 대한 식으로 나타내면

$x=4y+6 \quad \cdots ㉢$

㉢을 ㉠에 대입하면 $5(4y+6)+6y=4$

$26y=-26 \quad \therefore y=-1$

$y=-1$을 ㉢에 대입하면

$x=4\times(-1)+6=2$

(4) ㉡에서 y를 x에 대한 식으로 나타내면

$y=3x-4 \quad \cdots ㉢$

㉢을 ㉠에 대입하면 $2x-3(3x-4)=5$

$-7x=-7 \quad \therefore x=1$

$x=1$을 ㉢에 대입하면

$y=3\times1-4=-1$

2. 더하거나 빼는 방법으로 연립방정식 풀기

개념 원리 확인 p95

3-1 2, 12, 6, 6, 6, 2

3-2 (1) $x=2, y=3$ (2) $x=0, y=2$

(3) $x=3, y=2$ (4) $x=2, y=3$

4-1 5, 10, 2, 2, 2, -4

4-2 (1) $x=3, y=4$ (2) $x=6, y=3$

(3) $x=-3, y=1$ (4) $x=2, y=1$

3-2 (1) 미지수 y를 없애기 위해 ㉠+㉡을 하면

$$\begin{array}{r} x+y=5 \\ +\underline{)\ x-y=-1} \\ 2x\quad =4 \end{array} \quad \therefore x=2$$

$x=2$를 ㉠에 대입하면 $2+y=5$

$\therefore y=3$

(2) 미지수 x를 없애기 위해 ㉠−㉡을 하면

$$\begin{array}{r} x-\ y=-2 \\ -\underline{)\ x+3y=6} \\ -4y=-8 \end{array} \quad \therefore y=2$$

$y=2$를 ㉠에 대입하면 $x-2=-2$

$\therefore x=0$

(3) 미지수 y를 없애기 위해 ㉠+㉡을 하면

$$\begin{array}{r} 5x-3y=9 \\ +\underline{)\ 2x+3y=12} \\ 7x\quad =21 \end{array} \quad \therefore x=3$$

$x=3$을 ㉡에 대입하면 $2\times3+3y=12$

$3y=6 \quad \therefore y=2$

(4) 미지수 x를 없애기 위해 ㉠−㉡을 하면

$$\begin{array}{r} 2x+5y=19 \\ -\underline{)\ 2x+\ y=7} \\ 4y=12 \end{array} \quad \therefore y=3$$

$y=3$을 ㉡에 대입하면 $2x+3=7$

$2x=4 \quad \therefore x=2$

4-2 (1) 미지수 x를 없애기 위해 ㉠×2−㉡을 하면

$$\begin{array}{r} 2x+2y=14 \\ -\underline{)\ 2x-3y=-6} \\ 5y=20 \end{array} \quad \therefore y=4$$

$y=4$를 ㉠에 대입하면 $x+4=7$

$\therefore x=3$

(2) 미지수 x를 없애기 위해 ㉠−㉡×3을 하면

$$\begin{array}{r} 3x-4y=6 \\ -\underline{)\ 3x-3y=9} \\ -y=-3 \end{array} \quad \therefore y=3$$

$y=3$을 ㉡에 대입하면 $x-3=3$

$\therefore x=6$

(3) 미지수 x를 없애기 위해 ㉠×5+㉡×2를 하면

$$\begin{array}{r} 10x+35y=5 \\ +\underline{)\ -10x-\ 6y=24} \\ 29y=29 \end{array} \quad \therefore y=1$$

$y=1$을 ㉠에 대입하면 $2x+7\times1=1$

$2x=-6 \quad \therefore x=-3$

(4) 미지수 y를 없애기 위해 ㉠×3−㉡×2를 하면

$$\begin{array}{r} -9x+6y=-12 \\ -\underline{)\ 16x+6y=38} \\ -25x\quad =-50 \end{array} \quad \therefore x=2$$

$x=2$를 ㉠에 대입하면 $-3\times2+2y=-4$

$2y=2 \quad \therefore y=1$

1일 기초 집중 연습 p96~p97

1-1 (가) $2y+1$ (나) 1 (다) -1 (라) -1

1-2 (1) $x=1, y=3$ (2) $x=2, y=3$

(3) $x=2, y=10$ (4) $x=1, y=-1$

1-3 ⑤ **1-4** ①

1-5 ⑤

2-1 (가) 2 (나) 6 (다) 7 (라) -1 (마) 4

2-2 (1) $x=3, y=-7$ (2) $x=5, y=-3$

(3) $x=3, y=-2$ (4) $x=4, y=4$

2-3 ⑤ **2-4** ④

2-5 ③

1-2 (1) $\begin{cases} y=3x & \cdots ㉠ \\ 2x+y=5 & \cdots ㉡ \end{cases}$

㉠을 ㉡에 대입하면 $2x+3x=5$

$5x=5 \quad \therefore x=1$

$x=1$을 ㉠에 대입하면 $y=3\times1=3$

(2) $\begin{cases} 3y=x+7 & \cdots ㉠ \\ 2x-3y=-5 & \cdots ㉡ \end{cases}$

㉠을 ㉡에 대입하면 $2x-(x+7)=-5$

$\therefore x=2$

$x=2$를 ㉠에 대입하면 $3y=2+7=9$

$\therefore y=3$

(3) $\begin{cases} -x+2y=18 & \cdots ㉠ \\ 5x-y=0 & \cdots ㉡ \end{cases}$

㉡에서 y를 x에 대한 식으로 나타내면

$y=5x \quad \cdots ㉢$

㉢을 ㉠에 대입하면 $-x+2\times 5x=18$

$9x=18 \qquad \therefore x=2$

$x=2$를 ㉢에 대입하면 $y=5\times 2=10$

(4) $\begin{cases} 3x+y=2 & \cdots ㉠ \\ x-3y=4 & \cdots ㉡ \end{cases}$

㉠에서 y를 x에 대한 식으로 나타내면

$y=-3x+2 \quad \cdots ㉢$

㉢을 ㉡에 대입하면 $x-3(-3x+2)=4$

$10x=10 \qquad \therefore x=1$

$x=1$을 ㉢에 대입하면 $y=-3\times 1+2=-1$

1-3 ㉠을 ㉡에 대입하면 $3x+2(x-3)=9$

$5x=15 \qquad \therefore a=5$

1-4 ㉡을 ㉠에 대입하면 $4(8-2y)-3y=11$

$-11y=-21 \qquad \therefore a=-21$

1-5 $\begin{cases} x=3y-5 & \cdots ㉠ \\ 2x-5y=-9 & \cdots ㉡ \end{cases}$

㉠을 ㉡에 대입하면 $2(3y-5)-5y=-9$

$\therefore y=1$

$y=1$을 ㉠에 대입하면 $x=3\times 1-5=-2$

따라서 $a=-2$, $b=1$이므로

$b-a=1-(-2)=3$

2-2 (1) $\begin{cases} x+y=-4 & \cdots ㉠ \\ x-y=10 & \cdots ㉡ \end{cases}$

미지수 y를 없애기 위해 ㉠+㉡을 하면

$$\begin{array}{rl} & x+y=-4 \\ +) & x-y=10 \\ \hline & 2x \quad\ =6 \end{array} \qquad \therefore x=3$$

$x=3$을 ㉠에 대입하면 $3+y=-4$

$\therefore y=-7$

(2) $\begin{cases} 3x+2y=9 & \cdots ㉠ \\ 3x-y=18 & \cdots ㉡ \end{cases}$

미지수 x를 없애기 위해 ㉠−㉡을 하면

$$\begin{array}{rl} & 3x+2y=9 \\ -) & 3x-\ y=18 \\ \hline & \quad 3y=-9 \end{array} \qquad \therefore y=-3$$

$y=-3$을 ㉡에 대입하면 $3x-(-3)=18$

$3x=15 \qquad \therefore x=5$

(3) $\begin{cases} x+y=1 & \cdots ㉠ \\ 3x-2y=13 & \cdots ㉡ \end{cases}$

미지수 y를 없애기 위해 ㉠×2+㉡을 하면

$$\begin{array}{rl} & 2x+2y=2 \\ +) & 3x-2y=13 \\ \hline & 5x \quad\ =15 \end{array} \qquad \therefore x=3$$

$x=3$을 ㉠에 대입하면 $3+y=1$

$\therefore y=-2$

(4) $\begin{cases} -2x+3y=4 & \cdots ㉠ \\ 5x+2y=28 & \cdots ㉡ \end{cases}$

미지수 x를 없애기 위해 ㉠×5+㉡×2를 하면

$$\begin{array}{rl} & -10x+15y=20 \\ +) & 10x+\ 4y=56 \\ \hline & \qquad 19y=76 \end{array} \qquad \therefore y=4$$

$y=4$를 ㉡에 대입하면 $5x+2\times 4=28$

$5x=20 \qquad \therefore x=4$

2-3 ㉠×3+㉡×2를 하면

$$\begin{array}{rl} & 9x+6y=3 \\ +) & 8x-6y=14 \\ \hline & 17x \quad\ =17 \end{array}$$

즉 미지수 y가 없어지므로 필요한 식은 ⑤이다.

2-4 ① $\begin{cases} 2x+3y=-1 & \cdots ㉠ \\ x-y=2 & \cdots ㉡ \end{cases}$

미지수 x를 없애기 위해 ㉠−㉡×2를 하면

$$\begin{array}{rl} & 2x+3y=-1 \\ -) & 2x-2y=4 \\ \hline & \quad 5y=-5 \end{array} \qquad \therefore y=-1$$

$y=-1$을 ㉡에 대입하면 $x-(-1)=2$

$\therefore x=1$

② $\begin{cases} 3x-2y=5 & \cdots ㉠ \\ x+y=0 & \cdots ㉡ \end{cases}$

미지수 y를 없애기 위해 ㉠+㉡×2를 하면

$$\begin{array}{r} 3x-2y=5 \\ +\underline{)\ 2x+2y=0} \\ 5x \quad\ =5 \end{array} \quad \therefore x=1$$

$x=1$을 ㉡에 대입하면 $1+y=0$

$\therefore y=-1$

③ $\begin{cases} 7x-y=8 & \cdots ㉠ \\ x+9y=-8 & \cdots ㉡ \end{cases}$

미지수 x를 없애기 위해 ㉠−㉡×7을 하면

$$\begin{array}{r} 7x-\ \ y=8 \\ -\underline{)\ 7x+63y=-56} \\ -64y=64 \end{array} \quad \therefore y=-1$$

$y=-1$을 ㉠에 대입하면 $7x-(-1)=8$

$7x=7 \quad \therefore x=1$

④ $\begin{cases} 3x+y=0 & \cdots ㉠ \\ 3x+2y=9 & \cdots ㉡ \end{cases}$

미지수 x를 없애기 위해 ㉠−㉡을 하면

$$\begin{array}{r} 3x+\ y=0 \\ -\underline{)\ 3x+2y=9} \\ -y=-9 \end{array} \quad \therefore y=9$$

$y=9$를 ㉠에 대입하면 $3x+9=0$

$3x=-9 \quad \therefore x=-3$

⑤ $\begin{cases} x+y=0 & \cdots ㉠ \\ 2x-5y=7 & \cdots ㉡ \end{cases}$

미지수 x를 없애기 위해 ㉠×2−㉡을 하면

$$\begin{array}{r} 2x+2y=0 \\ -\underline{)\ 2x-5y=7} \\ 7y=-7 \end{array} \quad \therefore y=-1$$

$y=-1$을 ㉠에 대입하면 $x+(-1)=0$

$\therefore x=1$

2-5 $\begin{cases} 2x+3y=-4 & \cdots ㉠ \\ 5x+2y=1 & \cdots ㉡ \end{cases}$

미지수 y를 없애기 위해 ㉠×2−㉡×3을 하면

$$\begin{array}{r} 4x+6y=-8 \\ -\underline{)\ 15x+6y=3} \\ -11x \quad\ =-11 \end{array} \quad \therefore x=1$$

$x=1$을 ㉡에 대입하면 $5\times1+2y=1$

$2y=-4 \quad \therefore y=-2$

따라서 $a=1$, $b=-2$이므로

$a-3b=1-3\times(-2)=7$

2일

3. 여러 가지 연립방정식의 풀이

개념 원리 확인 p99

1-1 2, 2, $\frac{7}{2}$, −4

1-2 (1) $x=3$, $y=5$ (2) $x=10$, $y=-14$

2-1 4, 2, −1, 6

2-2 (1) $x=2$, $y=1$ (2) $x=-1$, $y=-2$

3-1 3, 6, 20, −20, 10, 12

3-2 (1) $x=5$, $y=4$ (2) $x=-1$, $y=-2$

1-2 (1) ㉠의 괄호를 풀면 $3x-3=y+1$

$3x-y=4 \quad \cdots ㉢$

㉡을 간단히 정리하면 $x-y=-2 \quad \cdots ㉣$

㉢−㉣을 하면

$$\begin{array}{r} 3x-y=4 \\ -\underline{)\ \ x-y=-2} \\ 2x \quad\ =6 \end{array} \quad \therefore x=3$$

$x=3$을 ㉣에 대입하면 $3-y=-2$

$\therefore y=5$

(2) ㉡의 괄호를 풀면 $8x+4y+y=10$

$8x+5y=10 \quad \cdots ㉢$

㉠×5−㉢을 하면

$$\begin{array}{r} 10x+5y=30 \\ -\underline{)\ \ 8x+5y=10} \\ 2x \quad\ =20 \end{array} \quad \therefore x=10$$

$x=10$을 ㉠에 대입하면 $2\times10+y=6$

$\therefore y=-14$

2-2 (1) ㉠×10을 하면 $x-5y=-3 \quad \cdots ㉢$

㉡×10을 하면 $2x+3y=7 \quad \cdots ㉣$

㉢×2−㉣을 하면

$$\begin{array}{r} 2x-10y=-6 \\ -\underline{)\ 2x+\ 3y=7} \\ -13y=-13 \end{array} \quad \therefore y=1$$

$y=1$을 ㉢에 대입하면 $x-5\times1=-3$

$\therefore x=2$

(2) ㉠×10을 하면 $2x-5y=8$ … ㉢
㉡×100을 하면 $8x+y=-10$ … ㉣
㉢×4−㉣을 하면

$$\begin{array}{r} 8x-20y=32 \\ -\underline{)\,8x+\quad y=-10} \\ -21y=42 \end{array}$$ $\therefore y=-2$

$y=-2$를 ㉣에 대입하면 $8x+(-2)=-10$
$8x=-8$ $\therefore x=-1$

3-2 (1) ㉠×20을 하면 $4x+5y=40$ … ㉢
㉡을 ㉢에 대입하면 $4x+5(-x+9)=40$
$-x=-5$ $\therefore x=5$
$x=5$를 ㉡에 대입하면
$y=-5+9=4$

(2) ㉠×4를 하면 $6x+y=-8$ … ㉢
㉡×3을 하면 $4x-5y=6$ … ㉣
㉢×2−㉣×3을 하면

$$\begin{array}{r} 12x+\ 2y=-16 \\ -\underline{)\,12x-15y=18} \\ 17y=-34 \end{array}$$ $\therefore y=-2$

$y=-2$를 ㉢에 대입하면
$6x+(-2)=-8$
$6x=-6$ $\therefore x=-1$

4. 연립방정식의 활용

개념 원리 확인 p101

4-1 (1) $600y$, $\begin{cases} x+y=14 \\ 800x+600y=10000 \end{cases}$

(2) 과자 : 8개, 빵 : 6개

4-2 (1) $250x$, $500y$, $\begin{cases} x+y=11 \\ 250x+500y=5000 \end{cases}$

(2) 연필 : 2개, 지우개 : 9개

5-1 (1) 3, $\frac{y}{6}$, $\begin{cases} x+y=2 \\ \frac{x}{3}+\frac{y}{6}=\frac{1}{2} \end{cases}$

(2) 걸어간 거리 : 1 km, 뛰어간 거리 : 1 km

5-2 (1)

	뛰어갈 때	걸어갈 때
거리	x km	y km
속력	시속 6 km	시속 4 km
시간	$\frac{x}{6}$시간	$\frac{y}{4}$시간

$\begin{cases} x+y=5 \\ \frac{x}{6}+\frac{y}{4}=1 \end{cases}$

(2) 뛰어간 거리 : 3 km, 걸어간 거리 : 2 km

4-1 (2) $\begin{cases} x+y=14 & \cdots ㉠ \\ 800x+600y=10000 & \cdots ㉡ \end{cases}$
㉠×600−㉡을 하면

$$\begin{array}{r} 600x+600y=8400 \\ -\underline{)\ 800x+600y=10000} \\ -200x\qquad\quad=-1600 \end{array}$$ $\therefore x=8$

$x=8$을 ㉠에 대입하면 $8+y=14$
$\therefore y=6$
따라서 과자는 8개, 빵은 6개 샀다.

4-2 (2) $\begin{cases} x+y=11 & \cdots ㉠ \\ 250x+500y=5000 & \cdots ㉡ \end{cases}$
㉠×250−㉡을 하면

$$\begin{array}{r} 250x+250y=2750 \\ -\underline{)\,250x+500y=5000} \\ -250y=-2250 \end{array}$$ $\therefore y=9$

$y=9$를 ㉠에 대입하면 $x+9=11$
$\therefore x=2$
따라서 연필은 2개, 지우개는 9개 샀다.

5-1 (1) $\begin{cases} (\text{걸어간 거리})+(\text{뛰어간 거리})=(\text{총이동 거리}) \\ (\text{걸어간 시간})+(\text{뛰어간 시간})=(\text{총걸린 시간}) \end{cases}$
이고 30분은 $\frac{1}{2}$시간이므로
$\begin{cases} x+y=2 \\ \frac{x}{3}+\frac{y}{6}=\frac{1}{2} \end{cases}$

(2) $\begin{cases} x+y=2 & \cdots ㉠ \\ \frac{x}{3}+\frac{y}{6}=\frac{1}{2} & \cdots ㉡ \end{cases}$
㉡×6을 하면 $2x+y=3$ … ㉢
㉠−㉢을 하면

$$\begin{array}{rl} & x+y=2 \\ -) & 2x+y=3 \\ \hline & -x \quad =-1 \end{array} \qquad \therefore x=1$$

$x=1$을 ㉠에 대입하면 $1+y=2$

$\therefore y=1$

따라서 강준이가 걸어간 거리는 1 km, 뛰어간 거리는 1 km이다.

5-2 (2) $\begin{cases} x+y=5 & \cdots ㉠ \\ \dfrac{x}{6}+\dfrac{y}{4}=1 & \cdots ㉡ \end{cases}$

㉡×12를 하면 $2x+3y=12$ … ㉢

㉠×2−㉢을 하면

$$\begin{array}{rl} & 2x+2y=10 \\ -) & 2x+3y=12 \\ \hline & -y=-2 \end{array} \qquad \therefore y=2$$

$y=2$를 ㉠에 대입하면

$x+2=5 \qquad \therefore x=3$

따라서 은지가 뛰어간 거리는 3 km, 걸어간 거리는 2 km이다.

2일 기초 집중 연습 p102 ~ p103

1-1 (1) $x=3,\ y=4$ (2) $x=4,\ y=-1$

(3) $x=-8,\ y=-2$ (4) $x=5,\ y=6$

(5) $x=6,\ y=1$ (6) $x=1,\ y=-2$

1-2 ②

1-3 ①

1-4 -30

2-1 (1) $\begin{cases} x+y=46 \\ 500x+1200y=27200 \end{cases}$ (2) $x=40,\ y=6$

(3) 40명

2-2 (1) $\begin{cases} x+y=28 \\ 3y-x=20 \end{cases}$ (2) $x=16,\ y=12$ (3) 16

2-3 47

2-4 아버지의 나이 : 44세, 아들의 나이 : 16세

2-5 10 km

1-1 (1) $\begin{cases} 3(x+y)-4y=5 & \cdots ㉠ \\ x+2(x-y)=1 & \cdots ㉡ \end{cases}$

㉠의 괄호를 풀어 정리하면 $3x-y=5$ … ㉢

㉡의 괄호를 풀어 정리하면 $3x-2y=1$ … ㉣

㉢−㉣을 하면

$$\begin{array}{rl} & 3x-\ y=5 \\ -) & 3x-2y=1 \\ \hline & y=4 \end{array}$$

$y=4$를 ㉢에 대입하면 $3x-4=5$

$3x=9 \qquad \therefore x=3$

(2) $\begin{cases} 3x-2(2x-y)=x-10 & \cdots ㉠ \\ 2(y-2x)+y=-7-3x & \cdots ㉡ \end{cases}$

㉠의 괄호를 풀어 정리하면

$-2x+2y=-10$ … ㉢

㉡의 괄호를 풀어 정리하면

$-x+3y=-7$ … ㉣

㉢−㉣×2를 하면

$$\begin{array}{rl} & -2x+2y=-10 \\ -) & -2x+6y=-14 \\ \hline & -4y=4 \end{array} \qquad \therefore y=-1$$

$y=-1$을 ㉣에 대입하면 $-x+3\times(-1)=-7$

$-x=-4 \qquad \therefore x=4$

(3) $\begin{cases} 0.2x-0.3y=-1 & \cdots ㉠ \\ 0.4x-5y=6.8 & \cdots ㉡ \end{cases}$

㉠×10을 하면 $2x-3y=-10$ … ㉢

㉡×10을 하면 $4x-50y=68$ … ㉣

㉢×2−㉣을 하면

$$\begin{array}{rl} & 4x-\ 6y=-20 \\ -) & 4x-50y=68 \\ \hline & 44y=-88 \end{array} \qquad \therefore y=-2$$

$y=-2$를 ㉢에 대입하면 $2x-3\times(-2)=-10$

$2x=-16 \qquad \therefore x=-8$

(4) $\begin{cases} \dfrac{1}{2}x-\dfrac{1}{3}y=\dfrac{1}{2} & \cdots ㉠ \\ \dfrac{1}{5}x-\dfrac{1}{4}y=-\dfrac{1}{2} & \cdots ㉡ \end{cases}$

㉠×6을 하면 $3x-2y=3$ … ㉢

㉡×20을 하면 $4x-5y=-10$ … ㉣

㉢×4−㉣×3을 하면

$$\begin{array}{rl} & 12x-\ 8y=12 \\ -) & 12x-15y=-30 \\ \hline & 7y=42 \end{array} \qquad \therefore y=6$$

$y=6$을 ㉢에 대입하면 $3x-2\times6=3$

$3x=15 \qquad \therefore x=5$

(5) $\begin{cases} \frac{1}{2}x-y=2 & \cdots ㉠ \\ 0.3x-1.2y=0.6 & \cdots ㉡ \end{cases}$

㉠×2를 하면 $x-2y=4 \quad \cdots$ ㉢

㉡×10을 하면 $3x-12y=6 \quad \cdots$ ㉣

㉢×3−㉣을 하면

$$\begin{array}{r} 3x-\ \ 6y=12 \\ -\underline{)\ 3x-12y=6} \\ 6y=6 \end{array} \qquad \therefore y=1$$

$y=1$을 ㉢에 대입하면 $x-2\times1=4 \qquad \therefore x=6$

(6) $\begin{cases} \frac{x}{6}-\frac{y}{4}=\frac{2}{3} & \cdots ㉠ \\ 0.4x+0.3y=-0.2 & \cdots ㉡ \end{cases}$

㉠×12를 하면 $2x-3y=8 \quad \cdots$ ㉢

㉡×10을 하면 $4x+3y=-2 \quad \cdots$ ㉣

㉢+㉣을 하면

$$\begin{array}{r} 2x-3y=8 \\ +\underline{)\ 4x+3y=-2} \\ 6x\qquad=6 \end{array} \qquad \therefore x=1$$

$x=1$을 ㉣에 대입하면 $4\times1+3y=-2$

$3y=-6 \qquad \therefore y=-2$

1-2 ② $18x-4y=10$

1-3 $\begin{cases} \frac{1}{2}x-\frac{1}{4}y=2 & \cdots ㉠ \\ x+\frac{1}{3}y=\frac{2}{3} & \cdots ㉡ \end{cases}$

㉠×4를 하면 $2x-y=8 \quad \cdots$ ㉢

㉡×3을 하면 $3x+y=2 \quad \cdots$ ㉣

㉢+㉣을 하면

$$\begin{array}{r} 2x-y=8 \\ +\underline{)\ 3x+y=2} \\ 5x\qquad=10 \end{array} \qquad \therefore x=2$$

$x=2$를 ㉣에 대입하면 $3\times2+y=2 \qquad \therefore y=-4$

따라서 $a=2$, $b=-4$이므로

$a+b=2+(-4)=-2$

1-4 $\begin{cases} 0.3x+y=0.6 & \cdots ㉠ \\ \frac{1}{2}x-\frac{2}{3}y=-6 & \cdots ㉡ \end{cases}$

㉠×10을 하면 $3x+10y=6 \quad \cdots$ ㉢

㉡×6을 하면 $3x-4y=-36 \quad \cdots$ ㉣

㉢−㉣을 하면

$$\begin{array}{r} 3x+10y=6 \\ -\underline{)\ 3x-\ \ 4y=-36} \\ 14y=42 \end{array} \qquad \therefore y=3$$

$y=3$을 ㉢에 대입하면 $3x+10\times3=6$

$3x=-24 \qquad \therefore x=-8$

따라서 $a=-8$, $b=3$이므로

$3a-2b=3\times(-8)-2\times3=-30$

2-1 (2) $\begin{cases} x+y=46 & \cdots ㉠ \\ 500x+1200y=27200 & \cdots ㉡ \end{cases}$

㉠×500−㉡을 하면

$$\begin{array}{r} 500x+\ \ 500y=23000 \\ -\underline{)\ 500x+1200y=27200} \\ -700y=-4200 \end{array} \qquad \therefore y=6$$

$y=6$을 ㉠에 대입하면 $x+6=46 \qquad \therefore x=40$

(3) 입장한 어린이의 수는 40명이다.

2-2 (2) $\begin{cases} x+y=28 \\ 3y-x=20 \end{cases}$, 즉 $\begin{cases} x+y=28 & \cdots ㉠ \\ -x+3y=20 & \cdots ㉡ \end{cases}$

㉠+㉡을 하면

$$\begin{array}{r} x+\ \ y=28 \\ +\underline{)\ -x+3y=20} \\ 4y=48 \end{array} \qquad \therefore y=12$$

$y=12$를 ㉠에 대입하면 $x+12=28 \qquad \therefore x=16$

2-3 처음 수의 십의 자리의 숫자를 x, 일의 자리의 숫자를 y라고 하면

$\begin{cases} x+y=11 & \cdots ㉠ \\ 10y+x=10x+y+27 & \cdots ㉡ \end{cases}$

㉡을 간단히 정리하면

$-9x+9y=27$, 즉 $-x+y=3 \quad \cdots$ ㉢

㉠+㉢을 하면

$$\begin{array}{r} x+\ y=11 \\ +\underline{)\ -x+\ y=3} \\ 2y=14 \end{array} \qquad \therefore y=7$$

$y=7$을 ㉠에 대입하면 $x+7=11 \qquad \therefore x=4$

따라서 처음 수는 $10\times4+7=47$이다.

2-4 현재 아버지의 나이를 x세, 아들의 나이를 y세라고 하면

$$\begin{cases} x-y=28 & \cdots ㉠ \\ x+12=2(y+12) & \cdots ㉡ \end{cases}$$

㉡을 간단히 하면 $x-2y=12$ $\cdots$ ㉢

㉠－㉢을 하면

$$\begin{array}{r} x-\ y=28 \\ -\underline{)\ x-2y=12} \\ y=16 \end{array}$$

$y=16$을 ㉠에 대입하면 $x-16=28$ $\quad\therefore x=44$

따라서 현재 아버지의 나이는 44세, 아들의 나이는 16세이다.

2-5 자전거를 타고 간 거리를 x km, 걸어간 거리를 y km라고 하면

$$\begin{cases} x+y=12 & \cdots ㉠ \\ \dfrac{x}{12}+\dfrac{y}{3}=\dfrac{3}{2} & \cdots ㉡ \end{cases}$$

㉡×12를 하면 $x+4y=18$ $\cdots$ ㉢

㉠－㉢을 하면

$$\begin{array}{r} x+\ y=12 \\ -\underline{)\ x+4y=18} \\ -3y=-6 \end{array} \quad \therefore y=2$$

$y=2$를 ㉠에 대입하면 $x+2=12$

$\therefore x=10$

따라서 자전거를 타고 간 거리는 10 km이다.

5. 함수의 뜻

개념 원리 확인 p105

1-1 (1)

x(개)	1	2	3	4	$\cdots$
y(원)	700	1400	2100	2800	$\cdots$

정해지므로, 함수이다

(2)

x	1	2	3	4	$\cdots$
y	1	1, 2	1, 3	1, 2, 4	$\cdots$

정해지지 않으므로, 함수가 아니다

1-2 (1)

x(개)	1	2	3	4	$\cdots$
y(g)	5	10	15	20	$\cdots$

○

(2)

x	1	2	3	4	$\cdots$
y	2	1	0	-1	$\cdots$

○

(3)

x	1	2	3	4	$\cdots$
y	없다.	없다.	2	2, 3	$\cdots$

×

2-1 (1)

x (cm)	1	2	3	4	$\cdots$
y (cm)	3	6	9	12	$\cdots$

(2) 함수이다. (3) 3, 3

2-2 (1)

x	1	2	3	4	$\cdots$
y	24	12	8	6	$\cdots$

① 함수이다. ② $y=\dfrac{24}{x}$

(2)

x (cm)	1	2	3	4	$\cdots$
y (cm)	29	28	27	26	$\cdots$

① 함수이다. ② $y=30-x$

1-2 (1), (2) x의 값 하나에 y의 값이 하나로 정해지므로 y는 x의 함수이다.

(3) x의 값 하나에 y의 값이 하나도 없거나 2개 이상인 경우가 있으므로 y는 x의 함수가 아니다.

2-1 (2) x의 값 하나에 y의 값이 하나로 정해지므로 y는 x의 함수이다.

2-2 (1) ① x의 값 하나에 y의 값이 하나로 정해지므로 y는 x의 함수이다.

② (직사각형의 넓이)

＝(가로의 길이)×(세로의 길이)

이므로 $xy=24$ $\quad\therefore y=\dfrac{24}{x}$

(2) ① x의 값 하나에 y의 값이 하나로 정해지므로 y는 x의 함수이다.

② (남은 테이프의 길이)

＝(전체의 길이)－(사용한 테이프의 길이)

이므로 $y=30-x$

참고 함수의 대표적인 예

① 두 변수 x, y 사이가 정비례 관계,
즉 $y=ax(a\neq0)$인 경우

② 두 변수 x, y 사이가 반비례 관계,
즉 $y=\frac{a}{x}(a\neq0)$인 경우

③ 두 변수 x, y 사이의 관계식이 $y=(x$의 일차식),
즉 $y=ax+b(a\neq0)$인 경우

6. 함숫값과 일차함수의 뜻

개념 원리 확인 p107

3-1 (1) 1, 5 (2) $-2, -10$ (3) $\frac{2}{5}$, 2

3-2 (1) ① 0 ② -8 ③ 3 (2) ① 4 ② -3 ③ 1

4-1 (1) 일차식, 이다 (2) 가 아니다 (3) $3x+5$, 이다

4-2 (1) ○ (2) × (3) × (4) ○

3-2 (1) $f(x)=4x$에 대하여

① $f(0)=4\times0=0$

② $f(-2)=4\times(-2)=-8$

③ $f\left(\frac{3}{4}\right)=4\times\frac{3}{4}=3$

(2) $f(x)=\frac{12}{x}$에 대하여

① $f(3)=\frac{12}{3}=4$

② $f(-4)=\frac{12}{-4}=-3$

③ $f(12)=\frac{12}{12}=1$

4-2 (1) $y=(x$에 대한 일차식)이므로 일차함수이다.

(2) x가 분모에 있으므로 일차함수가 아니다.

(3) x^2이 있으므로 우변이 일차식이 아니다. 즉 일차함수가 아니다.

(4) $y=x^2-x(x+1)=x^2-x^2-x=-x$
즉 $y=-x$ ➡ 일차함수이다.

3일 기초 집중 연습 p108 ~ p109

1-1 ②

1-2 (1) $y=4x$, 함수이다. (2) $y=\frac{10}{x}$, 함수이다.

2-1 $f(-2)=3$, $f(6)=-1$

2-2 5

2-3 (1) 9, 18 (2) -6

3-1 ㉠, ㉤

3-2 ①, ③

4-1 ⑤

4-2 ②

4-3 ①

1-1 ① $x+y=5$에서 $y=-x+5$ ➡ y는 x의 함수이다.

②

x	1	2	3	4	…
y	1, 2, …	2, 4, …	3, 6, …	4, 8, …	…

x의 값 하나에 y의 값이 2개 이상으로 정해지므로 y는 x의 함수가 아니다.

③ $y=10x$ ➡ y는 x의 함수이다.

④ $y=2\pi x$ ➡ y는 x의 함수이다.

⑤ x를 3으로 나눈 나머지 y는 0, 1, 2 중 하나로만 정해지므로 y는 x의 함수이다.

1-2 (1) (거리)=(속력)×(시간)이므로 $y=4x$
➡ y는 x의 함수이다.

(2) 10 L의 주스를 x명이 똑같이 나누어 마시면 한 사람이 $\frac{10}{x}$ L씩 마시게 되므로 $y=\frac{10}{x}$
➡ y는 x의 함수이다.

2-1 $f(x)=-\frac{6}{x}$에 대하여

$f(-2)=-\frac{6}{-2}=3$

$f(6)=-\frac{6}{6}=-1$

2-2 $f(x)=-5x$에 대하여
$f(1)=-5\times1=-5$
$f(-2)=-5\times(-2)=10$이므로
$f(1)+f(-2)=-5+10=5$

2-3 (2) $f(x)=\frac{18}{x}$이므로 $f(-3)=\frac{18}{-3}=-6$

3-1 ㉠ $y=$(x에 대한 일차식)이므로 일차함수이다.
㉡ x^2이 있으므로 일차함수가 아니다.
㉢ 일차방정식이므로 일차함수가 아니다.
㉣ x가 분모에 있으므로 일차함수가 아니다.
㉤ $y=4(x-1)=4x-4$ ➡ 일차함수이다.
㉥ 일차식이므로 일차함수가 아니다.
따라서 일차함수인 것은 ㉠, ㉤이다.

3-2 ① 하루는 24시간이므로 $y=24-x$ ➡ 일차함수이다.
② (직사각형의 넓이)=(가로의 길이)×(세로의 길이)이므로 $xy=120$
$\therefore y=\dfrac{120}{x}$ ➡ 일차함수가 아니다.
③ $900x+1200y=15000$이므로 $3x+4y=50$
$\therefore y=-\dfrac{3}{4}x+\dfrac{25}{2}$ ➡ 일차함수이다.
④ (정사각형의 넓이)=(한변의 길이)^{2}이므로
$y=x^2$ ➡ 일차함수가 아니다.
⑤ (거리)=(속력)×(시간)이므로 $xy=240$
$\therefore y=\dfrac{240}{x}$ ➡ 일차함수가 아니다.
따라서 일차함수인 것은 ①, ③이다.

4-1 $f(x)=2x-3$에 대하여
① $f(-2)=2\times(-2)-3=-7$
② $f(-1)=2\times(-1)-3=-5$
③ $f(0)=2\times0-3=-3$
④ $f(1)=2\times1-3=-1$
⑤ $f(4)=2\times4-3=5$
따라서 옳은 것은 ⑤이다.

4-2 $f(x)=3x+5$에 대하여
$f(-3)=3\times(-3)+5=-4$
$f(1)=3\times1+5=8$이므로
$f(-3)+\dfrac{1}{4}f(1)=-4+\dfrac{1}{4}\times8=-2$

4-3 $f(x)=ax+1$에 대하여
$f(-1)=a\times(-1)+1=-a+1$이므로
$-a+1=3 \qquad \therefore a=-2$

7. 일차함수 $y=ax$의 그래프

개념 원리 확인 p111

1-1 (1) 3 (2) 0, 1 (3) 0, -2

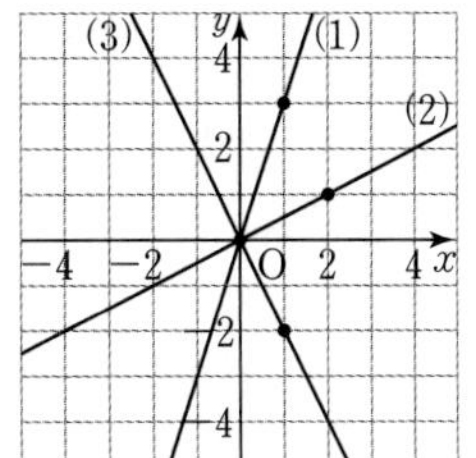

1-2 (1) 0, 1 (2) 0, 1 (3) 0, -4

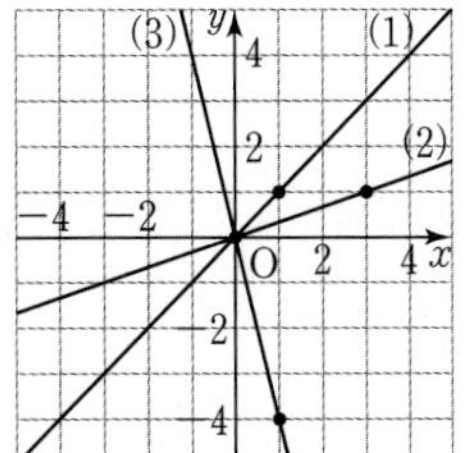

2-1 (1) ○ (2) ○ (3) × (4) ○ (5) ×

2-2 (1) ○ (2) × (3) ○ (4) × (5) ○

2-1 (3) 그래프는 제1, 3사분면을 지난다.
(4) $y=\dfrac{2}{3}x$에 $x=3$, $y=2$를 대입하면 $2=\dfrac{2}{3}\times3$
즉 점 (3, 2)를 지난다.
(5) $y=\dfrac{2}{3}x$에서 $\dfrac{2}{3}>0$이므로 x의 값이 증가하면 y의 값은 증가한다.

2-2 (2) $y=-5x$에서 $-5<0$이므로 그래프는 오른쪽 아래로 향하는 직선이다.
(4) $y=-5x$에 $x=-1$, $y=-5$를 대입하면
$-5\neq-5\times(-1)$
즉 점 $(-1, -5)$를 지나지 않는다.

8. 일차함수 $y=ax+b$의 그래프

개념 원리 확인 p113

3-1 (1) 2 (2) -3

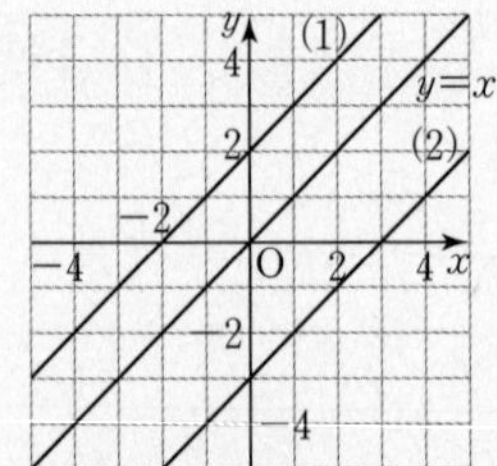

3-2

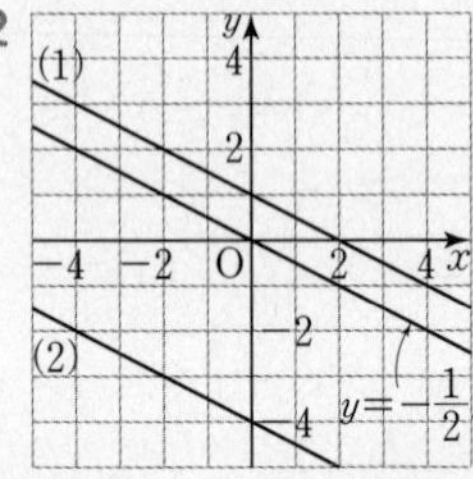

4-1 (1) ㉠ 4 ㉡ -3 (2) ㉠ $y=2x+4$ ㉡ $y=2x-3$

4-2 (1) ㉠ 3 ㉡ -1

(2) ㉠ $y=-\frac{2}{3}x+3$ ㉡ $y=-\frac{2}{3}x-1$

3-2 (1) $y=-\frac{1}{2}x+1$의 그래프는 $y=-\frac{1}{2}x$의 그래프를 y축의 방향으로 1만큼 평행이동한 것이다.

(2) $y=-\frac{1}{2}x-4$의 그래프는 $y=-\frac{1}{2}x$의 그래프를 y축의 방향으로 -4만큼 평행이동한 것이다.

4일 기초 집중 연습 p114~p115

1-1 (1) 0, 4 (2) 0, 2 (3) 0, -3

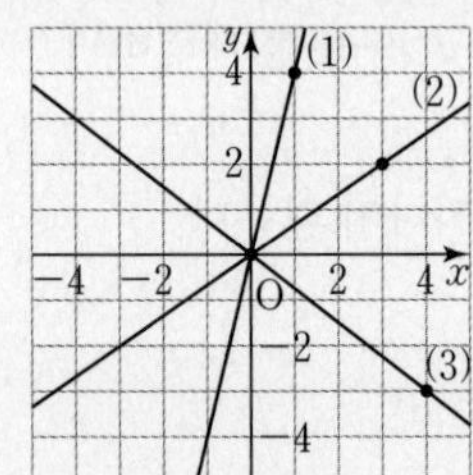

1-2 (1) ㉠, ㉡ (2) ㉢ (3) ㉢, ㉣ (4) ㉢ (5) ㉠, ㉡

1-3 ②

2-1

2-2 (1) ㉡ (2) ㉠

2-3 (1) $y=3x+2$ (2) $y=\frac{1}{4}x-1$

(3) $y=-2x+5$ (4) $y=-\frac{3}{2}x-4$

2-4 ③ **2-5** ④

1-3 ①, ② $y=-\frac{3}{2}x$에서 $-\frac{3}{2}<0$이므로 그래프는 오른쪽 아래로 향하는 직선이고, 제2, 4사분면을 지난다.

③ $y=-\frac{3}{2}x$에 $x=2$, $y=-3$을 대입하면

$-3=-\frac{3}{2}\times 2$

즉 점 $(2, -3)$을 지난다.

④ x의 값이 증가하면 y의 값은 감소한다.

⑤ $|-1|<\left|-\frac{3}{2}\right|$이므로 $y=-\frac{3}{2}x$의 그래프는 $y=-x$의 그래프보다 y축에 더 가깝다.

따라서 옳지 않은 것은 ②이다.

2-4 일차함수 $y=-5x$의 그래프를 평행이동하면 겹쳐지는 것은 $y=-5x+b$(b는 상수) 꼴이다.

따라서 평행이동하면 겹쳐지는 것은 ③ $y=-5x+\frac{1}{2}$이다.

2-5 $y=2x-5$에

① $x=-3$, $y=-11$을 대입하면

$-11=2\times(-3)-5$

② $x=-1$, $y=-7$을 대입하면 $-7=2\times(-1)-5$

③ $x=1$, $y=-3$을 대입하면 $-3=2\times 1-5$

④ $x=3$, $y=-1$을 대입하면 $-1\neq 2\times 3-5$

⑤ $x=5$, $y=5$를 대입하면 $5=2\times 5-5$

따라서 그래프 위의 점이 아닌 것은 ④이다.

9. 일차함수의 그래프의 x절편과 y절편

개념 원리 확인 p117

1-1 (1) x, y (2) $y=0$, $x=0$

1-2 (1) ㉠ $(2, 0)$ ㉡ $(3, 0)$ (2) ㉠ 2 ㉡ 3

(3) ㉠ $(0, -1)$ ㉡ $(0, 4)$ (4) ㉠ -1 ㉡ 4

2-1 0, 0, 3, 0, 0, 6, 3, 6

2-2 (1) x절편 : 2, y절편 : -2

(2) x절편 : 6, y절편 : -4

(3) x절편 : $\frac{5}{2}$, y절편 : 5

(4) x절편 : -2, y절편 : -1

3-1 x절편 : -3, y절편 : 3

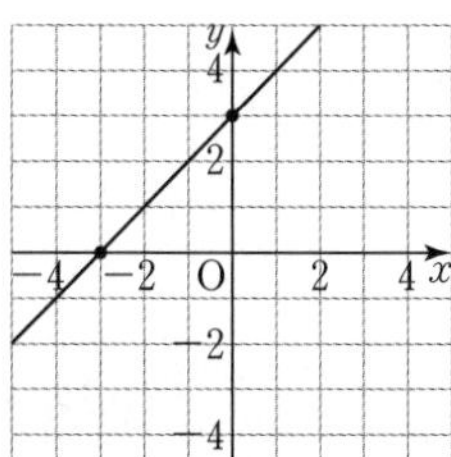

3-2

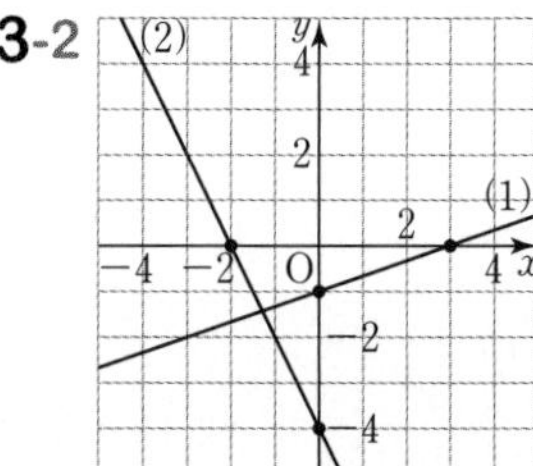

1-2 (2) ㉠ x절편은 x축과 만나는 점 $(2, 0)$의 x좌표이므로 2이다.

㉡ x절편은 x축과 만나는 점 $(3, 0)$의 x좌표이므로 3이다.

(4) ㉠ y절편은 y축과 만나는 점 $(0, -1)$의 y좌표이므로 -1이다.

㉡ y절편은 y축과 만나는 점 $(0, 4)$의 y좌표이므로 4이다.

2-2 (1) $y=x-2$에 $y=0$을 대입하면

$0=x-2 \quad \therefore x=2$

$y=x-2$에 $x=0$을 대입하면

$y=0-2=-2$

따라서 x절편은 2, y절편은 -2이다.

(2) $y=\frac{2}{3}x-4$에 $y=0$을 대입하면

$0=\frac{2}{3}x-4$, $-\frac{2}{3}x=-4 \quad \therefore x=6$

$y=\frac{2}{3}x-4$에 $x=0$을 대입하면

$y=\frac{2}{3}\times 0-4=-4$

따라서 x절편은 6, y절편은 -4이다.

(3) $y=-2x+5$에 $y=0$을 대입하면

$0=-2x+5$, $2x=5 \quad \therefore x=\frac{5}{2}$

$y=-2x+5$에 $x=0$을 대입하면

$y=-2\times 0+5=5$

따라서 x절편은 $\frac{5}{2}$, y절편은 5이다.

(4) $y=-\frac{1}{2}x-1$에 $y=0$을 대입하면

$0=-\frac{1}{2}x-1$, $\frac{1}{2}x=-1 \quad \therefore x=-2$

$y=-\frac{1}{2}x-1$에 $x=0$을 대입하면

$y=-\frac{1}{2}\times 0-1=-1$

따라서 x절편은 -2, y절편은 -1이다.

3-1 $y=x+3$에 $y=0$을 대입하면

$0=x+3 \quad \therefore x=-3$

$y=x+3$에 $x=0$을 대입하면

$y=0+3=3$

따라서 x절편은 -3, y절편은 3이므로 두 점 $(-3, 0)$, $(0, 3)$을 지나는 직선을 그리면 오른쪽 그림과 같다.

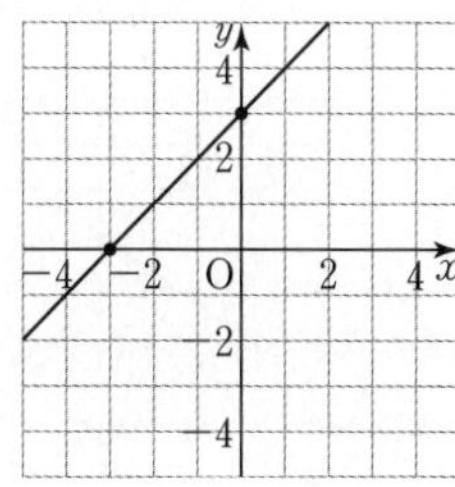

3-2 (1) $y=\frac{1}{3}x-1$에 $y=0$을 대입하면

$0=\frac{1}{3}x-1$, $-\frac{1}{3}x=-1 \quad \therefore x=3$

$y=\frac{1}{3}x-1$에 $x=0$을 대입하면

$y=\frac{1}{3}\times 0-1=-1$

따라서 x절편은 3, y절편은 -1이므로

두 점 (3, 0), (0, −1)을 지나는 직선을 그리면 오른쪽 그림과 같다.

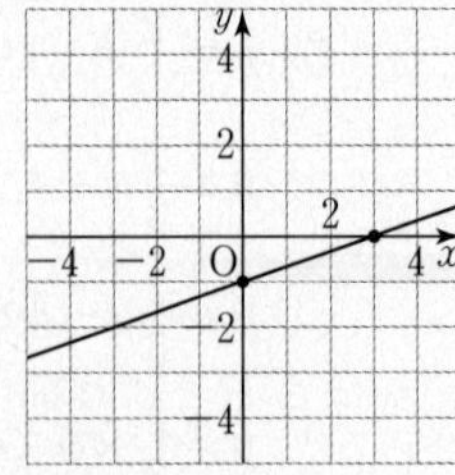

(2) $y=-2x-4$에 $y=0$을 대입하면

$0=-2x-4$, $2x=-4$ $\therefore x=-2$

$y=-2x-4$에 $x=0$을 대입하면

$y=-2\times0-4=-4$

따라서 x절편은 -2, y절편은 -4이므로 두 점 $(-2, 0)$, $(0, -4)$를 지나는 직선을 그리면 오른쪽 그림과 같다.

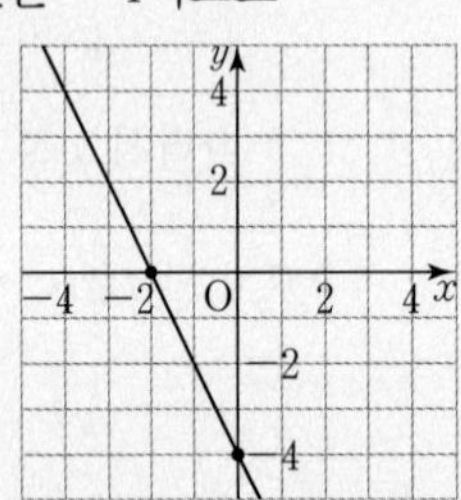

5-2 (1) 기울기는 2, y절편은 -3이므로 점 $(0, -3)$에서 x축의 방향으로 1만큼 이동한 후 y축의 방향으로 2만큼 이동한 점을 찾으면 점 $(1, -1)$이다. 따라서 이 두 점을 직선으로 연결하면 오른쪽 그림과 같다.

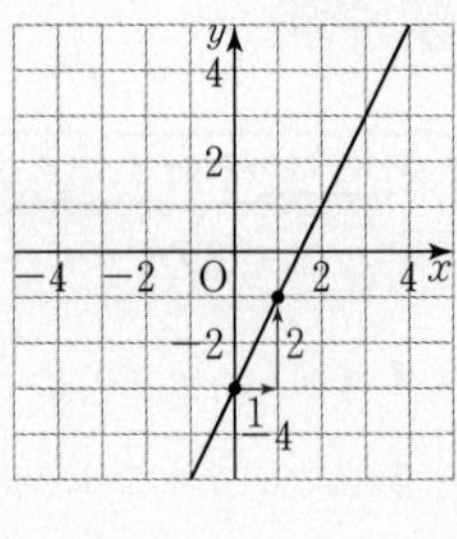

(2) 기울기는 $-\frac{1}{3}$, y절편은 2이므로 점 $(0, 2)$에서 x축의 방향으로 3만큼 이동한 후 y축의 방향으로 -1만큼 이동한 점을 찾으면 점 $(3, 1)$이다. 따라서 이 두 점을 직선으로 연결하면 오른쪽 그림과 같다.

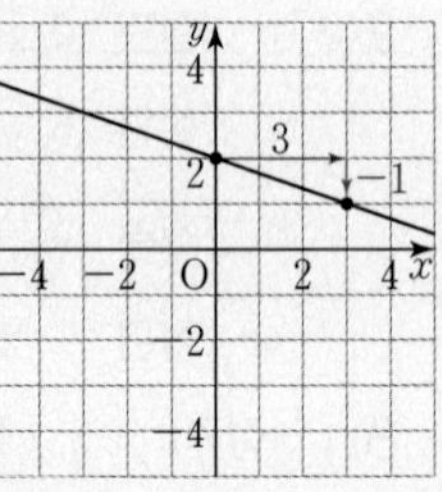

10. 일차함수의 그래프의 기울기

개념 원리 확인 p119

4-1 (1) $+2$, $+2$, $-\frac{3}{2}$ (2) $+5$, $+5$, $\frac{5}{3}$

4-2 (1) 2 (2) $-\frac{1}{3}$

5-1 $\frac{2}{3}$, -2, -2, 2

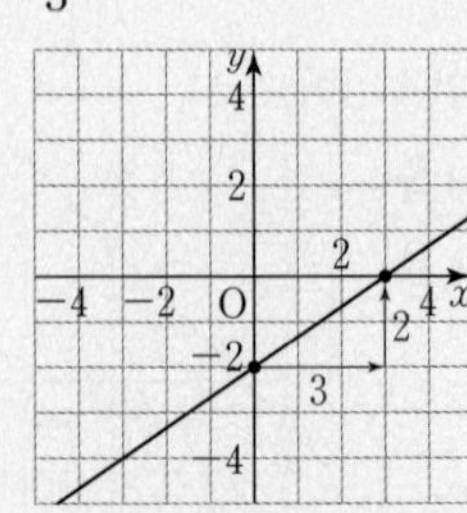

5-2

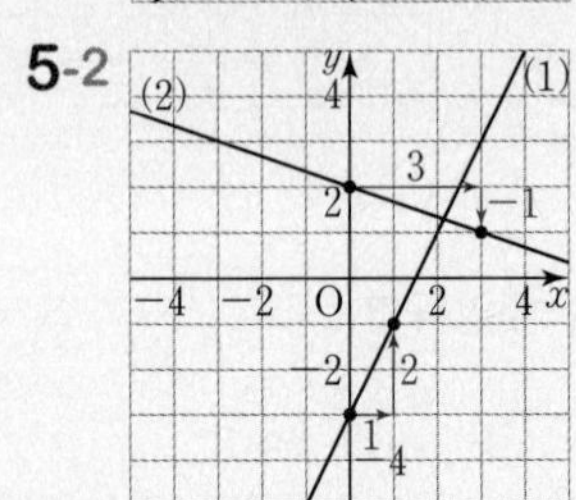

4-2 (1) $(\text{기울기})=\frac{+4}{+2}=2$

(2) $(\text{기울기})=\frac{-1}{+3}=-\frac{1}{3}$

5일 기초 집중 연습 p120 ~ p121

1-1 (1) x절편 : -3, y절편 : -2

(2) x절편 : -2, y절편 : 4

1-2 (1) x절편 : 1, y절편 : -2

(2) x절편 : 3, y절편 : 2

1-3 ④

2-1

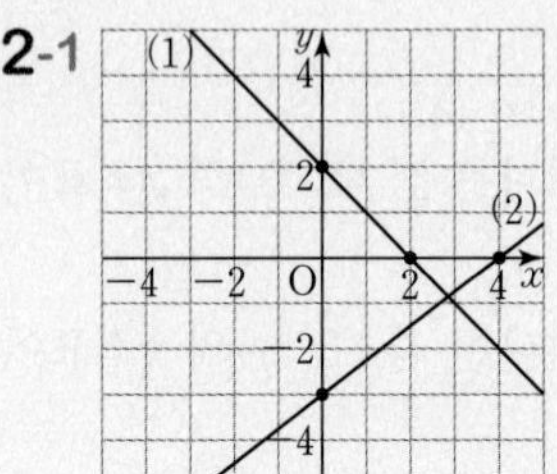

2-2 ④

3-1 (1) 2 (2) -5 (3) $\frac{1}{2}$ (4) $-\frac{2}{3}$

3-2 (1) 3 (2) -1

3-3 ⑤

4-1

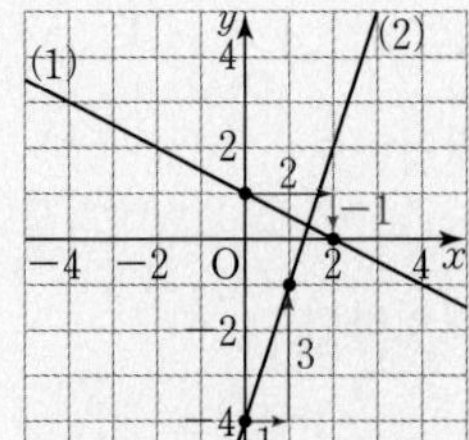

4-2 ②

1-2 (1) $y=2x-2$에 $y=0$을 대입하면

$0=2x-2$, $-2x=-2$ $\therefore x=1$

$y=2x-2$에 $x=0$을 대입하면

$y=2\times0-2=-2$

따라서 x절편은 1, y절편은 -2이다.

(2) $y=-\frac{2}{3}x+2$에 $y=0$을 대입하면

$0=-\frac{2}{3}x+2$, $\frac{2}{3}x=2$ $\therefore x=3$

$y=-\frac{2}{3}x+2$에 $x=0$을 대입하면

$y=-\frac{2}{3}\times0+2=2$

따라서 x절편은 3, y절편은 2이다.

1-3 ① $y=2x+4$에 $y=0$을 대입하면

$0=2x+4$, $-2x=4$ $\therefore x=-2$

② $y=x+2$에 $y=0$을 대입하면

$0=x+2$ $\therefore x=-2$

③ $y=-3x-6$에 $y=0$을 대입하면

$0=-3x-6$, $3x=-6$ $\therefore x=-2$

④ $y=4x-8$에 $y=0$을 대입하면

$0=4x-8$, $-4x=-8$ $\therefore x=2$

⑤ $y=\frac{5}{2}x+5$에 $y=0$을 대입하면

$0=\frac{5}{2}x+5$, $-\frac{5}{2}x=5$ $\therefore x=-2$

따라서 x절편이 나머지 넷과 다른 하나는 ④이다.

2-1 (1) $y=-x+2$에 $y=0$을 대입하면

$0=-x+2$ $\therefore x=2$

$y=-x+2$에 $x=0$을 대입하면

$y=0+2=2$

따라서 두 점 (2, 0), (0, 2)를 지나는 직선을 그리면 오른쪽 그림과 같다.

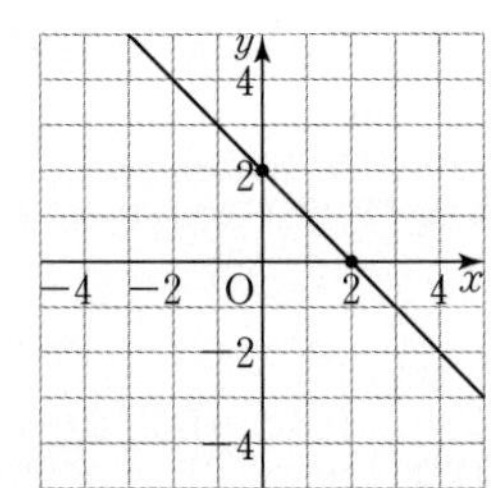

(2) $y=\frac{3}{4}x-3$에 $y=0$을 대입하면

$0=\frac{3}{4}x-3$, $-\frac{3}{4}x=-3$ $\therefore x=4$

$y=\frac{3}{4}x-3$에 $x=0$을 대입하면

$y=\frac{3}{4}\times0-3=-3$

따라서 두 점 (4, 0), (0, -3)을 지나는 직선을 그리면 오른쪽 그림과 같다.

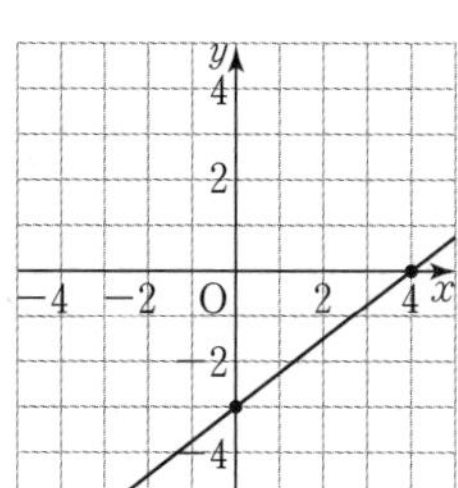

2-2 $y=3x-5$에 $y=0$을 대입하면

$0=3x-5$, $-3x=-5$ $\therefore x=\frac{5}{3}$

$y=3x-5$에 $x=0$을 대입하면

$y=3\times0-5=-5$

따라서 두 점 $\left(\frac{5}{3}, 0\right)$, (0, -5)를 지나는 직선을 그리면 오른쪽 그림과 같으므로 그래프로 옳은 것은 ④이다.

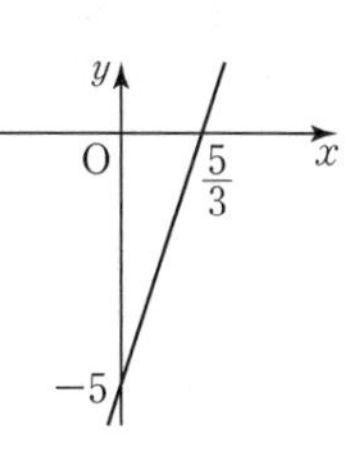

3-2 (1) (기울기)$=\frac{3}{1}=3$

(2) (기울기)$=\frac{-1}{1}=-1$

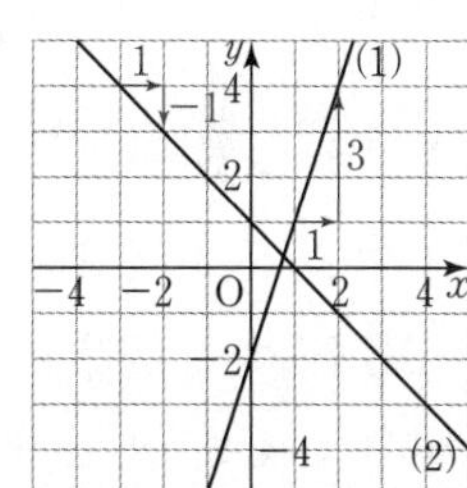

3-3 (기울기)$=\frac{(y\text{의 값의 증가량})}{(x\text{의 값의 증가량})}=\frac{-5}{3}=-\frac{5}{3}$

이므로 x의 계수가 $-\frac{5}{3}$인 일차함수의 식을 찾으면 ⑤이다.

4-1 (1) 기울기는 $-\frac{1}{2}$, y절편은 1이므로

점 (0, 1)에서 x축의 방향으로 2만큼 이동한 후 y축의 방향으로 -1만큼 이동한 점을 찾으면 (2, 0)이다. 따라서 이 두 점을 직선으로 연결하면 오른쪽 그림과 같다.

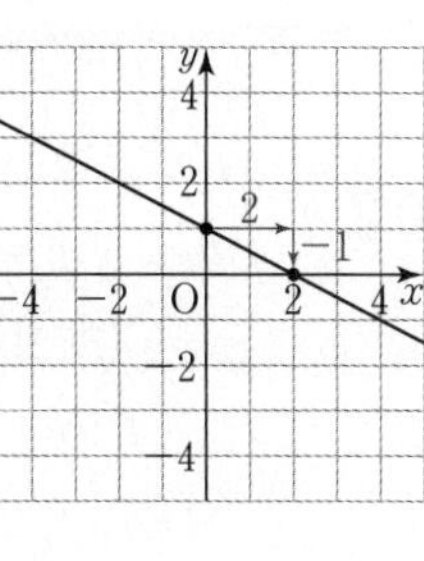

(2) 기울기는 3, y절편은 -4이므로 점 $(0,\ -4)$에서 x축의 방향으로 1만큼 이동한 후 y축의 방향으로 3만큼 이동한 점을 찾으면 $(1,\ -1)$이다. 따라서 이 두 점을 직선으로 연결하면 오른쪽 그림과 같다.

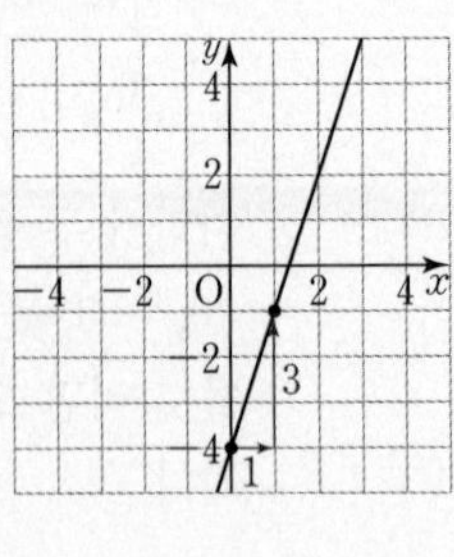

4-2 일차함수 $y=\frac{1}{3}x-1$의 그래프의 기울기는 $\frac{1}{3}$, y절편은 -1이므로 점 $(0,\ -1)$에서 x축의 방향으로 3만큼 이동한 후 y축의 방향으로 1만큼 이동한 점을 찾으면 $(3, 0)$이다. 따라서 이 두 점을 직선으로 연결하면 오른쪽 그림과 같으므로 그래프로 옳은 것은 ②이다.

누구나 100점 테스트 p122 ~ p123

01 ② **02** ④ **03** 0 **04** 72
05 6 km **06** ②
07 (1) 4, 8, 12, 16 (2) $y=4x$ (3) 40 **08** ④
09 ③ **10** ④

01 미지수 ① y를 없애기 위해
㉠을 ㉡에 대입하면 $2x+($② $4x-5)=7$
$6x=$③ 12 $\therefore x=$④ 2
$x=$④ 2를 ㉠에 대입하면
$y=4\times 2-5=$⑤ 3
따라서 옳은 것은 ②이다.

02 ① $\begin{cases} x+y=-3 & \cdots ㉠ \\ 2x-y=-9 & \cdots ㉡ \end{cases}$

㉠+㉡을 하면

$$\begin{array}{rl} x+y=-3 & \\ +)\ 2x-y=-9 & \\ \hline 3x \quad =-12 & \therefore x=-4 \end{array}$$

$x=-4$를 ㉠에 대입하면 $-4+y=-3$
$\therefore y=1$

② $\begin{cases} x-y=-5 & \cdots ㉠ \\ x+2y=-2 & \cdots ㉡ \end{cases}$

㉠−㉡을 하면

$$\begin{array}{rl} x-\ y=-5 & \\ -)\ x+2y=-2 & \\ \hline -3y=-3 & \therefore y=1 \end{array}$$

$y=1$을 ㉠에 대입하면 $x-1=-5$
$\therefore x=-4$

③ $\begin{cases} 2x+3y=-5 & \cdots ㉠ \\ 3x+y=-11 & \cdots ㉡ \end{cases}$

㉠−㉡$\times 3$을 하면

$$\begin{array}{rl} 2x+3y=-5 & \\ -)\ 9x+3y=-33 & \\ \hline -7x \quad =28 & \therefore x=-4 \end{array}$$

$x=-4$를 ㉡에 대입하면
$3\times(-4)+y=-11$
$\therefore y=1$

④ $\begin{cases} x=-2y & \cdots ㉠ \\ 5x+y=-9 & \cdots ㉡ \end{cases}$

㉠을 ㉡에 대입하면
$5\times(-2y)+y=-9$
$-9y=-9 \quad \therefore y=1$
$y=1$을 ㉠에 대입하면
$x=-2\times 1=-2$

⑤ $\begin{cases} -4x+y=17 & \cdots ㉠ \\ y=x+5 & \cdots ㉡ \end{cases}$

㉡을 ㉠에 대입하면
$-4x+(x+5)=17$
$-3x=12 \quad \therefore x=-4$
$x=-4$를 ㉡에 대입하면
$y=-4+5=1$
따라서 해가 나머지 넷과 다른 하나는 ④이다.

03 $\begin{cases} 0.4x+0.3(y-1)=3.2 & \cdots ㉠ \\ \frac{x+1}{6}-\frac{y+1}{2}=-2 & \cdots ㉡ \end{cases}$

㉠$\times 10$을 하면 $4x+3(y-1)=32$
즉 $4x+3y=35 \quad \cdots ㉢$

㉡×6을 하면

$x+1-3(y+1)=-12$

즉 $x-3y=-10$ … ㉣

㉢+㉣을 하면

$$\begin{array}{r} 4x+3y=35 \\ +\underline{) \quad x-3y=-10} \\ 5x \qquad =25 \end{array} \qquad \therefore x=5$$

$x=5$를 ㉣에 대입하면

$5-3y=-10$, $-3y=-15$

$\therefore y=5$

따라서 $a=5$, $b=5$이므로

$a-b=5-5=0$

04 처음 자연수의 십의 자리의 숫자를 x, 일의 자리의 숫자를 y라고 하면

$$\begin{cases} x+y=9 & \cdots ㉠ \\ 10y+x=10x+y-45 & \cdots ㉡ \end{cases}$$

㉡을 간단히 하면 $x-y=5$ … ㉢

㉠+㉢을 하면

$$\begin{array}{r} x+y=9 \\ +\underline{) \quad x-y=5} \\ 2x \qquad =14 \end{array} \qquad \therefore x=7$$

$x=7$을 ㉠에 대입하면

$7+y=9$ $\quad\therefore y=2$

따라서 처음 자연수는

$10x+y=10\times7+2=72$

05 올라간 거리를 x km, 내려온 거리를 y km라고 하면

2시간 30분은 $\frac{5}{2}$시간이므로

$$\begin{cases} y=x+3 & \cdots ㉠ \\ \frac{x}{3}+\frac{y}{4}=\frac{5}{2} & \cdots ㉡ \end{cases}$$

㉡×12를 하면

$4x+3y=30$ … ㉢

㉠을 ㉢에 대입하면

$4x+3(x+3)=30$

$7x=21$ $\quad\therefore x=3$

$x=3$을 ㉠에 대입하면

$y=3+3=6$

따라서 내려온 거리는 6 km이다.

06 ①

x	1	2	3	4	…
x의 약수	1	1, 2	1, 3	1, 2, 4	…
y	1	2	2	3	…

즉 x의 값 하나에 y의 값이 하나로 정해지므로 y는 x의 함수이다.

② x의 값이 1일 때, 1보다 작은 짝수는 없으므로 y의 값이 정해지지 않는다.

즉 y는 x의 함수가 아니다.

③ $y=4x$이므로 y는 x의 함수이다.

④ $xy=50$에서 $y=\frac{50}{x}$이므로 y는 x의 함수이다.

⑤ $y=100-x$이므로 y는 x의 함수이다.

따라서 함수가 아닌 것은 ②이다.

07 (3) $f(x)=4x$이므로

$f(10)=4\times10=40$

08 ① $xy=1$에서 $y=\frac{1}{x}$

➡ 분모에 x가 있으므로 일차함수가 아니다.

② 분모에 x가 있으므로 일차함수가 아니다.

③ $y=x(x+3)$에서 $y=x^2+3x$

➡ x^2이 있으므로 일차함수가 아니다.

④ $y=2x^2-x(2x+5)$에서 $y=-5x$

➡ 즉 $y=$(x에 대한 일차식)이므로 일차함수이다.

⑤ $y+x^2=2x(x-6)$에서 $y=x^2-12x$

➡ x^2이 있으므로 일차함수가 아니다.

따라서 y가 x에 대한 일차함수인 것은 ④이다.

09 $y=\frac{2}{3}x+4$에 $y=0$을 대입하면

$0=\frac{2}{3}x+4$, $-\frac{2}{3}x=4$ $\quad\therefore x=-6$

$y=\frac{2}{3}x+4$에 $x=0$을 대입하면

$y=\frac{2}{3}\times0+4=4$

따라서 x절편이 -6, y절편이 4이므로 그래프를 그리면 오른쪽 그림과 같다.

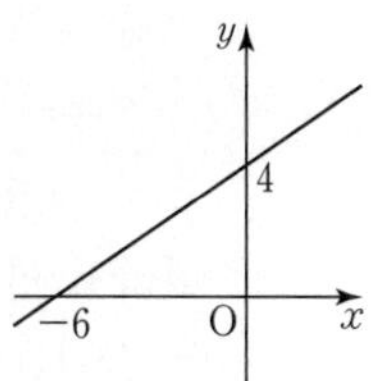

10 x의 값이 6만큼 증가할 때 y의 값이 8만큼 증가하므로

(기울기)$=\frac{8}{6}=\frac{4}{3}$

따라서 x의 계수가 $\frac{4}{3}$인 일차함수의 식을 찾으면 ④이다.

특강 | 창의, 융합, 코딩 p124 ~ p129

1 ❶ 디 ❷ 오 ❸ 판 ❹ 홍 ❺ 정 ❻ 하

디오판토스, 홍정하

2 (1) $\begin{cases} x+1=2(y-1) \\ x-1=y+1 \end{cases}$ (2) 7

3 ㉠ 집게 : ③, ④, ⑤, ⑧

㉡ 집게 : ①, ②, ⑥, ⑦, ⑨

4 (1) 10, 13, 16, $y=3x+1$ (2) 일차함수이다.

(3) 61도막

5 (1) 3 (2) $y=\frac{2}{3}x+3$ (3)

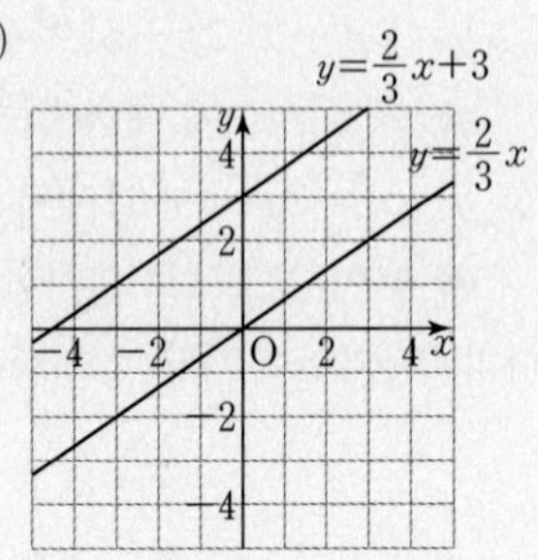

6 (1) $\frac{2}{3}$ (2) -2 (3) 9 (4) -6 (5) 3 (6) -7

(7) $\frac{3}{4}$ (8) $-\frac{1}{2}$ / 그림은 풀이 참조

1 ❶ $\begin{cases} y=2x+5 & \cdots ㉠ \\ -x+y=1 & \cdots ㉡ \end{cases}$

㉠을 ㉡에 대입하면 $-x+(2x+5)=1$

$\therefore x=-4$

$x=-4$를 ㉠에 대입하면 $y=2\times(-4)+5=-3$

따라서 연립방정식의 해 $x=-4$, $y=-3$에 대응하는 글자를 찾으면 '디'이다.

❷ $\begin{cases} x=5-y & \cdots ㉠ \\ x+2y=6 & \cdots ㉡ \end{cases}$

㉠을 ㉡에 대입하면 $(5-y)+2y=6$ $\therefore y=1$

$y=1$을 ㉠에 대입하면 $x=5-1=4$

따라서 연립방정식의 해 $x=4$, $y=1$에 대응하는 글자를 찾으면 '오'이다.

❸ $\begin{cases} -x+2y=-3 & \cdots ㉠ \\ x-y=2 & \cdots ㉡ \end{cases}$

㉠+㉡을 하면

$$\begin{array}{r} -x+2y=-3 \\ +\underline{)\ \ x-\ \ y=2} \\ y=-1 \end{array}$$

$y=-1$을 ㉡에 대입하면 $x-(-1)=2$

$\therefore x=1$

따라서 연립방정식의 해 $x=1$, $y=-1$에 대응하는 글자를 찾으면 '판'이다.

❹ $\begin{cases} 2x+5y=11 & \cdots ㉠ \\ x-5y=-2 & \cdots ㉡ \end{cases}$

㉠+㉡을 하면

$$\begin{array}{r} 2x+5y=11 \\ +\underline{)\ \ x-5y=-2} \\ 3x\ \ \ \ \ \ =9 \end{array}$$ $\therefore x=3$

$x=3$을 ㉠에 대입하면 $2\times3+5y=11$

$5y=5$ $\therefore y=1$

따라서 연립방정식의 해 $x=3$, $y=1$에 대응하는 글자를 찾으면 '홍'이다.

❺ $\begin{cases} 2x-5y=4 & \cdots ㉠ \\ x-3y=3 & \cdots ㉡ \end{cases}$

㉠$-$㉡$\times2$를 하면

$$\begin{array}{r} 2x-5y=4 \\ -\underline{)2x-6y=6} \\ y=-2 \end{array}$$

$y=-2$를 ㉡에 대입하면

$x-3\times(-2)=3$ $\therefore x=-3$

따라서 연립방정식의 해 $x=-3$, $y=-2$에 대응하는 글자를 찾으면 '정'이다.

❻ $\begin{cases} 7x+6y=11 & \cdots ㉠ \\ 5x-4y=-17 & \cdots ㉡ \end{cases}$

㉠×2+㉡×3을 하면

$$\begin{array}{rl} & 14x+12y=22 \\ +) & 15x-12y=-51 \\ \hline & 29x \quad\quad =-29 \end{array} \quad \therefore x=-1$$

$x=-1$을 ㉠에 대입하면

$7\times(-1)+6y=11$, $6y=18$ $\quad\therefore y=3$

따라서 연립방정식의 해 $x=-1$, $y=3$에 대응하는 글자를 찾으면 '하'이다.

2 (2) $\begin{cases} x+1=2(y-1) \\ x-1=y+1 \end{cases}$, 즉 $\begin{cases} x-2y=-3 & \cdots ㉠ \\ x-y=2 & \cdots ㉡ \end{cases}$

㉠−㉡을 하면

$$\begin{array}{rl} & x-2y=-3 \\ -) & x-\ y=2 \\ \hline & -\ y=-5 \end{array} \quad \therefore y=5$$

$y=5$를 ㉡에 대입하면 $x-5=2$ $\quad\therefore x=7$

따라서 노새가 싣고 있는 짐의 개수는 7이다.

3 ㉠ $f(x)=-3x$에서

③ $f(3)=-3\times3=-9$

④ $f\left(\frac{1}{3}\right)=-3\times\frac{1}{3}=-1$

⑤ $f(-1)=-3\times(-1)=3$

⑧ $f(-5)=-3\times(-5)=15$

㉡ $f(x)=\frac{8}{x}$에서

① $f\left(\frac{1}{2}\right)=8\div\frac{1}{2}=16$

② $f(2)=\frac{8}{2}=4$

⑥ $f(3)=\frac{8}{3}$

⑦ $f(-4)=\frac{8}{-4}=-2$

⑨ $f(1)=\frac{8}{1}=8$

4 (1) 실을 한 번 자를 때마다 3도막씩 늘어나므로 y를 x에 대한 식으로 나타내면 $y=3x+1$

(2) $y=(x$에 대한 일차식$)$이므로 y는 x에 대한 일차함수이다.

(3) $x=20$을 $y=3x+1$에 대입하면

$y=3\times20+1=61$

따라서 실은 61도막으로 나누어진다.

5 (1) 시작하기 버튼을 클릭했을 때 y축의 방향으로 $\frac{3}{5}$만큼 평행이동하는 것을 5번 반복하므로

$\frac{3}{5}+\frac{3}{5}+\frac{3}{5}+\frac{3}{5}+\frac{3}{5}=3$만큼 평행이동하게 된다.

(2) 일차함수 $y=\frac{2}{3}x$의 그래프가 y축의 방향으로 3만큼 평행이동하므로 그래프의 식은

$y=\frac{2}{3}x+3$

6 (1) $y=3x-2$에 $y=0$을 대입하면

$0=3x-2$, $-3x=-2$ $\quad\therefore x=\frac{2}{3}$

따라서 x절편은 $\frac{2}{3}$이다.

(2) $y=-\frac{1}{4}x-2$에 $x=0$을 대입하면

$y=-\frac{1}{4}\times0-2=-2$

따라서 y절편은 -2이다.

(3) $y=9x-3$의 그래프의 기울기는 x의 계수인 9이다.

(4) $y=\frac{4}{3}x+8$에 $y=0$을 대입하면

$0=\frac{4}{3}x+8$, $-\frac{4}{3}x=8$ $\quad\therefore x=-6$

따라서 x절편은 -6이다.

(5) $y=\frac{1}{5}x+3$에 $x=0$을 대입하면

$y=\frac{1}{5}\times0+3=3$

따라서 y절편은 3이다.

(6) $y=-7x+9$의 기울기는 x의 계수인 -7이다.

(7) 그래프가 x의 값이 4만큼 증가할 때, y의 값은 3만큼 증가하므로 기울기는 $\frac{3}{4}$이다.

(8) 그래프가 x의 값이 4만큼 증가할 때, y의 값은 2만큼 감소하므로 기울기는 $\frac{-2}{4}=-\frac{1}{2}$이다.

따라서 그림에서 수가 있는 칸을 색칠하면 다음과 같다.

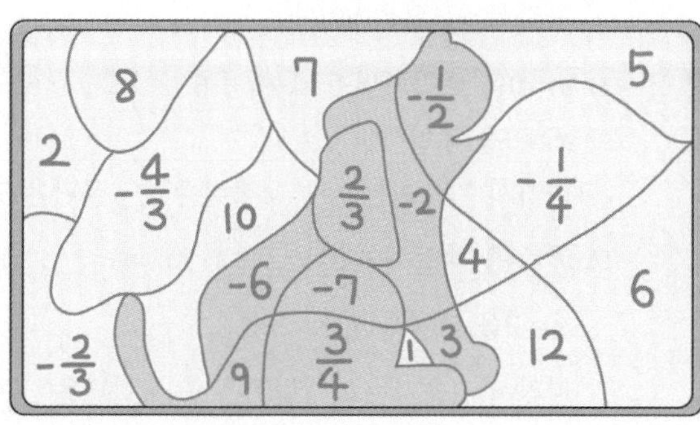

정답과 풀이

4주

이번 주에는 무엇을 공부할까? ❷ p132 ~ p133

1-1 (1) $y=\frac{2}{3}x+3$ (2) $y=3x-2$

1-2 (1) $y=\frac{1}{2}x+3$ (2) $y=-2x-4$

(3) $y=5x-\frac{1}{2}$ (4) $y=-3x+\frac{1}{4}$

2-1 (1) -2 (2) $\frac{5}{2}$ (3) 5

2-2 (1) -1, 6, 6 (2) 2, $\frac{3}{2}$, -3 (3) $\frac{2}{3}$, -6, 4

3-1

x	1	2	3	4
y	5	3	1	-1

일차방정식의 해 : (1, 5), (2, 3), (3, 1)

3-2 (1)

x	1	2	3	4
y	3	2	1	0

일차방정식의 해 : (1, 3), (2, 2), (3, 1)

(2)

x	1	2	3	4	5
y	11	8	5	2	-1

일차방정식의 해 : (1, 11), (2, 8), (3, 5), (4, 2)

4-1 (1) $x=-2$, $y=1$ (2) $x=2$, $y=2$

4-2 (1) $x=3$, $y=1$ (2) $x=2$, $y=1$

(3) $x=1$, $y=-4$ (4) $x=1$, $y=2$

2-1 (1) 기울기는 x의 계수와 같으므로 $y=-2x+5$의 기울기는 -2이다.

(2) $y=0$을 대입하면 $0=-2x+5$, $2x=5$

$\therefore x=\frac{5}{2}$, 즉 x절편 : $\frac{5}{2}$

(3) $x=0$을 대입하면 $y=5$

따라서 y절편은 5이다.

2-2 (1) $y=0$을 대입하면 $0=-x+6$ $\therefore x=6$

$x=0$을 대입하면 $y=6$

따라서 기울기는 -1, x절편은 6, y절편은 6이다.

(2) $y=0$을 대입하면 $0=2x-3$, $2x=3$ $\therefore x=\frac{3}{2}$

$x=0$을 대입하면 $y=-3$

따라서 기울기는 2, x절편은 $\frac{3}{2}$, y절편은 -3이다.

(3) $y=0$을 대입하면 $0=\frac{2}{3}x+4$, $-\frac{2}{3}x=4$

$\therefore x=-6$

$x=0$을 대입하면 $y=4$

따라서 기울기는 $\frac{2}{3}$, x절편은 -6, y절편은 4이다.

4-1 (1) $\begin{cases} y=x+3 & \cdots ㉠ \\ x+3y=1 & \cdots ㉡ \end{cases}$

㉠을 ㉡에 대입하면 $x+3(x+3)=1$

$4x+9=1$, $4x=-8$

$\therefore x=-2$

$x=-2$를 ㉠에 대입하면 $y=-2+3=1$

(2) $\begin{cases} x+y=4 & \cdots ㉠ \\ 2x-3y=-2 & \cdots ㉡ \end{cases}$

㉠$\times 3+$㉡을 하면 $5x=10$ $\therefore x=2$

$x=2$를 ㉠에 대입하면

$2+y=4$ $\therefore y=2$

4-2 (1) $\begin{cases} y=x-2 & \cdots ㉠ \\ 2x-y=5 & \cdots ㉡ \end{cases}$

㉠을 ㉡에 대입하면 $2x-(x-2)=5$

$x+2=5$ $\therefore x=3$

$x=3$을 ㉠에 대입하면 $y=3-2=1$

(2) $\begin{cases} x=3y-1 & \cdots ㉠ \\ 3x+y=7 & \cdots ㉡ \end{cases}$

㉠을 ㉡에 대입하면 $3(3y-1)+y=7$

$10y-3=7$, $10y=10$

$\therefore y=1$

$y=1$을 ㉠에 대입하면 $x=3\times1-1=2$

(3) $\begin{cases} x-y=5 & \cdots ㉠ \\ x+y=-3 & \cdots ㉡ \end{cases}$

㉠$+$㉡을 하면 $2x=2$ $\therefore x=1$

$x=1$을 ㉡에 대입하면 $1+y=-3$

$\therefore y=-4$

(4) $\begin{cases} 2x+3y=8 & \cdots ㉠ \\ x-2y=-3 & \cdots ㉡ \end{cases}$

㉠$-$㉡$\times 2$를 하면 $7y=14$ $\therefore y=2$

$y=2$를 ㉡에 대입하면 $x-2\times2=-3$

$\therefore x=1$

1. 일차함수 $y=ax+b$의 그래프의 성질

개념 원리 확인 p135

1-1 (1) ㉡, ㉢
(2) ㉠, ㉣

1-2 (1) ㉡, ㉢
(2) ㉠, ㉣

2-1 (1) ○ (2) × (3) ○ (4) × (5) ○

2-2 (1) ○ (2) ○ (3) × (4) × (5) ○

2-1 (1) $y=3x-2$에 $y=0$을 대입하면 $0=3x-2$

$3x=2 \quad \therefore x=\frac{2}{3}$, 즉 x절편 : $\frac{2}{3}$

(2) y축과의 교점의 좌표는 $(0, -2)$이다.

(3), (5) 기울기가 3으로 양수이므로 x의 값이 증가하면 y의 값도 증가한다.

(4) 일차함수 $y=3x-2$의 그래프를 그리면 오른쪽 그림과 같으므로 제3사분면을 지난다.

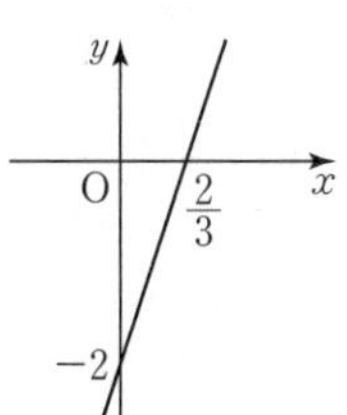

2-2 (1) $y=-\frac{3}{5}x+3$에 $y=0$을 대입하면

$0=-\frac{3}{5}x+3,\ \frac{3}{5}x=3$

$\therefore x=5$, 즉 x절편 : 5

(2) y축과의 교점의 좌표가 $(0,\ 3)$이므로 그래프는 y축과 양의 부분에서 만난다.

(3), (5) 기울기가 $-\frac{3}{5}$으로 음수이므로 그래프는 오른쪽 아래로 향하는 직선이고, x의 값이 증가하면 y의 값은 감소한다.

(4) 일차함수 $y=-\frac{3}{5}x+3$의 그래프를 그리면 오른쪽 그림과 같으므로 제1, 2, 4사분면을 지난다.

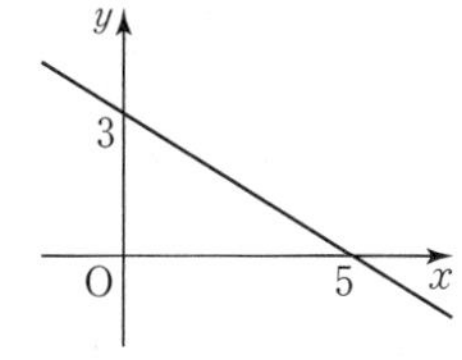

2. 일차함수의 그래프의 평행과 일치

개념 원리 확인 p137

3-1 (1) ㉡과 ㉣ (2) ㉢과 ㉥

3-2 (1) ㉣과 ㉤ (2) ㉠과 ㉥

4-1 (1) 기울기, 5 (2) y절편, 3, 4

4-2 (1) $-\frac{1}{3}$ (2) $a=-\frac{1}{2},\ b=-5$

3-1 ㉥ $y=-3(1-x)=3x-3$

(1) 일차함수의 그래프가 서로 평행하려면 기울기가 같고 y절편이 달라야 하므로 서로 평행한 것은 ㉡과 ㉣이다.

(2) 일차함수의 그래프가 일치하려면 기울기와 y절편이 모두 같아야 하므로 일치하는 것은 ㉢과 ㉥이다.

3-2 ㉢ $y=2(x+1)+5$ ➡ $y=2x+7$

㉥ $y=4\left(x-\frac{1}{2}\right)$ ➡ $y=4x-2$

(1) 일차함수의 그래프가 서로 평행하려면 기울기가 같고 y절편이 달라야 하므로 서로 평행한 것은 ㉣과 ㉤이다.

(2) 일차함수의 그래프가 일치하려면 기울기와 y절편이 모두 같아야 하므로 일치하는 것은 ㉠과 ㉥이다.

4-2 (1) 서로 평행한 두 일차함수의 그래프는 기울기가 같고 y절편이 다르므로 $a=-\frac{1}{3}$

(2) 일치하는 두 일차함수의 그래프는 기울기가 같고 y절편도 같으므로

$\frac{3}{2}=-3a$에서 $a=-\frac{1}{2},\ b=-5$

정답과 풀이

1일 기초 집중 연습 p138~ p139

1-1 (1) ㉣ (2) ㉡ (3) ㉢ (4) ㉠

1-2 (1) ㉡, ㉣, ㉥ (2) ㉠, ㉢, ㉤ (3) ㉠, ㉢, ㉤

1-3 ③, ⑤

2-1 >, >

2-2 ④

3-1 (1) ㉢ (2) ㉠ (3) ㉡

3-2 ③

3-3 ②

1-1 (1) 기울기가 3, y절편이 2이므로 그래프의 모양은 오른쪽 위로 향하는 직선이고, y축과 양의 부분에서 만난다. 따라서 그래프의 모양으로 적당한 것은 ㉣이다.

(2) 기울기가 $\frac{1}{3}$, y절편이 -2이므로 그래프의 모양은 오른쪽 위로 향하는 직선이고, y축과 음의 부분에서 만난다. 따라서 그래프의 모양으로 적당한 것은 ㉡이다.

(3) 기울기가 -4, y절편이 -3이므로 그래프의 모양은 오른쪽 아래로 향하는 직선이고, y축과 음의 부분에서 만난다. 따라서 그래프의 모양으로 적당한 것은 ㉢이다.

(4) 기울기가 $-\frac{1}{2}$, y절편이 4이므로 그래프의 모양은 오른쪽 아래로 향하는 직선이고, y축과 양의 부분에서 만난다. 따라서 그래프의 모양으로 적당한 것은 ㉠이다.

1-2 (1) 오른쪽 위로 향하는 직선은 (기울기)>0이므로 그래프의 기울기가 양수인 것은 ㉡, ㉣, ㉥이다.

(2) 오른쪽 아래로 향하는 직선은 (기울기)<0이므로 그래프의 기울기가 음수인 것은 ㉠, ㉢, ㉤이다.

(3) x의 값이 증가하면 y의 값은 감소하는 직선은 (기울기)<0이므로 그래프의 기울기가 음수인 것은 ㉠, ㉢, ㉤이다.

1-3 ① y절편은 -5이다.

② 일차함수 $y=2x-5$의 그래프를 그리면 오른쪽 그림과 같으므로 제1, 3, 4사분면을 지난다.

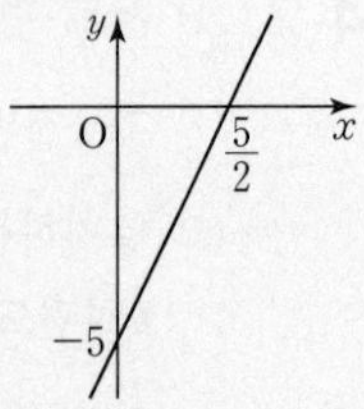

③ $y=2x-5$에 $y=0$을 대입하면 $0=2x-5$

$2x=5 \quad \therefore x=\frac{5}{2}$

즉 x축과 만나는 점의 좌표는 $\left(\frac{5}{2}, 0\right)$이다.

④ 기울기가 2이므로 x의 값이 2만큼 증가할 때, y의 값은 4만큼 증가한다.

따라서 옳은 것은 ③, ⑤이다.

2-2 그래프가 오른쪽 아래로 향하는 직선이므로 $a<0$
또 y축과 음의 부분에서 만나므로
$-b<0 \quad \therefore b>0$

3-2 일치하는 두 일차함수의 그래프는 기울기와 y절편이 각각 같으므로
$3a=6$에서 $a=2$
$-5=-b+1$에서 $b=6$
$\therefore a-b=2-6=-4$

3-3 ① ㉠과 ㉡의 그래프의 기울기가 3으로 같으므로 두 그래프는 서로 평행하다.

② ㉠의 그래프는 $y=3x$의 그래프를 평행이동한 것이고, ㉣의 그래프는 $y=-3x$의 그래프를 평행이동한 것이다.

③ ㉠과 ㉢의 그래프의 y절편은 모두 1로 같다.

④ ㉢과 ㉣의 그래프의 기울기가 모두 음수이므로 ㉢과 ㉣의 그래프는 x의 값이 증가하면 y의 값은 감소한다.

⑤ ㉡ $y=3x-6$에 $y=0$을 대입하면
$0=3x-6$, $3x=6$
$\therefore x=2$, 즉 x절편 : 2
㉣ $y=-3x-9$에 $y=0$을 대입하면
$0=-3x-9$, $3x=-9$
$\therefore x=-3$, 즉 x절편 : -3
두 그래프의 x절편은 서로 다르다.

따라서 옳지 않은 것은 ②이다.

3. 일차함수의 식 구하기 (1)

개념 원리 확인 p141

1-1 (1) $y=5x+2$ (2) $y=-3x-1$

1-2 (1) $y=-2x+4$ (2) $y=\frac{1}{2}x-3$

2-1 (1) $y=3x+7$ (2) $y=-\frac{2}{5}x-1$

2-2 (1) $y=-\frac{1}{2}x$ (2) $y=3x-6$

3-1 3, -2, -6, 0, $y=3x$

3-2 (1) $y=x+4$ (2) $y=-\frac{1}{3}x+\frac{5}{3}$

1-1 (2) 점 $(0,\ -1)$을 지난다는 것은 y절편이 -1이라는 것이므로 기울기가 -3이고 y절편이 -1인 직선을 그래프로 하는 일차함수의 식은 $y=-3x-1$

1-2 (2) 점 $(0,\ -3)$을 지난다는 것은 y절편이 -3이라는 것이므로 기울기가 $\frac{1}{2}$이고 y절편이 -3인 직선을 그래프로 하는 일차함수의 식은

$y=\frac{1}{2}x-3$

2-1 (1) 구하는 일차함수의 식을 $y=3x+b$로 놓는다.
이 그래프가 점 $(-2,\ 1)$을 지나므로
$x=-2$, $y=1$을 대입하면
$1=3\times(-2)+b$ $\quad\therefore b=7$
따라서 구하는 일차함수의 식은 $y=3x+7$

(2) 구하는 일차함수의 식을 $y=-\frac{2}{5}x+b$로 놓는다.
이 그래프가 점 $(5,\ -3)$을 지나므로
$x=5$, $y=-3$을 대입하면
$-3=-\frac{2}{5}\times5+b$ $\quad\therefore b=-1$
따라서 구하는 일차함수의 식은 $y=-\frac{2}{5}x-1$

2-2 (1) 구하는 일차함수의 식을 $y=-\frac{1}{2}x+b$로 놓는다.
이 그래프가 점 $(4,\ -2)$를 지나므로
$x=4$, $y=-2$를 대입하면
$-2=-\frac{1}{2}\times4+b$ $\quad\therefore b=0$
따라서 구하는 일차함수의 식은 $y=-\frac{1}{2}x$

(2) 구하는 일차함수의 식을 $y=3x+b$로 놓는다.
이 그래프가 점 $(2,\ 0)$을 지나므로
$x=2$, $y=0$을 대입하면
$0=3\times2+b$ $\quad\therefore b=-6$
따라서 구하는 일차함수의 식은 $y=3x-6$

3-1 일차함수 $y=3x-5$의 그래프와 평행하므로 구하는 일차함수의 그래프의 기울기는 3이다.
❶ 일차함수의 식을 $y=\boxed{3}x+b$로 놓는다.
❷ 이 그래프가 점 $(-2,\ -6)$을 지나므로
$x=\boxed{-2}$, $y=\boxed{-6}$을 대입하면
$-6=3\times(-2)+b$
$\therefore b=\boxed{0}$
❸ 따라서 구하는 일차함수의 식은
$\boxed{y=3x}$

3-2 (1) 일차함수 $y=x-5$의 그래프와 평행하므로 구하는 일차함수의 그래프의 기울기는 1이다.
즉 기울기가 1이고 y절편이 4인 직선을 그래프로 하는 일차함수의 식은
$y=x+4$

(2) 일차함수 $y=-\frac{1}{3}x+1$의 그래프와 평행하므로 구하는 일차함수의 그래프의 기울기는 $-\frac{1}{3}$이다.
이때 구하는 일차함수의 식을 $y=-\frac{1}{3}x+b$로 놓는다.
이 그래프가 점 $\left(1,\ \frac{4}{3}\right)$를 지나므로
$x=1$, $y=\frac{4}{3}$를 대입하면
$\frac{4}{3}=-\frac{1}{3}\times1+b$ $\quad\therefore b=\frac{5}{3}$
따라서 구하는 일차함수의 식은 $y=-\frac{1}{3}x+\frac{5}{3}$

4. 일차함수의 식 구하기 (2)

개념 원리 확인 p143

4-1 5, 1, $\frac{2}{5}$

4-2 (1) $\frac{4}{3}$ (2) -2

5-1 5, $\frac{3}{2}$, $\frac{3}{2}$, 1, 2, $\frac{1}{2}$, $\frac{3}{2}x+\frac{1}{2}$

5-2 (1) $y=3x$ (2) $y=-\frac{3}{4}x+3$ (3) $y=-\frac{1}{2}x+\frac{1}{2}$

6-1 1, 1, $-\frac{1}{4}$, $-\frac{1}{4}$, $-\frac{1}{4}x+1$

6-2 (1) $y=-3x-9$ (2) $y=\frac{7}{2}x+7$ (3) $y=\frac{1}{2}x-1$

4-2 (1) (기울기)$=\frac{12-4}{8-2}=\frac{8}{6}=\frac{4}{3}$

(2) (기울기)$=\frac{-1-1}{-2-(-3)}=\frac{-2}{1}=-2$

5-1 ❶ (기울기)$=\frac{\boxed{5}-2}{3-1}=\boxed{\frac{3}{2}}$이므로 구하는 일차함수의 식을 $y=\boxed{\frac{3}{2}}x+b$로 놓는다.

❷ 이 그래프가 점 (1, 2)를 지나므로
$x=\boxed{1}$, $y=\boxed{2}$를 대입하면
$2=\frac{3}{2}\times1+b \qquad \therefore b=\boxed{\frac{1}{2}}$

❸ 따라서 구하는 일차함수의 식은
$y=\boxed{\frac{3}{2}x+\frac{1}{2}}$

5-2 (1) (기울기)$=\frac{3-(-6)}{1-(-2)}=\frac{9}{3}=3$이므로 구하는 일차함수의 식을 $y=3x+b$로 놓는다.
이 그래프가 점 (1, 3)을 지나므로
$x=1$, $y=3$을 대입하면
$3=3\times1+b \qquad \therefore b=0$
따라서 구하는 일차함수의 식은 $y=3x$

(2) (기울기)$=\frac{6-9}{-4-(-8)}=-\frac{3}{4}$이므로 구하는 일차함수의 식을 $y=-\frac{3}{4}x+b$로 놓는다.
이 그래프가 점 (−4, 6)을 지나므로
$x=-4$, $y=6$을 대입하면
$6=-\frac{3}{4}\times(-4)+b \qquad \therefore b=3$
따라서 구하는 일차함수의 식은 $y=-\frac{3}{4}x+3$

(3) (기울기)$=\frac{1-2}{-1-(-3)}=-\frac{1}{2}$이므로 구하는 일차함수의 식을 $y=-\frac{1}{2}x+b$로 놓는다.
이 그래프가 점 (−1, 1)을 지나므로
$x=-1$, $y=1$을 대입하면
$1=-\frac{1}{2}\times(-1)+b \qquad \therefore b=\frac{1}{2}$
따라서 구하는 일차함수의 식은
$y=-\frac{1}{2}x+\frac{1}{2}$

6-1 ❶ 그래프가 두 점 (4, 0), (0, $\boxed{1}$)을 지나므로
(기울기)$=\frac{\boxed{1}-0}{0-4}=\boxed{-\frac{1}{4}}$

❷ 일차함수의 식을 $y=\boxed{-\frac{1}{4}}x+b$로 놓으면 y절편이 1이므로 구하는 일차함수의 식은
$y=\boxed{-\frac{1}{4}x+1}$

6-2 (1) 그래프가 두 점 (−3, 0), (0, −9)를 지나므로
(기울기)$=\frac{-9-0}{0-(-3)}=\frac{-9}{3}=-3$
일차함수의 식을 $y=-3x+b$로 놓으면 y절편이 −9이므로 구하는 일차함수의 식은
$y=-3x-9$

(2) 그래프가 두 점 (−2, 0), (0, 7)을 지나므로
(기울기)$=\frac{7-0}{0-(-2)}=\frac{7}{2}$
일차함수의 식을 $y=\frac{7}{2}x+b$로 놓으면 y절편이 7이므로 구하는 일차함수의 식은
$y=\frac{7}{2}x+7$

(3) 그래프가 두 점 (2, 0), (0, −1)을 지나므로
(기울기)$=\frac{-1-0}{0-2}=\frac{1}{2}$
일차함수의 식을 $y=\frac{1}{2}x+b$로 놓으면 y절편이 −1이므로 구하는 일차함수의 식은
$y=\frac{1}{2}x-1$

2일 기초 집중 연습 p144 ~ p145

1-1 ② **1-2** $y=\frac{7}{2}x-2$

1-3 ① **2-1** ②

2-2 ③ **2-3** 3

3-1 $y=-\frac{2}{3}x-\frac{1}{3}$ **3-2** $y=-\frac{3}{5}x+\frac{1}{5}$

3-3 ④, $y=x+4$

4-1 (1) $y=-2x+4$ (2) $y=-\frac{1}{2}x-\frac{1}{4}$

4-2 $y=-\frac{5}{6}x+5$ **4-3** $\frac{9}{2}$

1-2 일차함수 $y=\frac{7}{2}x+1$의 그래프와 평행하므로 구하는 일차함수의 그래프의 기울기는 $\frac{7}{2}$이다.
즉 기울기가 $\frac{7}{2}$이고 y절편이 -2인 직선을 그래프로 하는 일차함수의 식은
$y=\frac{7}{2}x-2$

1-3 일차함수 $y=-4x+3$의 그래프와 평행하므로 구하는 일차함수의 그래프의 기울기는 -4이다.
이때 구하는 일차함수의 식을 $y=-4x+b$로 놓는다.
이 그래프가 점 $(0,\ 1)$을 지나므로
$x=0$, $y=1$을 대입하면 $b=1$
따라서 구하는 일차함수의 식은 $y=-4x+1$

2-1 구하는 일차함수의 식을 $y=-5x+b$로 놓는다.
이 그래프가 점 $(-1,\ 2)$를 지나므로
$x=-1$, $y=2$를 대입하면
$2=-5\times(-1)+b \qquad \therefore b=-3$
따라서 구하는 일차함수의 식은 $y=-5x-3$

2-2 x의 값이 3만큼 증가할 때 y의 값은 1만큼 감소하므로
$(\text{기울기})=\frac{(y\text{의 값의 증가량})}{(x\text{의 값의 증가량})}=-\frac{1}{3}$
구하는 일차함수의 식을 $y=-\frac{1}{3}x+b$로 놓는다.
이 그래프가 점 $(6,\ 3)$을 지나므로
$x=6$, $y=3$을 대입하면
$3=-\frac{1}{3}\times6+b \qquad \therefore b=5$
따라서 구하는 일차함수의 식은 $y=-\frac{1}{3}x+5$

2-3 구하는 일차함수의 식을 $y=-2x+b$로 놓는다.
이 그래프가 점 $(1,\ 4)$를 지나므로
$x=1$, $y=4$를 대입하면
$4=-2\times1+b \qquad \therefore b=6$
따라서 구하는 일차함수의 식은 $y=-2x+6$이므로
$y=-2x+6$에 $y=0$을 대입하면
$0=-2x+6$, $2x=6 \qquad \therefore x=3$
즉 x절편은 3이다.

3-1 $(\text{기울기})=\frac{-1-1}{1-(-2)}=-\frac{2}{3}$이므로 구하는 일차함수의 식을 $y=-\frac{2}{3}x+b$로 놓는다.
이 그래프가 점 $(1,\ -1)$을 지나므로
$x=1$, $y=-1$을 대입하면
$-1=-\frac{2}{3}\times1+b \qquad \therefore b=-\frac{1}{3}$
따라서 구하는 일차함수의 식은 $y=-\frac{2}{3}x-\frac{1}{3}$

3-2 주어진 그래프가 두 점 $(-3,\ 2)$, $(2,\ -1)$을 지나므로
$(\text{기울기})=\frac{-1-2}{2-(-3)}=-\frac{3}{5}$
구하는 일차함수의 식을 $y=-\frac{3}{5}x+b$로 놓는다.
이 그래프가 점 $(2,\ -1)$을 지나므로
$x=2$, $y=-1$을 대입하면
$-1=-\frac{3}{5}\times2+b \qquad \therefore b=\frac{1}{5}$
따라서 구하는 일차함수의 식은 $y=-\frac{3}{5}x+\frac{1}{5}$

3-3 처음으로 틀린 곳은 ④이다.
[바른 풀이]
x의 값이 1에서 5까지 4만큼 증가할 때
① y의 값은 5에서 9까지 4만큼 증가하므로
② $(\text{기울기})=\frac{4}{4}=1$
이때 구하는 ③ 일차함수의 식을 $y=x+b$로 놓으면
이 그래프가 점 $(1,\ 5)$를 지나므로
④ $5=1+b \qquad \therefore b=4$
따라서 구하는 일차함수의 식은 ⑤ $y=x+4$이다.

4-1 (1) 그래프가 두 점 $(2, 0)$, $(0, 4)$를 지나므로

$(\text{기울기})=\frac{4-0}{0-2}=\frac{4}{-2}=-2$

y절편이 4이므로 구하는 일차함수의 식은

$y=-2x+4$

(2) 그래프가 두 점 $\left(-\frac{1}{2}, 0\right)$, $\left(0, -\frac{1}{4}\right)$을 지나므로

$(\text{기울기})=\frac{-\frac{1}{4}-0}{0-\left(-\frac{1}{2}\right)}=-\frac{1}{4}\div\frac{1}{2}$

$=-\frac{1}{4}\times 2=-\frac{1}{2}$

y절편이 $-\frac{1}{4}$이므로 구하는 일차함수의 식은

$y=-\frac{1}{2}x-\frac{1}{4}$

4-2 그래프가 두 점 $(6, 0)$, $(0, 5)$를 지나므로

$(\text{기울기})=\frac{5-0}{0-6}=-\frac{5}{6}$

y절편이 5이므로 구하는 일차함수의 식은

$y=-\frac{5}{6}x+5$

4-3 그래프가 두 점 $(-2, 0)$, $(0, 3)$을 지나므로

$(\text{기울기})=\frac{3-0}{0-(-2)}=\frac{3}{2}$

y절편이 3이므로 구하는 일차함수의 식은

$y=\frac{3}{2}x+3$

이 그래프가 점 $(1, k)$를 지나므로 $x=1$, $y=k$를 대입하면

$k=\frac{3}{2}\times 1+3=\frac{9}{2}$

5. 일차함수의 활용

개념 원리 확인 p147~ p148

1-1 (1) $2, 2, x, x, 3x+40$ (2) $3, 40, 3, 40, 64, 64$

(3) $3, 40, 3, 40, 10, 10$

1-2 (1) $2, 2, x, x, 30-2x$ (2) 18 cm (3) 15분

2-1 (1) $-2, -2, -2, 27, -2x+27$

(2) $-2, 27, -2, 27, 6, 6$

2-2 (1) $y=\frac{5}{4}x+15$ (2) 25 ℃ (3) 36 km

1-1 (3) $y=\boxed{3}x+\boxed{40}$에 $y=70$을 대입하면

$70=\boxed{3}x+\boxed{40}$

$3x=30 \quad \therefore x=\boxed{10}$

따라서 물의 온도가 70 ℃가 되는 것은 가열한 지 $\boxed{10}$분 후이다.

1-2 (2) $x=6$을 $y=30-2x$에 대입하면

$y=30-2\times 6=18$

따라서 불을 붙인 지 6분 후의 양초의 길이는 18 cm이다.

(3) $y=0$을 $y=30-2x$에 대입하면

$0=30-2x$

$2x=30 \quad \therefore x=15$

따라서 양초가 완전히 타는 데 걸리는 시간은 15분이다.

2-1 (2) $y=\boxed{-2}x+\boxed{27}$에 $y=15$를 대입하면

$15=\boxed{-2}x+\boxed{27}$

$2x=12 \quad \therefore x=\boxed{6}$

따라서 기온이 15 ℃인 곳은 지면으로부터 $\boxed{6}$ km 높이에 있다.

2-2 (1) 그래프가 두 점 $(0, 15)$, $(12, 30)$을 지나므로

$(\text{기울기})=\frac{30-15}{12-0}=\frac{15}{12}=\frac{5}{4}$

y절편이 15이므로 구하는 식은 $y=\frac{5}{4}x+15$

(2) $y=\frac{5}{4}x+15$에 $x=8$을 대입하면

$y=\frac{5}{4}\times 8+15=25$

따라서 지면으로부터 깊이가 8 km인 땅속의 온도는 25 ℃이다.

(3) $y=\frac{5}{4}x+15$에 $y=60$을 대입하면

$60=\frac{5}{4}x+15$

$\frac{5}{4}x=45 \qquad \therefore x=36$

따라서 기온이 60 ℃인 곳은 지면으로부터 36 km 깊이에 있다.

3일 기초 집중 연습 p149

1-1 (1) $y=331+0.6x$ (2) 20 ℃

1-2 10분 후 **1-3** 16 L

1-4 52.5 cm **1-5** 5시간 후

1-6 180 km

1-1 (1) 기온이 1 ℃ 올라갈 때마다 소리의 속력이 초속 0.6 m씩 증가하므로 기온이 x ℃ 올라가면 소리의 속력은 초속 $0.6x$ m 증가한다.

$\therefore y=331+0.6x$

(2) $y=331+0.6x$에 $y=343$을 대입하면

$343=331+0.6x$

$0.6x=12 \qquad \therefore x=20$

따라서 소리의 속력이 초속 343 m일 때의 기온은 20 ℃이다.

1-2 1분마다 2 L씩 물의 양이 증가하므로 x분 후에는 $2x$ L만큼 물의 양이 증가한다.

$\therefore y=20+2x$

$y=20+2x$에 $y=40$을 대입하면

$40=20+2x$

$2x=20 \qquad \therefore x=10$

따라서 물통에 들어 있는 물의 양이 40 L가 되는 것은 10분 후이다.

1-3 1 km를 가는 데 연료를 0.2 L씩 사용하므로 x km를 가는 데 연료를 $0.2x$ L 사용한다.

$\therefore y=40-0.2x$

$y=40-0.2x$에 $x=120$을 대입하면

$y=40-0.2\times 120$

$=40-24$

$=16$

따라서 자동차가 120 km를 달린 후에 남아 있는 휘발유의 양은 16 L이다.

1-4 무게가 1 g인 물건을 달 때마다 용수철의 길이가 1.5 cm씩 늘어나므로 무게가 x g인 물건을 달면 용수철의 길이는 $1.5x$ cm 늘어난다.

$\therefore y=30+1.5x$

$y=30+1.5x$에 $x=15$를 대입하면

$y=30+1.5\times 15$

$=30+22.5$

$=52.5$

따라서 무게가 15 g인 물건을 달았을 때의 용수철의 길이는 52.5 cm이다.

1-5 그래프가 두 점 (8, 0), (0, 40)을 지나므로

$(\text{기울기})=\frac{40-0}{0-8}=\frac{40}{-8}=-5$

y절편이 40이므로 $y=-5x+40$

$y=-5x+40$에 $y=15$를 대입하면

$15=-5x+40$

$5x=25 \qquad \therefore x=5$

따라서 양초의 길이가 15 cm가 되는 것은 불을 붙인 지 5시간 후이다.

1-6 시속 60 km로 x시간 동안 달리고 남은 거리를 y km라고 하면 시속 60 km로 x시간 동안 달린 거리는 $60x$ km이므로

$y=300-60x$

$y=300-60x$에 $x=2$를 대입하면

$y=300-60\times 2$

$=300-120$

$=180$

따라서 출발한 지 2시간 후에 할머니 댁까지 남은 거리는 180 km이다.

정답과 풀이

6. 일차함수와 일차방정식 사이의 관계

개념 원리 확인 p151

1-1 (1)

x	$\cdots$	-4	-2	0	2	4	$\cdots$
y	$\cdots$	4	3	2	1	0	$\cdots$

(2) (3)

1-2 (1)

x	$\cdots$	-2	-1	0	1	2	$\cdots$
y	$\cdots$	5	3	1	-1	-3	$\cdots$

(2) (3)

2-1 $-\frac{1}{4}x+1$ / 그래프는 풀이 참조

2-2 (1) $y=-2x+4$ (2) $y=\frac{1}{3}x+1$ / 그래프는 풀이 참조

2-1 $x+4y-4=0$에서

$4y=-x+4 \qquad \therefore y=-\frac{1}{4}x+1$

$y=-\frac{1}{4}x+1$에 $x=0$을 대입하면 $y=1$

$y=-\frac{1}{4}x+1$에 $y=0$을 대입하면

$0=-\frac{1}{4}x+1$, $\frac{1}{4}x=1 \qquad \therefore x=4$

따라서 x절편은 4, y절편은 1이므로 그래프를 좌표평면 위에 나타내면 오른쪽 그림과 같다.

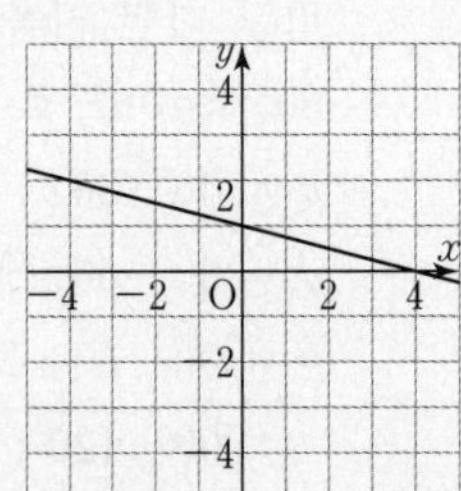

2-2 (1) $2x+y-4=0$에서 $y=-2x+4$

$y=-2x+4$에 $x=0$을 대입하면 $y=4$

$y=-2x+4$에 $y=0$을 대입하면

$0=-2x+4$, $2x=4 \qquad \therefore x=2$

따라서 x절편은 2, y절편은 4이므로 그래프를 좌표평면 위에 나타내면 오른쪽 그림과 같다.

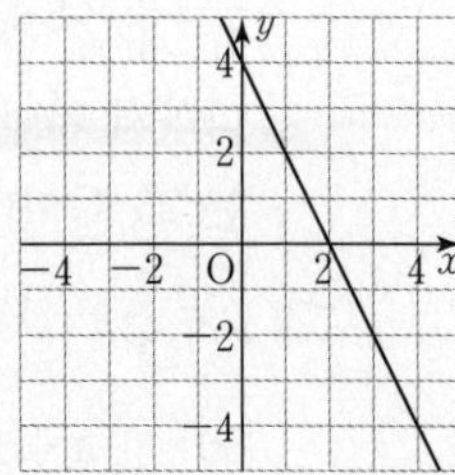

(2) $x-3y+3=0$에서 $y=\frac{1}{3}x+1$

$y=\frac{1}{3}x+1$에 $x=0$을 대입하면 $y=1$

$y=\frac{1}{3}x+1$에 $y=0$을 대입하면

$0=\frac{1}{3}x+1$, $-\frac{1}{3}x=1 \qquad \therefore x=-3$

따라서 x절편은 -3, y절편은 1이므로 그래프를 좌표평면 위에 나타내면 오른쪽 그림과 같다.

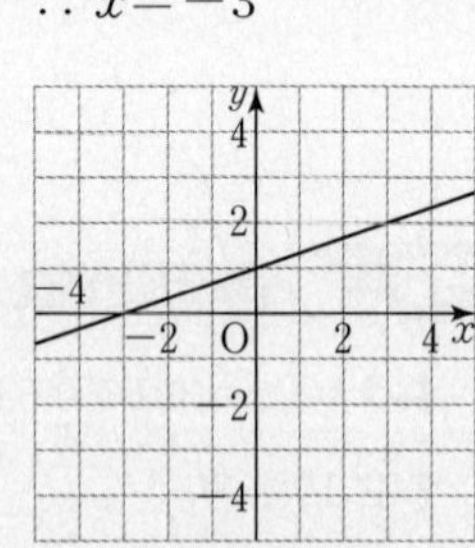

7. 직선의 방정식

개념 원리 확인 p153

3-1 (1) y (2) 4 (3) 8, 4, 4

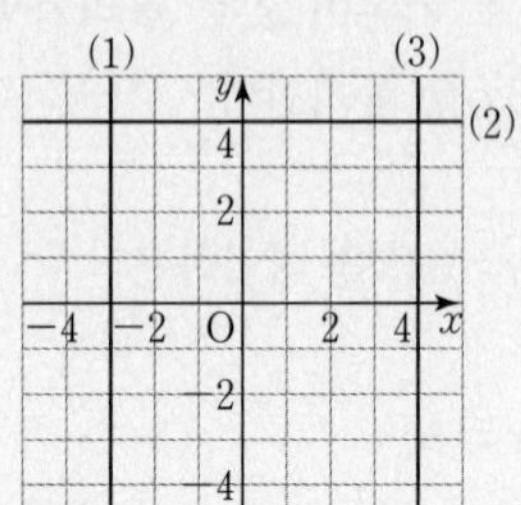

3-2

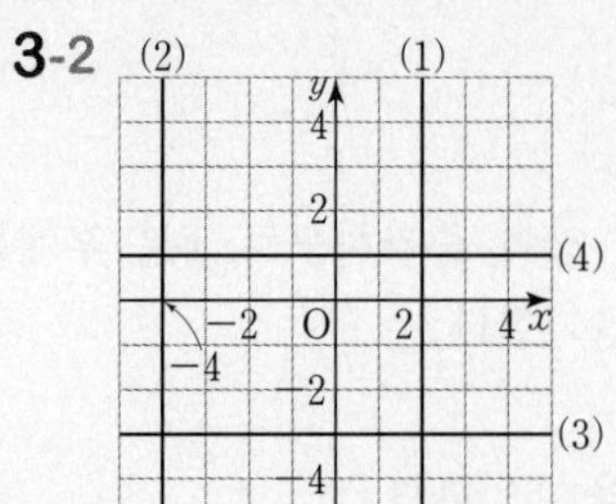

4-1 (1) $y=q$, $y=2$ (2) $x=p$, $x=-1$

(3) y축, $x=p$, $x=-2$

4-2 (1) $y=6$ (2) $x=1$ (3) $x=5$ (4) $y=-7$

3-2 (1) $x=2$의 그래프는 점 $(2,\ 0)$을 지나고 y축에 평행한 직선이다.
(2) $3x+12=0$에서 $3x=-12$ $\quad\therefore x=-4$
즉 점 $(-4,\ 0)$을 지나고 y축에 평행한 직선이다.
(3) $y=-3$의 그래프는 점 $(0,\ -3)$을 지나고 x축에 평행한 직선이다.
(4) $4y-4=0$에서 $4y=4$ $\quad\therefore y=1$
즉 점 $(0,\ 1)$을 지나고 x축에 평행한 직선이다.

4-1 (1) 점 $(3,\ 2)$를 지나고 x축에 평행한 직선은 $y=q$ 꼴이므로 구하는 직선의 방정식은 $y=2$이다.
(2) 점 $(-1,\ 3)$을 지나고 y축에 평행한 직선은 $x=p$ 꼴이므로 구하는 직선의 방정식은 $x=-1$이다.
(3) 점 $(-2,\ -4)$를 지나고 x축에 수직인 직선은 점 $(-2,\ -4)$를 지나고 y축에 평행한 직선과 같으므로 $x=p$ 꼴이다.
따라서 구하는 직선의 방정식은 $x=-2$이다.

4-2 (1) 점 $(0,\ 6)$을 지나고 x축에 평행한 직선은 $y=q$ 꼴이므로 구하는 직선의 방정식은 $y=6$이다.
(2) 점 $(1,\ -2)$를 지나고 y축에 평행한 직선은 $x=p$ 꼴이므로 구하는 직선의 방정식은 $x=1$이다.
(3) 점 $(5,\ 3)$을 지나고 x축에 수직인 직선은 점 $(5,\ 3)$을 지나고 y축에 평행한 직선과 같으므로 $x=p$ 꼴이다.
따라서 구하는 직선의 방정식은 $x=5$이다.
(4) 점 $(2,\ -7)$을 지나고 y축에 수직인 직선은 점 $(2,\ -7)$을 지나고 x축에 평행한 직선과 같으므로 $y=q$ 꼴이다.
따라서 구하는 직선의 방정식은 $y=-7$이다.

4일 기초 집중 연습 p154~ p155

1-1 (1) $y=-\frac{1}{3}x+3$, 기울기 : $-\frac{1}{3}$, x절편 : 9, y절편 : 3
(2) $y=3x+2$, 기울기 : 3, x절편 : $-\frac{2}{3}$, y절편 : 2
(3) $y=\frac{1}{4}x+2$, 기울기 : $\frac{1}{4}$, x절편 : -8, y절편 : 2
(4) $y=-\frac{3}{2}x+3$, 기울기 : $-\frac{3}{2}$, x절편 : 2, y절편 : 3

1-2 ② **1-3** -9

1-4 ② **1-5** ④

1-6 ④

2-1 (1) ㉡ (2) ㉣ (3) ㉠ (4) ㉢

2-2

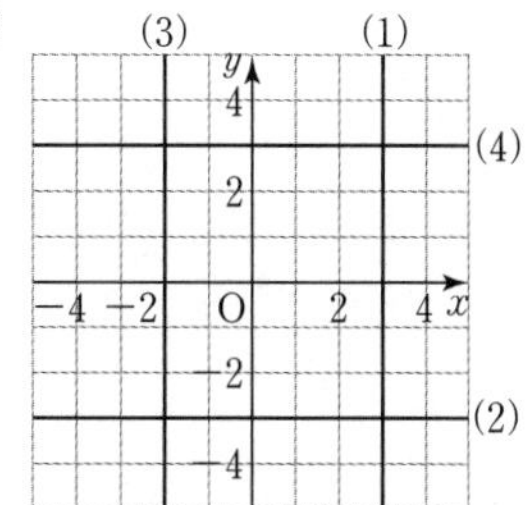

2-3 (1) ㉠, ㉣ (2) ㉡, ㉢ **2-4** ①

2-5 ②, ⑤

1-1 (1) $x+3y-9=0$에서 $3y=-x+9$
$\therefore y=-\frac{1}{3}x+3$
$y=-\frac{1}{3}x+3$에 $x=0$을 대입하면 $y=3$
$y=-\frac{1}{3}x+3$에 $y=0$을 대입하면
$0=-\frac{1}{3}x+3$, $\frac{1}{3}x=3$ $\quad\therefore x=9$
따라서 그래프의 기울기는 $-\frac{1}{3}$, x절편은 9, y절편은 3이다.
(2) $3x-y+2=0$에서 $y=3x+2$
$y=3x+2$에 $x=0$을 대입하면 $y=2$
$y=3x+2$에 $y=0$을 대입하면
$0=3x+2$, $-3x=2$ $\quad\therefore x=-\frac{2}{3}$
따라서 그래프의 기울기는 3, x절편은 $-\frac{2}{3}$, y절편은 2이다.
(3) $x-4y+8=0$에서 $-4y=-x-8$
$\therefore y=\frac{1}{4}x+2$

$y=\frac{1}{4}x+2$에 $x=0$을 대입하면 $y=2$

$y=\frac{1}{4}x+2$에 $y=0$을 대입하면

$0=\frac{1}{4}x+2$, $-\frac{1}{4}x=2$ $\therefore x=-8$

따라서 그래프의 기울기는 $\frac{1}{4}$, x절편은 -8, y절편은 2이다.

(4) $\frac{x}{2}+\frac{y}{3}=1$에서 $\frac{y}{3}=-\frac{x}{2}+1$

$\therefore y=-\frac{3}{2}x+3$

$y=-\frac{3}{2}x+3$에 $x=0$을 대입하면 $y=3$

$y=-\frac{3}{2}x+3$에 $y=0$을 대입하면

$0=-\frac{3}{2}x+3$, $\frac{3}{2}x=3$ $\therefore x=2$

따라서 그래프의 기울기는 $-\frac{3}{2}$, x절편은 2, y절편은 3이다.

1-2 $6x+2y-4=0$에서 $2y=-6x+4$

$\therefore y=-3x+2$

1-3 $5x+3y-9=0$에서 $3y=-5x+9$

$\therefore y=-\frac{5}{3}x+3$

$y=-\frac{5}{3}x+3$에 $x=0$을 대입하면 $y=3$

$y=-\frac{5}{3}x+3$에 $y=0$을 대입하면

$0=-\frac{5}{3}x+3$, $\frac{5}{3}x=3$ $\therefore x=\frac{9}{5}$

따라서 기울기는 $-\frac{5}{3}$, x절편은 $\frac{9}{5}$, y절편은 3이므로

$a=-\frac{5}{3}$, $b=\frac{9}{5}$, $c=3$

$\therefore abc=-\frac{5}{3}\times\frac{9}{5}\times3=-9$

1-4 $6x+3y=18$에서 $3y=-6x+18$

$\therefore y=-2x+6$

$y=-2x+6$에 $x=0$을 대입하면 $y=6$

$y=-2x+6$에 $y=0$을 대입하면

$0=-2x+6$, $2x=6$ $\therefore x=3$

따라서 x절편은 3, y절편은 6이므로 보기에서 일차방정식 $6x+3y=18$의 그래프를 찾으면 ②이다.

1-5 $5x-y=2$에 순서쌍 (x, y)를 대입하였을 때 거짓인 것을 찾는다.

① $5\times(-3)-(-17)=2$ (참)

② $5\times(-2)-(-12)=2$ (참)

③ $5\times2-8=2$ (참)

④ $5\times1-(-3)=8\neq2$ (거짓)

⑤ $5\times3-13=2$ (참)

따라서 일차방정식 $5x-y=2$의 그래프 위의 점이 아닌 것은 ④이다.

1-6 ① $2x+4y-12=0$에서 $4y=-2x+12$

$\therefore y=-\frac{1}{2}x+3$, 즉 기울기는 $-\frac{1}{2}$

② $y=-\frac{1}{2}x+3$에 $x=4$, $y=1$을 대입하면

$1=-\frac{1}{2}\times4+3$이므로 그래프는 점 $(4, 1)$을 지난다.

③ $y=-\frac{1}{2}x+3$에 $x=0$을 대입하면 $y=3$

$y=-\frac{1}{2}x+3$에 $y=0$을 대입하면

$0=-\frac{1}{2}x+3$, $\frac{1}{2}x=3$ $\therefore x=6$

즉 x절편은 6이고, y절편은 3이다.

④ 그래프를 그리면 오른쪽 그림과 같으므로 제3사분면을 지나지 않는다.

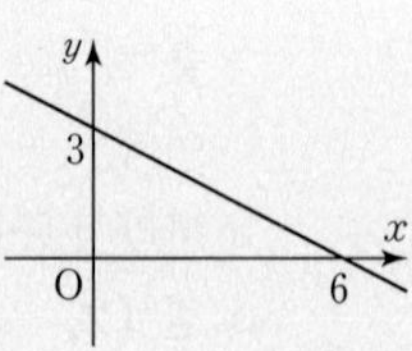

⑤ 기울기가 음수이므로 x의 값이 증가할 때, y의 값은 감소한다.

따라서 옳지 않은 것은 ④이다.

2-1 (1) $x=2$의 그래프는 점 $(2, 0)$을 지나고 y축에 평행한 직선이므로 ㉡이다.

(2) $y=-1$의 그래프는 점 $(0, -1)$을 지나고 x축에 평행한 직선이므로 ㉣이다.

(3) $2x+10=0$에서 $2x=-10$ $\therefore x=-5$

즉 $x=-5$의 그래프는 점 $(-5, 0)$을 지나고 y축에 평행한 직선이므로 ㉠이다.

(4) $3y-5=1$에서 $3y=6$ $\therefore y=2$

즉 $y=2$의 그래프는 점 $(0, 2)$를 지나고 x축에 평행한 직선이므로 ㉢이다.

2-2 (1) $x=3$의 그래프는 점 $(3,\ 0)$을 지나고 y축에 평행한 직선이다.

(2) $y=-3$의 그래프는 점 $(0,\ -3)$을 지나고 x축에 평행한 직선이다.

(3) $4x+10=-x$에서 $5x=-10$ $\quad\therefore x=-2$
즉 $x=-2$의 그래프는 점 $(-2,\ 0)$을 지나고 y축에 평행한 직선이다.

(4) $2y+1=7$에서 $2y=6$ $\quad\therefore y=3$
즉 $y=3$의 그래프는 점 $(0,\ 3)$을 지나고 x축에 평행한 직선이다.

2-3 ㉡ $2x-3=0$에서 $2x=3$ $\quad\therefore x=\dfrac{3}{2}$

㉢ $3x=-6$에서 $x=-2$

㉣ $4y-1=0$에서 $4y=1$ $\quad\therefore y=\dfrac{1}{4}$

(1) x축에 평행한 직선의 방정식은 $y=n$ 꼴이므로 ㉠, ㉣이다.

(2) y축에 평행한 직선의 방정식은 $x=m$ 꼴이므로 ㉡, ㉢이다.

2-4 점 $(3,\ -5)$를 지나고 y축에 평행한 직선의 방정식은 $x=3$, 즉 $x-3=0$이다.

2-5 $x-4=0$에서 $x=4$

① y축에 평행한 직선이다.

② $x=-1$의 그래프는 점 $(-1,\ 0)$을 지나고 y축에 평행한 직선이므로 $x=4$의 그래프와 평행하다.

③ $x=4$의 그래프와 $y=8$의 그래프를 그리면 오른쪽 그림과 같으므로 두 그래프는 점 $(4,\ 8)$에서 만난다.

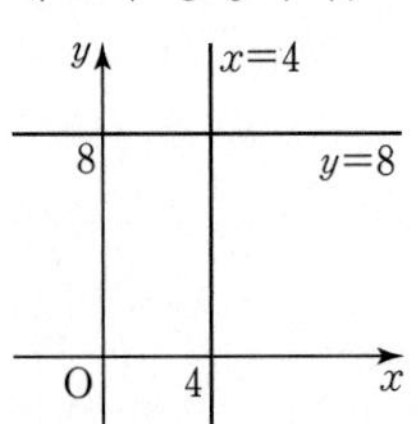

④ 점 $(-4,\ 0)$을 지나지 않는다.

따라서 옳은 것은 ②, ⑤이다.

8. 두 일차함수의 그래프와 연립일차방정식의 해

개념 원리 확인 p157

1-1 2, 2

1-2 (1) $x=4,\ y=1$ (2) $x=0,\ y=-1$

2-1 (1) 그래프는 풀이 참조, 교점의 좌표 : $(1,\ 2)$
(2) $x=1,\ y=2$

2-2 (1) 그래프는 풀이 참조 / $x=1,\ y=3$
(2) 그래프는 풀이 참조 / $x=-1,\ y=1$

1-2 (1) 두 일차방정식 $x+3y=7$, $x-2y=2$의 그래프의 교점의 좌표가 $(4,\ 1)$이므로 연립방정식의 해는 $x=4,\ y=1$이다.

(2) 두 일차방정식 $x-2y=2$, $2x+y=-1$의 그래프의 교점의 좌표가 $(0,\ -1)$이므로 연립방정식의 해는 $x=0,\ y=-1$이다.

2-1 (1) $\begin{cases} x+y=3 \\ 3x-y=1 \end{cases}$에서 $\begin{cases} y=-x+3 \\ y=3x-1 \end{cases}$

두 일차방정식의 그래프를 좌표평면 위에 그리면 다음 그림과 같다. 따라서 교점의 좌표는 $(1,\ 2)$이다.

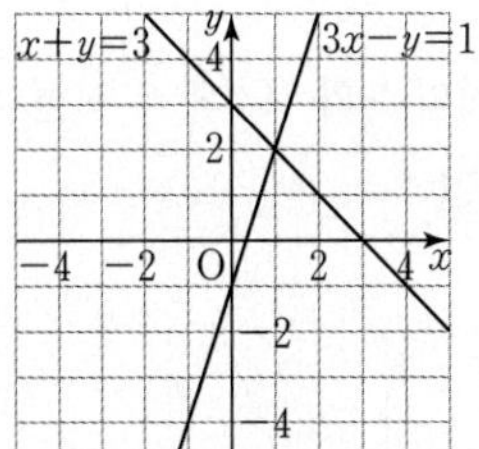

2-2 (1) $\begin{cases} x+y-4=0 \\ 2x-y=-1 \end{cases}$에서 $\begin{cases} y=-x+4 \\ y=2x+1 \end{cases}$

두 일차방정식의 그래프를 좌표평면 위에 그리면 다음 그림과 같다.

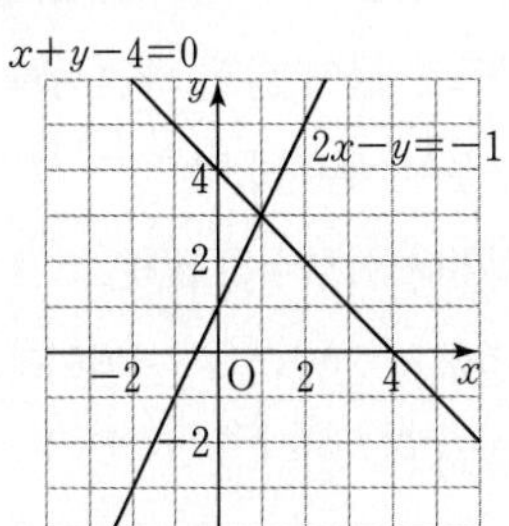

이때 두 그래프의 교점의 좌표는 $(1,\ 3)$이므로 연립방정식의 해는 $x=1$, $y=3$이다.

(2) $\begin{cases} 2x-y+3=0 \\ x+2y-1=0 \end{cases}$에서 $\begin{cases} y=2x+3 \\ y=-\frac{1}{2}x+\frac{1}{2} \end{cases}$

두 일차방정식의 그래프를 좌표평면 위에 그리면 다음과 같다.

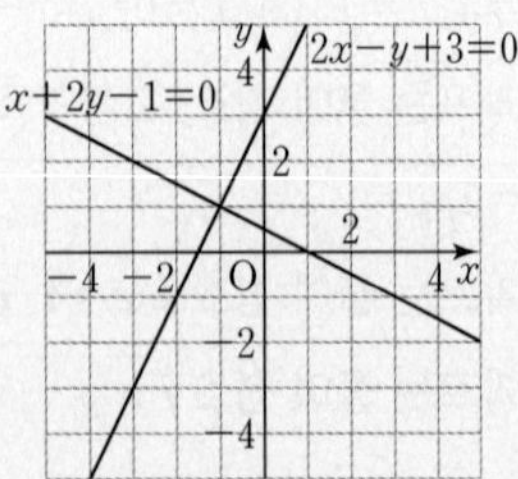

이때 두 그래프의 교점의 좌표는 $(-1,\ 1)$이므로 연립방정식의 해는 $x=-1$, $y=1$이다.

3-2 (1) $\begin{cases} 3x+y=2 \\ 6x+2y=-2 \end{cases}$에서 $\begin{cases} y=-3x+2 \\ y=-3x-1 \end{cases}$

즉 기울기가 같고, y절편은 다르므로 두 일차방정식의 그래프는 다음 그림과 같이 서로 평행하다. 따라서 연립방정식의 해는 없다.

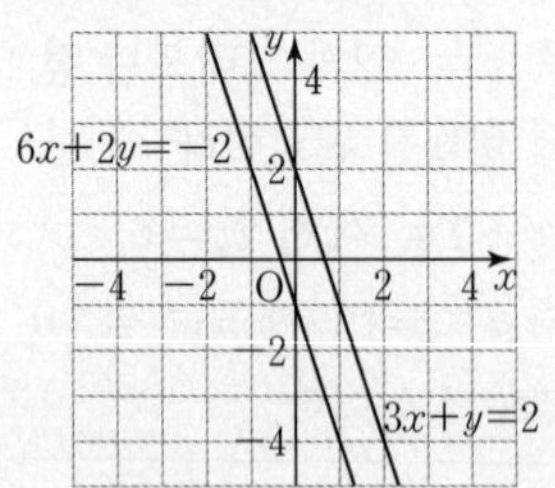

(2) $\begin{cases} x-y=1 \\ 4x-4y=4 \end{cases}$에서 $\begin{cases} y=x-1 \\ y=x-1 \end{cases}$

즉 기울기와 y절편이 각각 같으므로 두 일차방정식의 그래프는 다음 그림과 같이 일치한다. 따라서 연립방정식의 해는 무수히 많다.

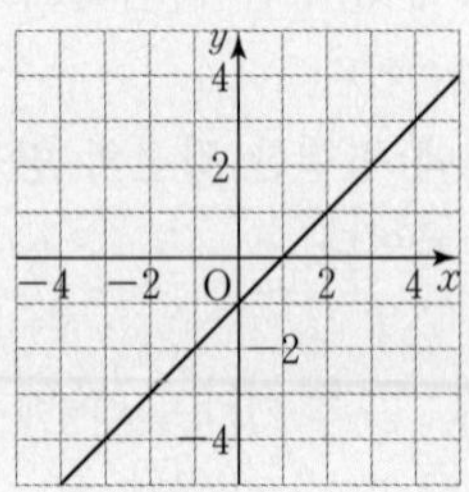

9. 연립방정식의 해의 개수와 두 직선의 위치 관계

개념 원리 확인 p159

3-1 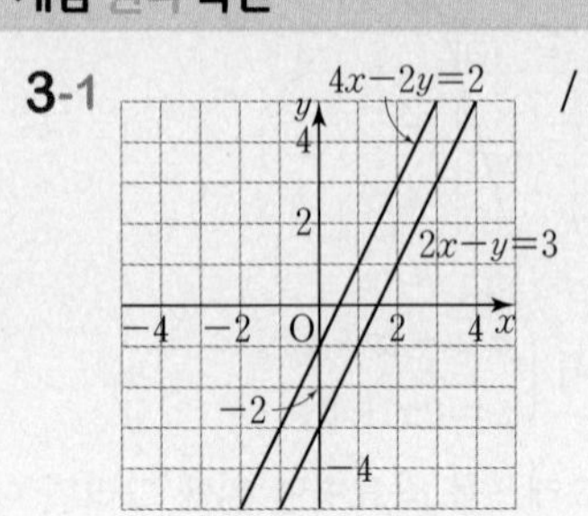

/ $2x-1$, 평행, 없다

3-2 (1) 그래프는 풀이 참조, 해는 없다.

(2) 그래프는 풀이 참조, 해는 무수히 많다.

4-1 $2x-1$, 일치, 무수히 많다

4-2 (1) 일치한다. / 무수히 많다.

(2) 한 점에서 만난다. / 한 쌍이다.

(3) 평행하다. / 없다.

4-2 (1) $\begin{cases} 4x+6y=-6 \\ -2x-3y=3 \end{cases}$에서 $\begin{cases} y=-\frac{2}{3}x-1 \\ y=-\frac{2}{3}x-1 \end{cases}$

즉 기울기와 y절편이 각각 같으므로 두 일차방정식의 그래프는 일치한다. 따라서 연립방정식의 해는 무수히 많다.

(2) $\begin{cases} x-y=-5 \\ 3x+2y=5 \end{cases}$에서 $\begin{cases} y=x+5 \\ y=-\frac{3}{2}x+\frac{5}{2} \end{cases}$

즉 기울기가 다르므로 두 일차방정식의 그래프는 한 점에서 만난다. 따라서 연립방정식의 해는 한 쌍이다.

(3) $\begin{cases} 2x+y-2=0 \\ 4x+2y-8=0 \end{cases}$에서 $\begin{cases} y=-2x+2 \\ y=-2x+4 \end{cases}$

즉 기울기가 같고 y절편은 다르므로 두 일차방정식의 그래프는 서로 평행하다. 따라서 연립방정식의 해는 없다.

5일 기초 집중 연습 p160~ p161

1-1 -3

1-2 그래프는 풀이 참조 (1) $x=2, y=3$ (2) $x=1, y=-3$

1-3 (1) $(6, 1)$ (2) $(5, 1)$ (3) $(-1, 3)$

1-4 ④

2-1 그래프는 풀이 참조

(1) 없다. (2) 한 쌍이다. (3) 무수히 많다.

2-2 (1) ㉢ (2) ㉡ (3) ㉠, ㉣

2-3 ⑤ **2-4** ④

1-1 두 일차방정식의 교점의 좌표가 $\left(\frac{5}{2}, \frac{11}{2}\right)$이므로 연립방정식의 해는 $x=\frac{5}{2}$, $y=\frac{11}{2}$이다.

따라서 $a=\frac{5}{2}$, $b=\frac{11}{2}$이므로 $a-b=\frac{5}{2}-\frac{11}{2}=-3$

1-2 (1) $\begin{cases} x+2y=8 \\ 3x-y=3 \end{cases}$에서 $\begin{cases} y=-\frac{1}{2}x+4 \\ y=3x-3 \end{cases}$

두 일차방정식의 그래프를 좌표평면 위에 그리면 다음 그림과 같다.

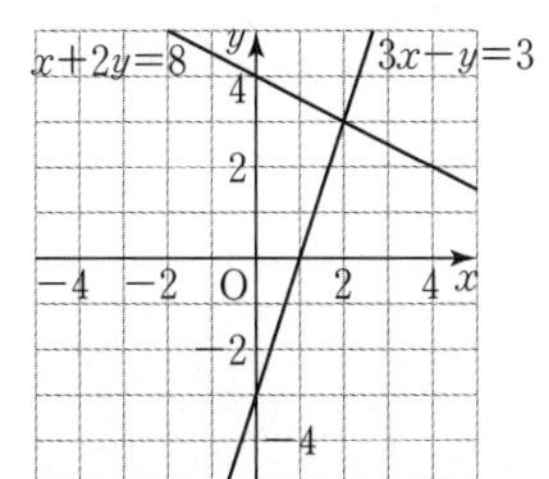

이때 두 그래프의 교점의 좌표는 $(2, 3)$이므로 연립방정식의 해는 $x=2$, $y=3$이다.

(2) $\begin{cases} 4x+y=1 \\ x-y=4 \end{cases}$에서 $\begin{cases} y=-4x+1 \\ y=x-4 \end{cases}$

두 일차방정식의 그래프를 좌표평면 위에 그리면 다음 그림과 같다.

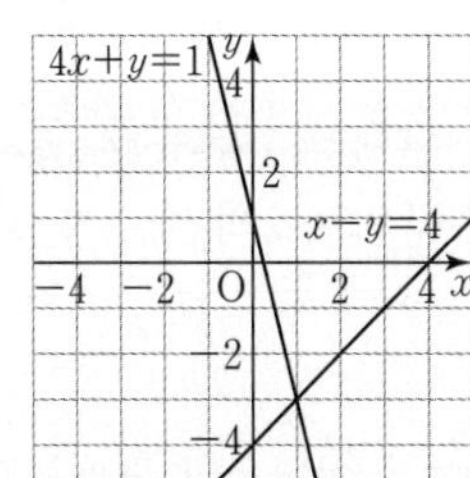

이때 두 그래프의 교점의 좌표는 $(1, -3)$이므로 연립방정식의 해는 $x=1$, $y=-3$이다.

1-3 (1) $\begin{cases} x+y=7 & \cdots ㉠ \\ \frac{x}{4}+\frac{y}{2}=2 & \cdots ㉡ \end{cases}$

㉠$-4\times$㉡을 하면 $-y=-1$ $\therefore y=1$

$y=1$을 ㉠에 대입하면

$x+1=7$ $\therefore x=6$

따라서 두 일차방정식의 그래프의 교점의 좌표는 $(6, 1)$이다.

(2) $\begin{cases} x-2y-3=0 \\ x+4y-9=0 \end{cases}$ ➡ $\begin{cases} x-2y=3 & \cdots ㉠ \\ x+4y=9 & \cdots ㉡ \end{cases}$

㉠$-$㉡을 하면 $-6y=-6$ $\therefore y=1$

$y=1$을 ㉠에 대입하면

$x-2=3$ $\therefore x=5$

따라서 두 일차방정식의 그래프의 교점의 좌표는 $(5, 1)$이다.

(3) $\begin{cases} y=-2x+1 \\ y=3x+6 \end{cases}$ ➡ $\begin{cases} 2x+y=1 & \cdots ㉠ \\ 3x-y=-6 & \cdots ㉡ \end{cases}$

㉠$+$㉡을 하면 $5x=-5$ $\therefore x=-1$

$x=-1$을 ㉠에 대입하면

$-2+y=1$ $\therefore y=3$

따라서 두 일차방정식의 그래프의 교점의 좌표는 $(-1, 3)$이다.

1-4 두 그래프의 교점의 좌표가 ① $(3, 1)$ 이므로

연립방정식의 해는 $x=$ ② 3 , $y=$ ③ 1 $\cdots ㉠$

㉠을 $ax-4y=2$에 대입하면 $3a-4=2$

$3a=6$ $\therefore a=$ ④ 2

㉠을 $bx+y=7$에 대입하면 $3b+1=7$

$3b=6$ $\therefore b=$ ⑤ 2

따라서 옳지 않은 것은 ④이다.

2-1 (1) $\begin{cases} x-2y=1 \\ -3x+6y=9 \end{cases}$에서 $\begin{cases} y=\frac{1}{2}x-\frac{1}{2} \\ y=\frac{1}{2}x+\frac{3}{2} \end{cases}$

즉 기울기가 같고, y절편은 다르므로 두 일차방정식의 그래프는 다음 그림과 같이 서로 평행하다. 따라서 연립방정식의 해는 없다.

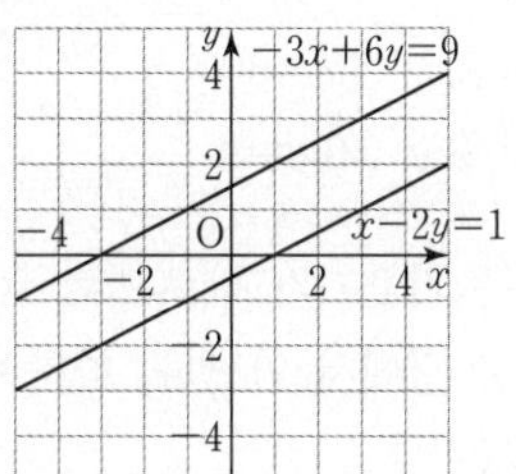

(2) $\begin{cases} 4x-y=-2 \\ x+y=-3 \end{cases}$에서 $\begin{cases} y=4x+2 \\ y=-x-3 \end{cases}$

즉 기울기가 다르므로 두 일차방정식의 그래프는 다음 그림과 같이 한 점에서 만난다. 따라서 연립방정식의 해는 한 쌍이다.

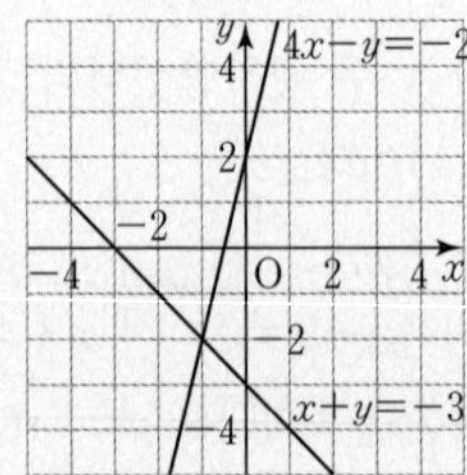

(3) $\begin{cases} 2x+3y=2 \\ 4x+6y=4 \end{cases}$에서 $\begin{cases} y=-\frac{2}{3}x+\frac{2}{3} \\ y=-\frac{2}{3}x+\frac{2}{3} \end{cases}$

즉 기울기와 y절편이 각각 같으므로 두 일차방정식의 그래프는 다음 그림과 같이 일치한다. 따라서 연립방정식의 해는 무수히 많다.

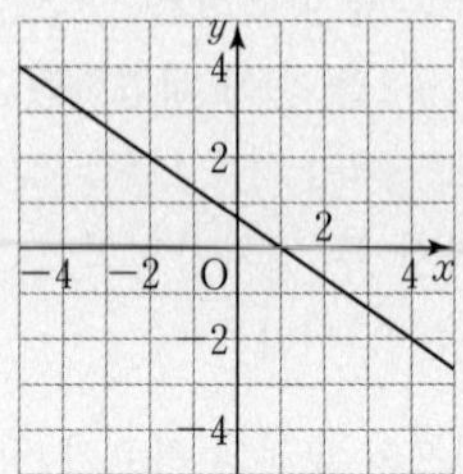

2-2 ㉠ $\begin{cases} x+6y=1 \\ 2x+12y=3 \end{cases}$에서 $\begin{cases} y=-\frac{1}{6}x+\frac{1}{6} \\ y=-\frac{1}{6}x+\frac{1}{4} \end{cases}$

즉 기울기가 같고 y절편이 다르므로 두 일차방정식의 그래프는 평행하다. 따라서 연립방정식의 해는 없다.

㉡ $\begin{cases} 3x-y=2 \\ 9x-3y=6 \end{cases}$에서 $\begin{cases} y=3x-2 \\ y=3x-2 \end{cases}$

즉 기울기와 y절편이 각각 같으므로 두 일차방정식의 그래프는 일치한다. 따라서 연립방정식의 해는 무수히 많다.

㉢ $\begin{cases} 8x-4y=6 \\ 12x+6y=9 \end{cases}$에서 $\begin{cases} y=2x-\frac{3}{2} \\ y=-2x+\frac{3}{2} \end{cases}$

즉 기울기가 다르므로 두 일차방정식의 그래프는 한 점에서 만난다. 따라서 연립방정식의 해는 한 쌍이다.

㉣ $\begin{cases} 6x-3y=10 \\ 4x-2y=5 \end{cases}$에서 $\begin{cases} y=2x-\frac{10}{3} \\ y=2x-\frac{5}{2} \end{cases}$

즉 기울기가 같고 y절편은 다르므로 두 일차방정식의 그래프는 서로 평행하다. 따라서 연립방정식의 해는 없다.

2-3 연립방정식의 해가 없으려면 두 일차방정식의 그래프가 서로 평행해야 하므로 기울기가 같고 y절편이 달라야 한다.

$\begin{cases} 3x+2y=3 \\ ax+6y=10 \end{cases}$에서 $\begin{cases} y=-\frac{3}{2}x+\frac{3}{2} \\ y=-\frac{a}{6}x+\frac{5}{3} \end{cases}$이므로

$-\frac{3}{2}=-\frac{a}{6}$ $\quad\therefore a=9$

2-4 연립방정식의 해가 무수히 많으려면 두 일차방정식의 그래프가 일치해야 하므로 기울기와 y절편이 각각 같아야 한다.

$\begin{cases} ax-y=1 \\ 4x-by=2 \end{cases}$에서 $\begin{cases} y=ax-1 \\ y=\frac{4}{b}x-\frac{2}{b} \end{cases}$이므로

$-1=-\frac{2}{b}$에서 $b=2$, $a=\frac{4}{b}$에서 $a=\frac{4}{2}=2$

$\therefore a+b=2+2=4$

누구나 100점 테스트 p162 ~ p163

01 ②, ⑤ **02** ④ **03** ②, ③ **04** ①
05 (1) $y=2x-4$ (2) $y=-2x+7$ (3) $y=-\frac{5}{2}x+5$
06 4 km **07** ④ **08** ③ **09** 3
10 ①

01 일차함수의 그래프가 오른쪽 위로 향하는 직선이면 기울기가 양수이므로 x의 계수가 양수인 것을 고르면 ②, ⑤이다.

02 일차함수 $y=-ax+b$의 그래프가 오른쪽 위로 향하므로 $-a>0$ $\quad\therefore a<0$
또 y축과 음의 부분에서 만나므로 $b<0$

03 ① y절편은 1이다.

② $y=-3x+1$에 $y=0$을 대입하면

$0=-3x+1$, $3x=1$ $\therefore x=\frac{1}{3}$

따라서 x축과 만나는 점의 좌표는 $\left(\frac{1}{3}, 0\right)$이다.

④ 기울기가 -3이므로 x의 값이 2만큼 증가할 때, y의 값은 6만큼 감소한다.

⑤ 일차함수 $y=-3x+1$의 그래프를 그리면 오른쪽 그림과 같으므로 제1, 2, 4사분면을 지난다.

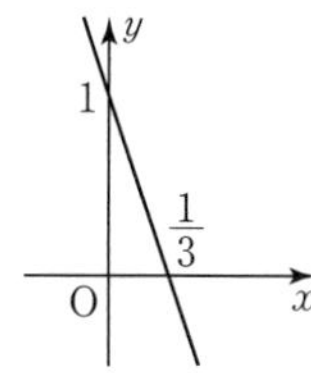

따라서 옳은 것은 ②, ③이다.

04 두 일차함수 $y=\frac{a}{2}x+5$, $y=-4x-5$의 그래프가 서로 평행하므로 기울기는 같고 y절편은 다르다.

즉 $\frac{a}{2}=-4$에서 $a=-8$

05 (1) 일차함수의 식을 $y=2x+b$로 놓으면

이 그래프가 점 $(-1, -6)$을 지나므로

$-6=2\times(-1)+b$ $\therefore b=-4$

따라서 구하는 일차함수의 식은 $y=2x-4$이다.

(2) $(\text{기울기})=\frac{-3-3}{5-2}=\frac{-6}{3}=-2$

일차함수의 식을 $y=-2x+b$로 놓으면

이 그래프가 점 $(2, 3)$을 지나므로

$3=-2\times2+b$ $\therefore b=7$

따라서 구하는 일차함수의 식은 $y=-2x+7$이다.

(3) 그래프가 두 점 $(2, 0)$, $(0, 5)$를 지나므로

$(\text{기울기})=\frac{5-0}{0-2}=-\frac{5}{2}$

일차함수의 식을 $y=-\frac{5}{2}x+b$로 놓으면 y절편이 5이므로 구하는 일차함수의 식은 $y=-\frac{5}{2}x+5$이다.

06 높이가 x km인 곳의 기온을 y ℃라고 하자.

높이가 100 m 높아질 때마다 기온이 0.6 ℃씩 내려가므로 높이가 1 km(=1000 m) 높아질 때마다 기온이 6 ℃씩 내려간다. 이때 지면의 기온이 18 ℃이므로

$y=18-6x$

$y=18-6x$에 $y=-6$을 대입하면

$-6=18-6x$, $6x=24$ $\therefore x=4$

따라서 기온이 -6 ℃인 지점은 지면으로부터 4 km 높이에 있다.

07 ① $x+2y+8=0$에 $x=-2$, $y=-3$을 대입하면

$-2+2\times(-3)+8=0$ (참)

즉 점 $(-2, -3)$을 지난다.

② $x+2y+8=0$에서 $y=-\frac{1}{2}x-4$

$y=-\frac{1}{2}x-4$에 $y=0$을 대입하면

$0=-\frac{1}{2}x-4$

$\frac{1}{2}x=-4$ $\therefore x=-8$

따라서 x절편은 -8, y절편은 -4이다.

③ 일차함수 $y=-\frac{1}{2}x-4$의 그래프를 그리면 오른쪽 그림과 같으므로 제2, 3, 4사분면을 지난다.

④ 일차함수 $y=\frac{1}{2}x+5$의 그래프와 기울기가 다르므로 평행하지 않다.

⑤ 기울기가 $-\frac{1}{2}$이므로 x의 값이 6만큼 증가할 때, y의 값은 3만큼 감소한다.

따라서 옳지 않은 것은 ④이다.

08 y축에 수직인 직선은 x축에 평행한 직선과 같으므로 점 $(3, -4)$를 지나고 x축에 평행한 직선은 $y=-4$이다.

09 두 일차방정식의 그래프의 교점의 좌표가 $(1, 2)$이므로 연립방정식의 해는 $x=1$, $y=2$이다.

$x=1$, $y=2$를 $x-ay=-3$에 대입하면

$1-2a=-3$, $-2a=-4$ $\therefore a=2$

$x=1$, $y=2$를 $x+by=2$에 대입하면

$1+2b=2$, $2b=1$ $\therefore b=\frac{1}{2}$

$\therefore a+2b=2+2\times\frac{1}{2}$

$=2+1=3$

10 연립방정식의 해가 없으려면 두 일차방정식의 그래프가 서로 평행해야 하므로 기울기가 같고 y절편이 달라야 한다.

$\begin{cases} 3x-6y=9 \\ -x+2y=a \end{cases}$ 에서 $\begin{cases} y=\frac{1}{2}x-\frac{3}{2} \\ y=\frac{1}{2}x+\frac{a}{2} \end{cases}$ 이므로

$-\frac{3}{2}\neq\frac{a}{2}$ $\quad\therefore a\neq-3$

따라서 a의 값으로 옳지 않은 것은 ①이다.

특강 창의, 융합, 코딩 p164~ p169

1 ②, ⑤

2 (1) 바둑돌 ⑧의 좌표 : $(-2,\ -7)$

바둑돌 ⑩의 좌표 : $(6,\ 5)$

(2) $y=\frac{3}{2}x-4$

(3) 바둑돌 ❼의 좌표 : $(-4,\ 7)$

바둑돌 ⓯의 좌표 : $(6,\ -3)$

(4) $y=-x+3$

3 (1) ② (2) ③ (3) ③ (4) ④

4 그림은 풀이 참조/ 별

5 강석, 출발선으로부터 120 m 지점에서 토끼와 거북이 만났다.

6 영화관

1 ① 기울기가 4로 양수이므로 그래프는 오른쪽 위로 향하는 직선이다.

② 일차함수 $y=-\frac{2}{3}x-3$의 그래프를 그리면 오른쪽 그림과 같으므로 제2, 3, 4사분면을 지난다.

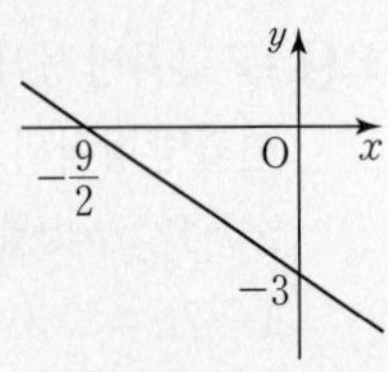

③ 일차함수 $y=x-1$의 그래프는 일차함수 $y=x$의 그래프를 y축의 방향으로 -1만큼 평행이동한 것이다.

④ 두 그래프의 기울기가 다르므로 두 그래프는 서로 평행하지 않다.

⑤ $y=3(x-1)+5$에서 $y=3x+2$

즉 두 그래프는 일치한다.

⑥ 두 일차함수 $y=ax+b$, $y=cx+d$의 그래프에 대하여 $a=c$, $b\neq d$이면 두 그래프는 서로 평행하다.

따라서 보물이 있는 장소는 ②, ⑤이다.

2 (2) (기울기)$=\frac{5-(-7)}{6-(-2)}=\frac{12}{8}=\frac{3}{2}$

구하는 일차함수의 식을 $y=\frac{3}{2}x+b$로 놓으면

그래프가 점 $(6,\ 5)$를 지나므로

$5=\frac{3}{2}\times6+b$ $\quad\therefore b=-4$

따라서 구하는 일차함수의 식은

$y=\frac{3}{2}x-4$

(4) (기울기)$=\frac{-3-7}{6-(-4)}=\frac{-10}{10}=-1$

구하는 일차함수의 식을 $y=-x+b$로 놓으면

그래프가 점 $(6,\ -3)$을 지나므로

$-3=-6+b$ $\quad\therefore b=3$

따라서 구하는 일차함수의 식은

$y=-x+3$

3 (1) 점 $(-2,\ -1)$을 지나고 x축에 평행한 직선의 방정식

➡ $y=-1$

(2) 점 $(9,\ 3)$을 지나고 y축에 평행한 직선의 방정식

➡ $x=9$

(3) 점 $(3,\ 4)$를 지나고 y축에 수직인 직선의 방정식

➡ 점 $(3,\ 4)$를 지나고 x축에 평행한 직선의 방정식

➡ $y=4$

(4) 점 $(4,\ -5)$를 지나고 x축에 수직인 직선의 방정식

➡ 점 $(4,\ -5)$를 지나고 y축에 평행한 직선의 방정식

➡ $x=4$

4 ❷ $3x-2y+12=0$에서 $y=\frac{3}{2}x+6$

❺ $2x+3y+6=0$에서 $y=-\frac{2}{3}x-2$

주어진 직선의 방정식의 그래프를 좌표평면 위에 그리면 다음 그림과 같으므로 그래프로 둘러싸인 부분을 색칠하면 별 모양이 나타난다.

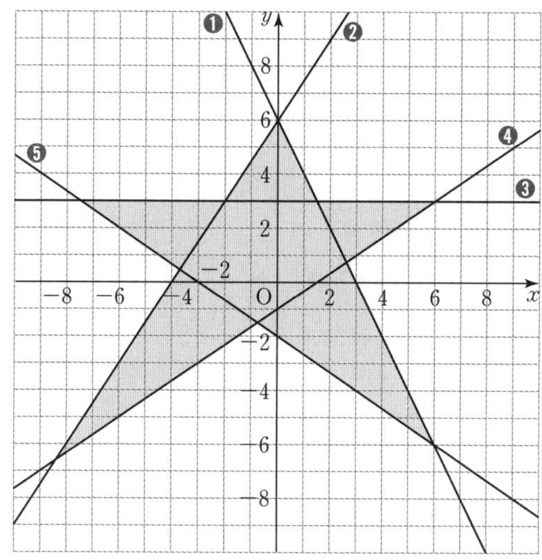

5 승우: 토끼에 대한 직선은 원점과 점 (50, 300)을 지나므로 $y=6x$

세아: 거북에 대한 직선은 두 점 (0, 100), (20, 120)을 지나므로

(기울기)$=\dfrac{120-100}{20-0}=1$ $\quad\therefore y=x+100$

강석: 토끼와 거북이 만나는 지점은 연립방정식 $\begin{cases} y=6x \\ y=x+100 \end{cases}$의 교점의 좌표와 같다. 이때 두 직선의 교점의 좌표는 (20, 120)이므로 토끼와 거북이 만나는 지점은 출발선으로부터 120 m 떨어진 곳이다.

선주: 300 m 달리기 경주에서 토끼는 점 (50, 300)을 지나므로 출발한 지 50분 후에 토끼가 결승점에 도착하였다.

6 $\begin{cases} x-2y=0 \\ 3x-6y=-3 \end{cases}$에서 $\begin{cases} y=\dfrac{1}{2}x \\ y=\dfrac{1}{2}x+\dfrac{1}{2} \end{cases}$

➡ 기울기가 같고 y절편이 다르므로 두 일차방정식의 그래프는 서로 평행하다.

$\begin{cases} y=3x-4 \\ 6x-2y-8=0 \end{cases}$에서 $\begin{cases} y=3x-4 \\ y=3x-4 \end{cases}$

➡ 기울기와 y절편이 각각 같으므로 두 일차방정식의 그래프는 일치한다.

$\begin{cases} 4x+y=9 \\ x+4y=9 \end{cases}$에서 $\begin{cases} y=-4x+9 \\ y=-\dfrac{1}{4}x+\dfrac{9}{4} \end{cases}$

➡ 기울기가 다르므로 두 일차방정식의 그래프는 한 점에서 만난다.

$\begin{cases} y=x+12 \\ y=-\dfrac{1}{2}x+6 \end{cases}$

➡ 기울기가 다르므로 두 일차방정식의 그래프는 한 점에서 만난다.

$\begin{cases} 6x+3y=18 \\ 4x+2y=12 \end{cases}$에서 $\begin{cases} y=-2x+6 \\ y=-2x+6 \end{cases}$

➡ 기울기와 y절편이 각각 같으므로 두 일차방정식의 그래프는 일치한다.

따라서 두 일차방정식의 그래프의 위치 관계를 바르게 나타낸 화살표를 따라가면 다음 그림과 같고, 도착하는 장소는 영화관이다.

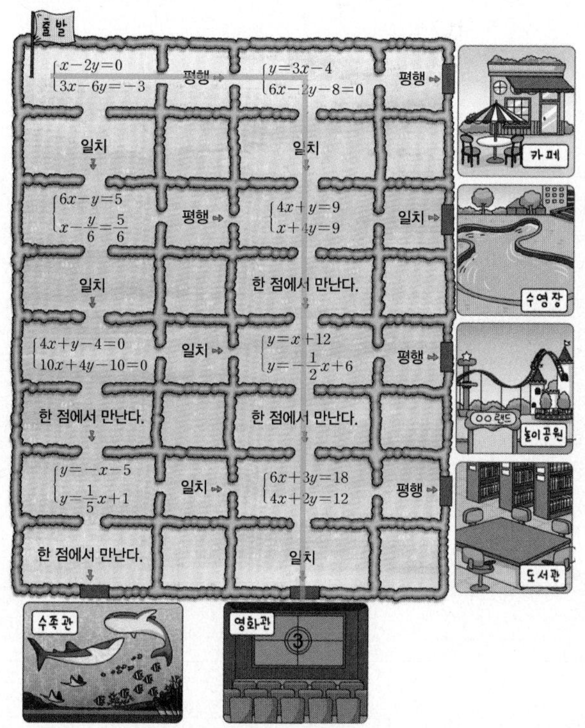

Memo

용기를 주는
좋은 말

미래를 바꾸는 긍정의 한 마디

저는 미래가 어떻게 전개될지는 모르지만, 누가 그 미래를 결정하는지는 압니다.

오프라 윈프리(Oprah Winfrey)

오프라 윈프리는 불우한 어린 시절을 겪었지만 좌절하지 않고 열심히 노력하여
세계에서 가장 유명한 TV 토크쇼의 진행자가 되었어요.
오프라 윈프리의 성공기를 오프라이즘(Oprahism)이라 부른다고 해요.
오프라이즘이란 '인생의 성공 여부는
온전히 개인에게 달려있다'라는 뜻이랍니다.

인생의 꽃길은 다른 사람이 아닌, 오직 '나'만이 만들 수 있어요.

정답은
이안에
있어!

시작은 하루 중학 영어

- 문법 1, 2, 3
- 어휘 1, 2, 3

이 교재도 추천해요!

- G코치 (Grammar Coach)
- 3초 보카

시작은 하루 중학 사회 / 역사

- 사회 ①, ②
- 역사 ①, ②

시작은 하루 중학 과학

- 1-1, 1-2
- 2-1, 2-2
- 3-1, 3-2

배움으로 행복한 내일을 꿈꾸는

천재교육 커뮤니티 안내

교재 안내부터 구매까지 한 번에!

천재교육 홈페이지

천재교육 홈페이지에서는 자사가 발행하는 참고서, 교과서에 대한 소개는 물론 도서 구매도 할 수 있습니다. 회원에게 지급되는 별을 모아 다양한 상품 응모에도 도전해 보세요.

구독, 좋아요는 필수! 핵유용 정보 가득한

천재교육 유튜브 <천재TV>

신간에 대한 자세한 정보가 궁금하세요?
참고서를 어떻게 활용해야 할지 고민인가요?
공부 외 다양한 고민을 해결해 줄 채널이 필요한가요?
학생들에게 꼭 필요한 콘텐츠로 가득한 천재TV로 놀러 오세요!

다양한 교육 꿀팁에 깜짝 이벤트는 덤!

천재교육 인스타그램

천재교육의 새롭고 중요한 소식을 가장 먼저 접하고 싶다면?
천재교육 인스타그램 팔로우가 필수!
누구보다 빠르고 재미있게 천재교육의 소식을 전달합니다.
깜짝 이벤트도 수시로 진행되니 놓치지 마세요!